JN059029

エリア・スタディーズ
200
ラダックを知るための
60
章
煎本 孝
山田孝子
（著）
明石書店

はじめに

ラダックはヒマラヤ山脈中のラダック王国として成立し、千年後の現在もインド連邦直轄領ラダックとして、その独自性を誇示し続けている。

1974年に外国人の入域が解禁されたラダックは、厳しい自然に対峙していきる人びとと、僧院でチベット仏教を実践する僧たちという現代の秘境としての神秘的な姿を現わす。そのため、この地域は未知なる地理的フロンティアであるばかりでなく、精神的フロンティアでもあった。

現在、ラダックは雄大な自然と豊かな伝統文化を観光資源に、インフラの整備と交通の便を図り、旅行者が容易に入ることのできる地域として再登場した。

本書はラダックに関するエリア・スタディーズとしての幅広い項目、すなわち、自然（地理、環境）、歴史、経済（農耕、果樹栽培、移牧、遊牧、交易、観光）、社会、文化、儀礼、宗教、政治の詳細な解説、および概観の提示をおこなう。

さらに、ここでは、人間の活動に焦点をあてた記述により、ラダックにおける人びとの生きざまの理解を試みる。その上で、ラダック王国の伝統という歴史の連続体としての現在のラダックの位置づけと展開、またそれを可能にする言語と文化の継承とラダック人としての帰属性（アイデンティティ）を提示する。

第Ⅰ部「ラダックの概観」では、ヒマラヤの厳しい自然におけるラダック王国の成立と現在の人口動態、宗教的多様性、憲法指定部族法令の制定を経てのインド連邦直轄領ラダックの形成、ラダック人としての帰属性というラダックの全体像を概観する。

第Ⅱ部「歴史」では、アーリア人とモンゴロイドの混成によるラダック人の起源から、ラダック王国の成立、発展、衰退、さらにその後のドグラ統治、カシミール藩王国の成立と英領インド帝国時代の統治を経て、インド独立後のラダックの現代化に至る歴史について述べる。

第Ⅲ部「農耕と生態」では、標高差を利用したヒマラヤ地域の生存戦略について記し、経済活動の一環としての農耕とこれに係わるわかちあいのこころやたすけあいのこころによる制度的慣習について述べる。

第Ⅳ部「果樹栽培」においては、特徴あるラダックの生産物であるあんずの果樹栽培に関する収穫、加工、利用方法を記述する。

第Ⅴ部「上手／下手ラダック、ザンスカールにおける移牧」では、農耕とともに重要な経済活動である牧畜について、ラダックとザンスカールにおける標高差を利用した移牧に焦点をあてて記述する。

第Ⅵ部「チャンタン高原における遊牧」では、チャンタン高原における遊牧民の季節移動、家畜の認識、ヤク、パシュミナ山羊、羊などの管理と利用について記述し、危機管理戦略とたすけあうこころの発動、さらには危機管理戦略としての人口移動について言及する。

第Ⅶ部「交易経済」では、短距離／中距離交易が、ともにいきるこころと共生関係を形成することを述べ、国家間長距離交易がラダック王国の経済基盤となっていたことを指摘する。さらに、ラダック人とヤルカンド人やカシミール人の混成の子孫であるアルゴンと呼ばれる特異な交易商人が現在に続く、異民族とともにいきるこころの形成に寄与したことを記す。その上で、現在のラダックにおける交易経済から観光経済への転換と新たな経済発展への戦略について述べる。

第Ⅷ部「社会と協力」では、ラダックの家族と家制度、婚姻規制と婚姻制度について述べ、一妻多夫婚から一夫一婦婚への変化を指摘する。さらに、ラダックの結婚式とそれを巡る結納と持参財、結婚歌について記述する。また、村における灌漑と協力について述べ、その背後にひとつになるこころの発動があること、同様に家族の協力について述べ、その背後にたすけあいのこころの発動があることを指摘する。

第Ⅸ部「食文化」では、主食である大麦と小麦の食事、多様な料理方法によるそば、粟、米の食事、穀物と家畜の組み合わせから成る乳製品と肉の食事について記述する。その上で、日々の食事と料理の季節的変化を記し、料理のこころについて考察する。

第Ⅹ部「儀礼」では、葬儀と祖先供養について述べ、これらの儀礼を通して悲しみから感謝のこころへの転換が図られることを示す。また、これとは逆に、誕生祭により喜びからいきる勇気への転換が図られることを指摘する。また、新年の行事について述べ、これが悪霊の追放としあわせを願うこころの象徴的表現であり、その実現のための超自然的戦略であることを記す。さらに、神々への奉納儀礼について述べ、この背後にある人びとの超自然的力の認識と守護の祈願を指摘する。

第Ⅺ部「仏教とシャマニズム」では、ラダックにおける仏教の歴史的背景と現在について述べ、仮面舞踊と悪霊追放から成る仏教僧院の祭礼を記す。また、ラー（神々）を招請しておこなわれるダルドのボノナ祭、ラーを憑依したシャマンの登場する僧院の祭礼について記述する。さらに、心理的疾患に対応する仏教儀軌による悪霊の調伏、およびシャマニズムによるこころの治癒について考察する。

最後の第Ⅻ部「政治と帰属性」では、ラダック王国の政治の歴史的連続性を示し、伝統が帰属性の根源になっていることを述べる。その上で、言語と文化の継承を通した現在のラダック人の帰属性を提示する。

さらに、本論を補うための記事として、必要に応じて［コラム1〜11］を設けた。また、各章に関連する引用文献を、「ラダックを知るための参考文献」として巻末に挙げた。

煎本　孝
山田孝子

ラダックを知るための60章

I　ラダックの概観

II　歴史

III　農耕と生態

VI チャンタン高原における遊牧

VII 交易経済

Ⅷ　社会と協力

IX 食文化

X 儀礼

XI 仏教とシャマニズム

XII 政治と帰属性

CONTENTS

※本文中、とくに出所の記載のない写真については、原則として執筆者の撮影・提供による。

ラダックと周辺地域
破線と実線（実質的には一点鎖線で示した管理ライン）に囲まれたレーを中心とする地域が UT（連邦直轄領）ラダックになる。

ラダックの地理的位置

I

ラダックの概観

1

ヒマラヤの自然

★高標高、乾燥地帯という厳しい環境条件★

ラダックはインド亜大陸北部のヒマラヤ山脈西部に位置する。東には標高4300~6700mのチベット高原が広がり、南には標高7135mのヌン、標高7077mのクンを頂く大ヒマラヤ山脈、西にはピル・パンジャル山脈からヒンドゥー・ラジ山脈、ヒンドゥー・クシュ山脈がパキスタンからアフガニスタンへと続き、北には標高8611mのK2を盟主とするカラコルム山脈と崑崙山脈が新疆との境を接する。ラダックは周囲をヒマラヤの山脈群に囲まれた地域である。

ラダックの地形は大ヒマラヤ山脈の北側にそれと並行して走るトランスヒマラヤとも呼ばれるラダック山脈、カイラス山脈、ザンスカール山脈、カラコルム山脈と、それらの間を東から西に流れるインダス河の深い渓谷によって特徴づけられる。インダス河はチベット高原のカイラス山を水源として西進後、ギルギットで南転し、古代インダス文明の地であるパンジャブ地方で五つの河を合流してアラビア海へと注ぐ。

伝統的には、インダス河とザンスカール川の合流点であるニェモ村より上流のレー、チャンタン側を上手（ストッド）、下流のカラツェ、ダーハヌ側を下手（シャム）と呼ぶ。しかし、

写真 1-1　大ヒマラヤ山脈北面ザンスカール側の氷河

写真 1-2　ザンスカール山脈とラダック山脈の間を東から西に流れるインダス河

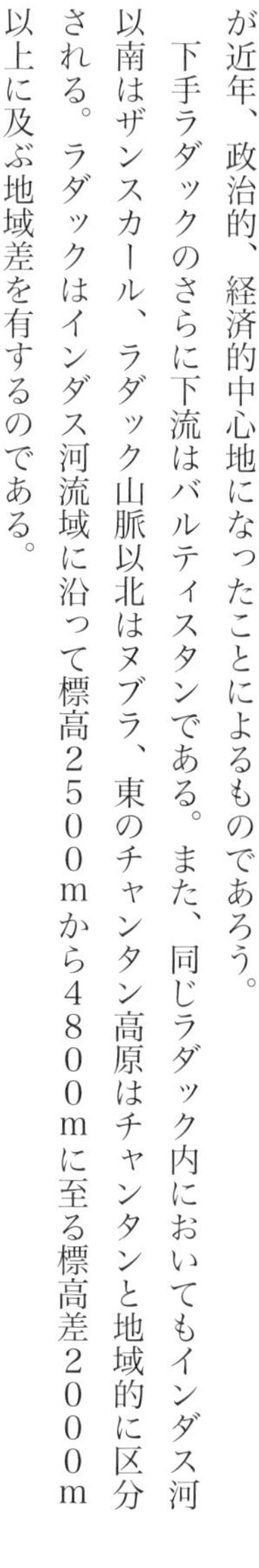

最近では、レーを中心にニェモからサクティまでを、中心を意味するジュンコルと呼び、それよりも上流域をチャンタン、下流域をシャムと呼び、地域を意味する表現として用いられる。これは、レーが近年、政治的、経済的中心地になったことによるものであろう。

下手ラダックのさらに下流はバルティスタンである。また、同じラダック内においてもインダス河以南はザンスカール、ラダック山脈以北はヌブラ、東のチャンタン高原はチャンタンと地域的に区分される。ラダックはインダス河流域に沿って標高２５００ｍから４８００ｍに至る標高差２０００ｍ以上に及ぶ地域差を有するのである。

ラダックはケッペンの気候区分では、乾燥帯の砂漠気候で年平均気温が18℃未満（ＢＷｋ）に分類されるが、アリソフの気候区分ではヒマラヤ山脈における高山気候（Ｈ）に分類される。もっとも、高山における半乾燥地帯の草原も見られることから、一部は高山性ステップとなっている。アラビア海からの湿った季節風は夏にはヒマラヤ山脈南麓に降雨をもたらすが、その北側に位置するラダックは乾燥する。また、冬期における北からの季節風はトランスヒマラヤ山脈やヒマラヤ山脈北面に降雪をもたらすが、これ

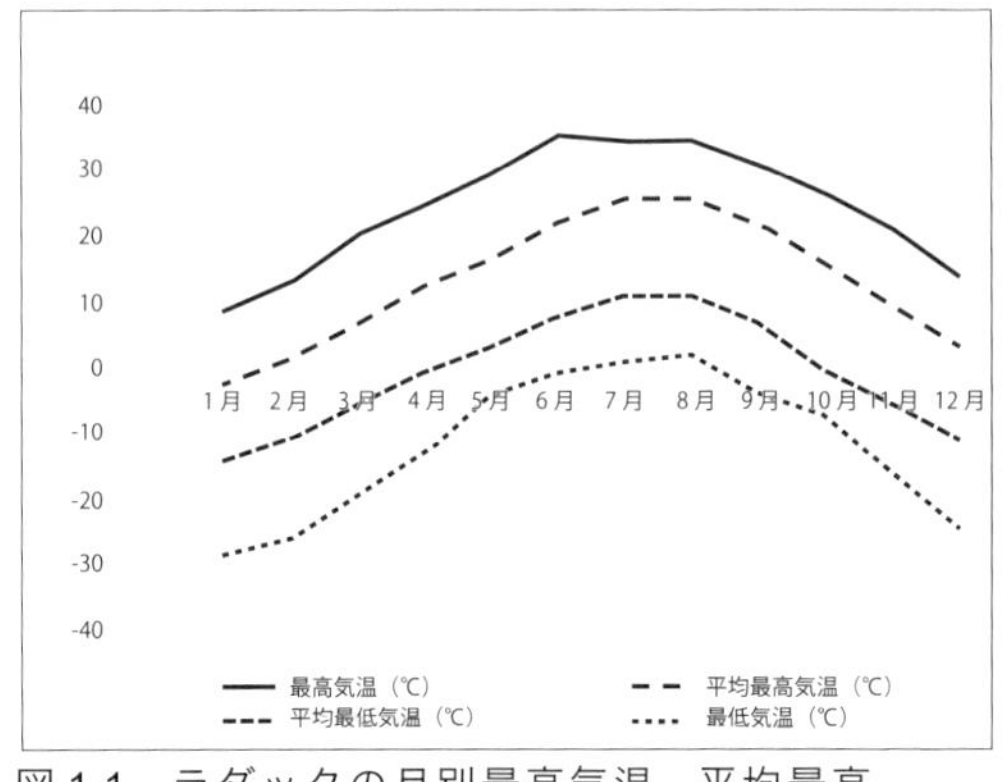

図 1-1　ラダックの月別最高気温、平均最高気温、最低気温、平均最低気温（レー、1951-1980 年）
注：India Meteorological Department (ja.wikipdia.org/wiki/) のデータに基づき作成。

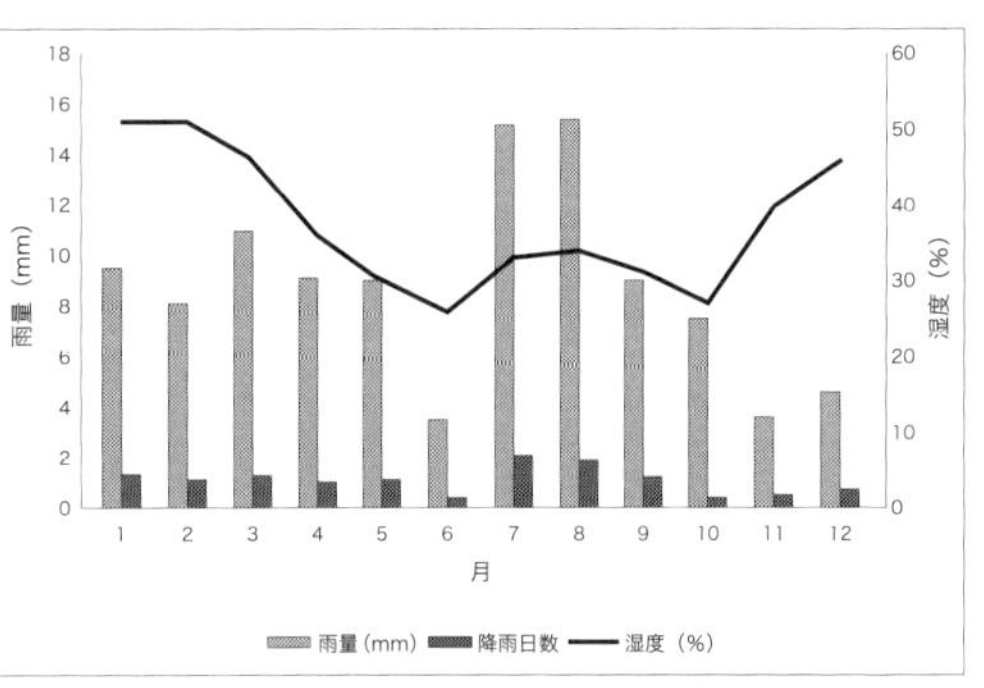

図 1-2　ラダックの月別雨量、降雨日数、湿度（レー、1951-1980 年）
注：India Meteorological Department (ja.wikipdia.org/wiki/) のデータに基づき作成。

らに挟まれたインダス河沿いのラダックは乾燥帯となるのである。

ラダックの主都レー（北緯34度9分36秒、東経77度34分48秒）は標高3554mにあり、気温は一日においても年間においても寒暖の差が大きく、1951～80年の月別平均最高気温は8月で25・3℃、（最高気温は6月の34・8℃）、月別平均最低気温は1月でマイナス14・4℃（最低気温は1月のマイナス28・3℃）となる。また、年間を通して平均最高気温が20℃を超えるのは6月から9月までであり、逆に平均最低気温が氷点下になるのは10月から4月までとなる。短い夏と長い冬が特徴である（図1―1）。

また、雨量は8月が最多月で15・4㎜、11月が最少月で3・6㎜であり、年間降雨量は105・5㎜ときわめて少ない。さらに、ラダックの降雨日数は最多月で7月の2・1日、最少月で6月と10月の0・4日ときわめて少ない。したがって、湿度は最高月で1月と2月の51％、最低月で6月の26％

と低い（図1—2）。

レーの月別日平均日射量は、冬の1月に最低値を示し夏の6月に最高値にまで上昇後、下降に転じる。また、晴天指数は夏の6月、および9月、10月、11月に高い値を示す。すなわち、夏と秋に晴天の日が多くあることになる。夏には日射量が多く気温も高いため、雨量が冬より多くても湿度は低くなり、冬には日射量が少なく積雪が残ったままのため湿度は夏よりも高くなるのである（図1—3）。

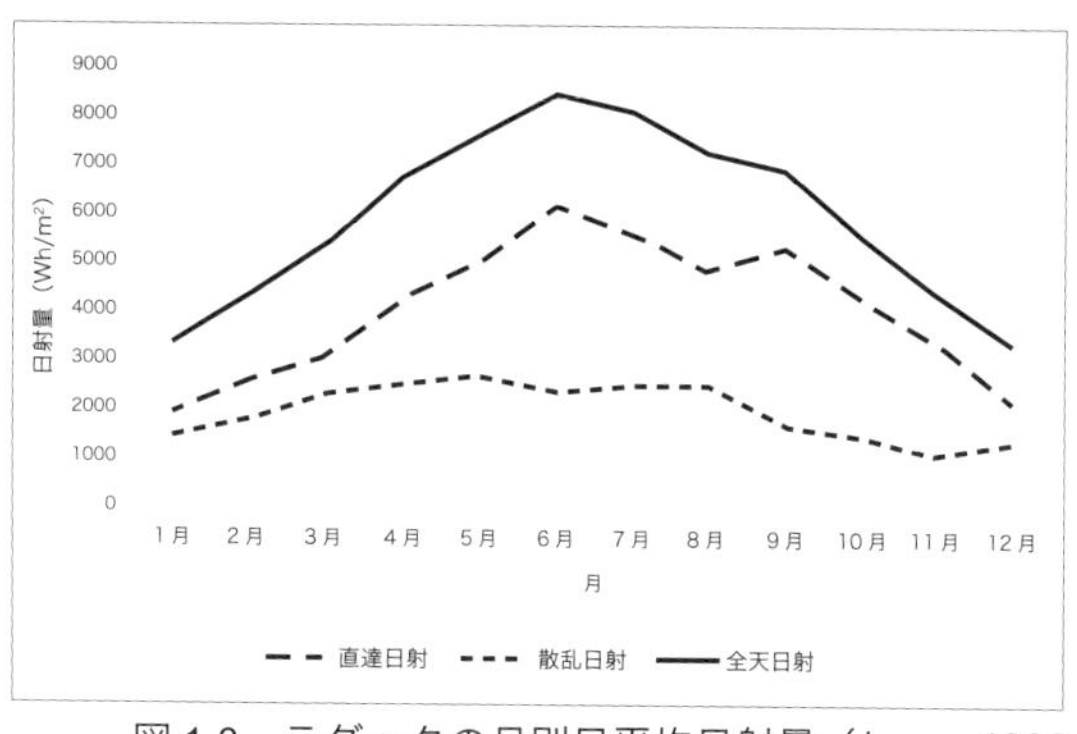

図1-3　ラダックの月別日平均日射量（レー、1988年）

注：⑴全天日射（GHI）は、直達日射（DNI）と散乱日射（DHI）の合計。日平均日射量（Wh/㎡）は1平方メートル当たりのワット時。２DAINA Review Mission, Solar heated Housing Project for Tibetan and Ladakh'es in Leh, India. J. No. 104. M. 27. Ind. I. Sept. 1988. Cowl consult (consulting Engeneers and Plannaers AS) のデータに準拠して作成。

なお、レーをはじめインダス河沿いのラダックの積雪量はきわめて少ない。1月の雨量が9・5㎜なので雨量と積雪の比率を1／10とすれば、1月の積雪量は9・5㎝である。しかし、ザンスカールやチャンタンでは、積雪量は多くなる。じっさい、スリナガル—レー道路、マナリ—レー道路は毎年10月から4月、あるいは5月まで閉鎖される。大ヒマラヤ山脈を越える標高3444mのゾジ峠、標高3978mのロータン峠、標高5100mのバララチャ峠での5～6mの積雪によるためである。したがって、冬期間、ラダックは外界から隔離されることになる。もっとも、今日では、重機での除雪によりスリナガル—レー道路の閉鎖期間は12月から2月と短縮されている。

つまり、雨量や積雪量には地域や標高による差が見られ、一般的には標高の高い高原や山脈では雨量や積雪量が多くな

写真 1-3　インダス河支流の扇状地に作られたラダックの村と耕作地

る。このため、高標高地帯には高山性ステップが見られ、このことが高山での家畜の放牧やチャンタン高原での遊牧を可能にしている。

さらに、山脈における積雪は氷河の形成など水資源の保持を可能とし、夏にここから解け出した水が扇状地にある村の畑の灌漑に用いられる。ラダックは乾燥帯の砂漠気候であり、限られた耕地面積からの収穫量、さらには積雪による冬期間の隔離という厳しい環境条件にあるが、逆に、ヒマラヤ山脈やトランスヒマラヤ山脈における積雪が水源としての役割を果たすことにより、農業や牧畜が可能となっているのである。

他方、長期的な気温や雨量の変化も指摘されている。１９７３〜２００８年の36年間でレーの冬の12月の最低気温は１℃上昇し、夏の６月の平均最高気温は０・７℃上昇している。また、冬の12月の雨量は４㎜減少し、夏の８月の雨量も３㎜減少している。もっとも、１９０１〜２０００年の１００年間における雨量の変化に関しては、夏の６〜８月においては弱い減少傾向を示すものの有意性はなく、冬の11〜２月においては有意の増加傾向が認められるなど、前者とは異なる結果となっている。

また、ザンスカールにおける氷河に小氷期以降、後退が見られ、灌漑用の雪解け水が得られなくなったため移住した村もある。さらに、ラダックでは夏に水を得るため冬の間に雪を貯蔵し人工的に氷河を作る試みもなされている。長期的な気候変動は、積雪量や氷河の形成に関係するため、人びとの生存戦略に直接影響を及ぼすことになるのである。


（煎本　孝）

2

ラダック王国の成立

★経済基盤としての国家間長距離交易★

ラダック王国は南を大ヒマラヤ山脈、北をカラコルム山脈に囲まれた厳しい地形的条件と生態環境にありながら、地理的には中央アジアとインドとの境界領域を占める。このため、古来よりインド、チベット、東トルキスタンなどとの経済、文化交流を通じて、ラダック独自の歴史を展開してきた。

ラダック王国の歴史は、Ａ・Ｈ・フランケによる注釈を加えて収められているラダック王統史（ラダックギャルラブス）に記されている。ラダック王国史は、王統史第６部に相当する成立期（c．９００～１４００年）、第７部に相当する発展期（c．１４００～１６００年）、そして第８部に相当する衰退期（c．１６００～１８３４年）に分けることができる。

成立期はキデニマゴン（c．９００～９３０年）の長男であるラチェンパルキゴン（c．９３０～９６０年）からロドチョクダン（c．１４４０～１４７０年）に至るラダック王国第一次王朝の時代である。なお、ラダック王国第一次王朝は実質的にはラチェンパルキゴンにより創始されるが、王朝としての系譜はそれより遡り、吐蕃王国のランダルマ王の子ウスン（c．８４２～８７０年）を初代とし、息子のデバルコルツァン（c．８７０～９００

写真 2-1　レーのナムギャル丘に建つラダック王国王宮

年）、その息子のキデニマゴンと継承される。

発展期はラチェンダクパブム（c．1400～1440年）からセンゲナムギャル（c．1569～1594年）に至るラダック王国第二次王朝前半期の時代である。第一次王朝と第二次王朝とは年代的に重複するが、実質的な交替があったのは1470年のラチェンバガン（c．1470～1500年）の時であったと考えられる。ただし、第二次王朝は実質的な創始者であるラチェンバガンを遡り、ラチェンダクブムデの弟のダクパブムを第二次王朝創始者とし、息子のラチェンバラを経てその息子のラチェンバガンへと継承されたことになっている。

衰退期はデルダンナムギャル（1595～1659／60年）からツェワンラプタンナムギャル（1830～1835年）に至るラダック王国第二次王朝後半期の時代である。王統史ではラダック王国最後の王はツェパル（ミギュルドンドゥプ）ナムギャルとされ、その息子のツェワンラプタンナムギャル（チョクプルナムギャル）は王子と記される。なお、ラダック王国諸王の在位年代に関しては、キデニマゴンからジャムヤンナムギャル（1560～1590年）に至るまではA・H・フランケに準拠するが、ジャムヤンナムギャルの死亡年代を1569年とし、これに続くセンゲナムギャルからツェワンラプタンナムギャルに至るまではS・S・ゲルガンに準拠する。

また、ラダック王国第一次王朝の諸王の名前には一般的に前にラチェン（神・偉大）がつく。第二次王朝の系譜については名前の後にナムギャル（完全・勝利者）がつき、ナムギャル王朝の諸王であることを示す。もっとも、第二次王朝諸王の一部には第一次王朝と同様、王位継承者である長男の名前に冠せられるラチェンがつくものがある。本書では、後述（第７章、８章、９章）するように、ラダック王国諸王の系譜について、第一次王朝の王位継承者を順番にＬ１—Ｌ21（全21代諸王）と番号を付し、第二次王朝の王位継承者を順番にＮ１—Ｎ16（全16代諸王）と番号を付す。その結果、ラダック王国は全体で37代の諸王の系譜から構成されることになる。

ラダック王国の成立、発展、衰退という歴史的過程は、ラダック王国の統合機構の動態的変化そのものである。ラダック王国の成立とは、王朝による独立領主であった地方諸領主の支配と交易路、交易活動の確保であり、交易経済基盤の確立であった。また、ラダック王国の発展とは、王朝の覇権拡大政策に支えられた交易経済の充実と制御の確立過程である。

この経済機構は王朝、官僚、僧院からなる政治機構を確立させ、この政治機構はさらに経済基盤の維持機構として機能する。宗教は王権を支持し、正当化するために機能し、官僚は王権のもとでの行政機関として機能する。もっとも、この政治機構はラダック王国の発展により新たに出現したものではない。王、官僚、宗教専門家の存在はすでに吐蕃王国においてツェンポ（君主）が右手にシャマン長を従え、左手に大臣を従える三頭鼎坐の形で運営されていた可能性があることに示されるように、ラダック王国成立時以前からその模範があったからである。

しかし、これがラダック王国の統合機構として機能するに至るには、経済基盤の充実とこれに伴う

写真 2-2　ラダックの中心部レー

政治機構の変化と調整が必要であった。ラダック王国成立以前、あるいは以後においても、中央アジアとインドとを結ぶ南北交易幹線路はラダック王国経由のものではなく、インダス河中流のガンダーラからギルギットを経てカラコルム山脈西端、あるいはパミール高原を越えるものであったと考えられる。ラダック王国経由のカシミールから大ヒマラヤ山脈ゾジ峠、およびカラコルム山脈東端のカラコルム峠を越えヤルカンドに至る交易路の利用は、ラダック王国の積極的な開発の結果である。したがって、交易活動は、政治的統制をもってはじめてラダック王国の交易経済としての地位を確立したのである。

ラダック王国の衰退とは、交易経済の充実が政治機構の維持のために機能するのではなく、むしろ権力の分散化を引き起こした結果によるものである。すなわち、交易経済による利益の再分配は僧院および地方貴族領主である宰相の経済力増大を可能とし、王朝、宰相、僧院の経済的、政治的権力の分化を出現させた。

ラダック王国の独立を失わせるのは最終的にはシーク帝国下ジャム王国ドグラ軍による侵攻であり、またラダック王国の衰退は王統史には王位継承権をめぐる王朝の内部抗争と王個人の資質に起因するものであると記載される。しかし、ラダック王国の衰退とは、ラダック王国の統合機構の変化に他ならない。

この機構変化の特徴は、モンゴル戦争以降のムガール帝国カシミールによる長距離交易の独占権により、王国の経済基盤が失われたことによる国力の低下である。その結果、王権は相対的に弱体化し、宰相および僧院がそれぞれ王朝との融合政策を試み、王権を形骸化したのである。

それにもかかわらず、今日のラダックはこれらラダック王国の伝統という歴史の連続体の上に位置づけられ、展開している。また、それを可能にするのは、言語と文化の継承に見られるラダック人としての帰属性（アイデンティティ）なのである。

（煎本　孝）

3

ラダックの人口動態

★平衡から労働人口の移入★

ラダックはジャム・カシミール州の一部であった時には、レー、カルギル、ザンスカール各行政管轄支区（タシール）に分けられ、連邦直轄領ラダックとなってからは東北部のレー地区と西南部のカルギル地区に行政的に分割されている。レー地区の面積（隣接するパキスタンと中国による占領地を除く実効支配地域）は4万5110㎢、カルギル地区の面積は1万4036㎢で、その合計は5万9146㎢となる。なお、占領地を含めると、インドの主張するラダック地域の面積はこの2倍程度になる。

また、1951年のレー地区の人口は4万484人、2011年の人口は13万3487人なので、それぞれの1㎢あたりの人口密度は0・89人、および2・95人となる。同様に、カルギル地区の1951年の人口は4万1856人、2011年の人口は14万802人なので、それぞれの1㎢あたりの人口密度は2・98人、および10・0人となる。なお、2020年のラダックの人口は合計28万9023人と推定されている。

レー地区での人口密度がカルギル地区より小さいのは、レー地区では仏教徒が多数であり、一妻多夫婚制、および僧院制度による人口抑制策が機能しているからである。これに対して、カルギル地区ではムスリムが多数を占めており、このような制度は見られない。また、2001年のインド全体での人口密度は1㎢あたり324人であり、これと比較するとラダックでの人口密度は30分の1から100分の1ときわめて低い値を示す。

ラダックにおける性―年齢別人口構成は、1974年に入域制限が解除される以前の1971年の統計資料に基づけば、0～9歳で女の数が男をやや上回るが10歳以上になると男の数が女をやや上回る。しかし、全体として性比に顕著な差は認められない。また、全体としては年齢の低い者の人口が多く、高齢になるにしたがって人口が減少する安定したピラミッド型となっている（図3―1）。

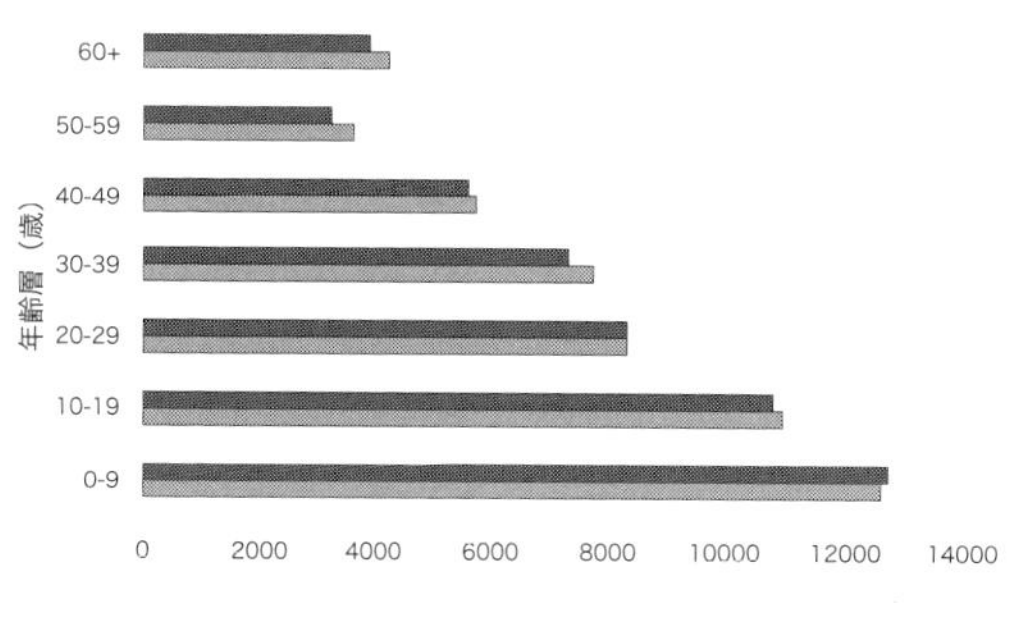

図3-1　ラダックにおける性-年齢別人口構成（1971年）
注：統計資料は以下に基づく（Jammu and Kashmir (Abdul Gani, Deputy Director of Census Operation) 1971 *Census 1971 Series 8, Jammu & Kashmir District Census Handbook, Part X-C CensusTables & Tables on Village Directory & Primary Census Abstract, Ladakh District*)。なお、全人口の合計は105,291人（男53,315人、女51,976人）である。ここでのラダックとはレー、カルギル、ザンスカール各行政管轄支区（タシール）を含むジャム・カシミール州ラダック地区である。

この安定したピラミッド型は2011年の統計資料に基づくジャム・カシミール州における性―年齢別人口構成にも見られる。ただし、ここでは、各年齢層において女の数が男の数を下回っており、インド全体に共通する一般的傾向を示している（図3―2）。

ラダックにおける人口の変化（1951～2011年）については、レー地区、カルギル地区とともに、1970年代から急激に人口は増加している。これはラダックへの入域解禁にともなう観光化の結果、スリナガルなどラダック地域外からの季節労働者が移住したことによるものである。このため、1951年から1971年の平均年間人口増加率が1・3％であるのに対し、1971年から2011年の平均年間人口増加率は4・0％となっている。じっさい、1951年から2011年までの60年間に人口は3・3倍に増加している（図3—3）。ラダックの人口動態は、1974年を境に平衡から労働人口の移入へと変化したのである。

また、ラダックにおける性比の変化（1951〜2011年）については、ラダックでは1970年

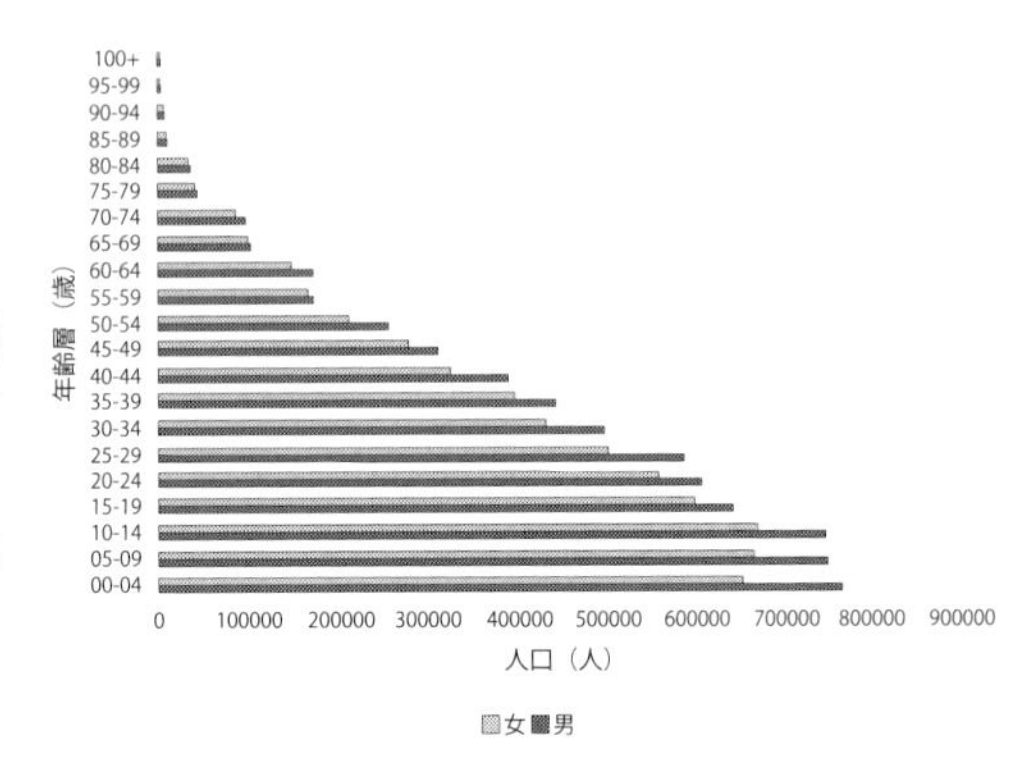

図3-2　ジャム・カシミール州における性 - 年齢別人口構成（2011 年）
注：統計資料は以下に基づく（Statistics Times 2021 Population of Jammu and Kashmir Census 2011: https://statisticstimes.com/demographics/india/jammu-and-kashmir-population.php）。全人口の合計は 12,541,302 人（男 6,640,662 人、女 5,900,640 人）である。

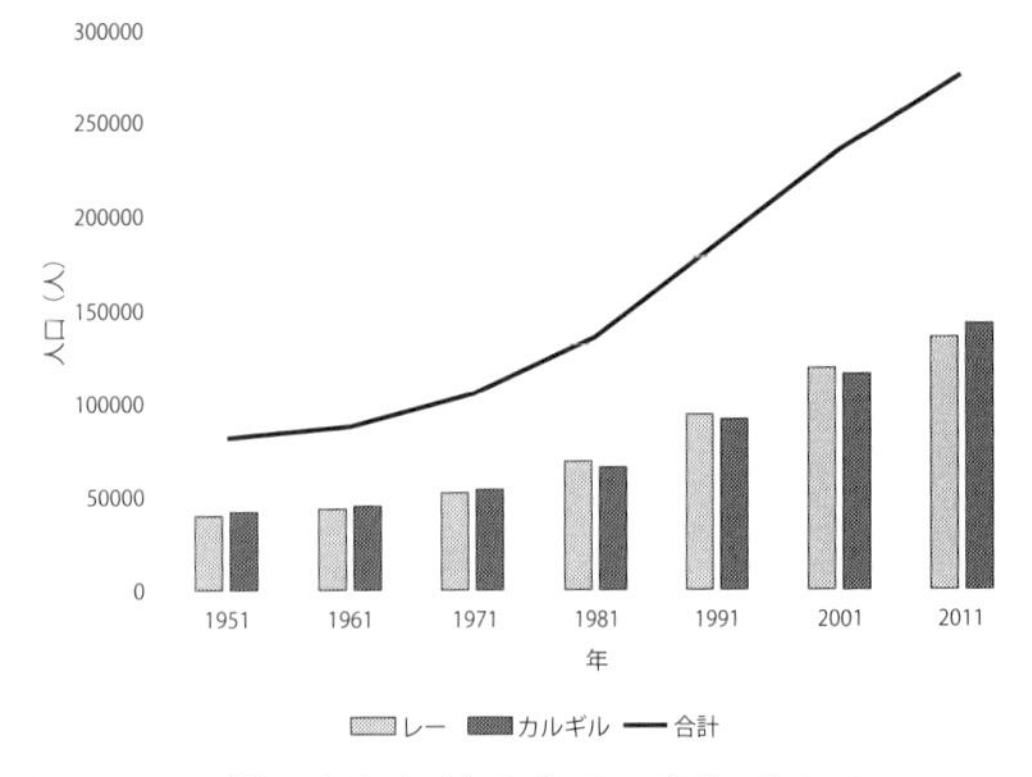

図3-3　ラダックにおける人口の変化（1951-1988 年）
注：人口統計資料は以下に準拠して作成（Jammu & Kashmir Development Report, Ch. II Demography 2001: http://planningcommission.nic.in/plans/sdr_jandk/sgr_jkch2.pdf；Ladakh Autonomous Hill Development Coucil, Leh, Government of India 2011: https://leh.nic.in；Ladakh Autonomous Hill Development Coucil, Kargil, Government of India 2011: https://kargil.nic.in/demography/）。なお、1991 年統計調査は印パ紛争のため実施されず資料がないため、推定値（1981 年と 2001 年の統計資料の平均値）を用いた。

代以降、男の数1000人に対する女の数を示す性比に急激な減少が見られる。とくに、レー地区では1951年に性比が1011であったのに、1981年には886、2001年には805にまで減少している（図3―4）。

　この理由は、ラダックに男の季節労働者が流入し、さらに女の生徒がラダック以外の都市に内地留学するためと考えられる。また、インド軍の駐屯地への軍人の移動も要因となっている。なお、この間、女の死亡率の高さから低い値を示すといわれるインド全体での性比は946から933とほぼ変化はなく、またインド全体よりさらに低いジャム・カシミール州での性比は873から900とやや上昇している。

　じっさい、1970年代以降、観光産業にともなう雇用の需要に

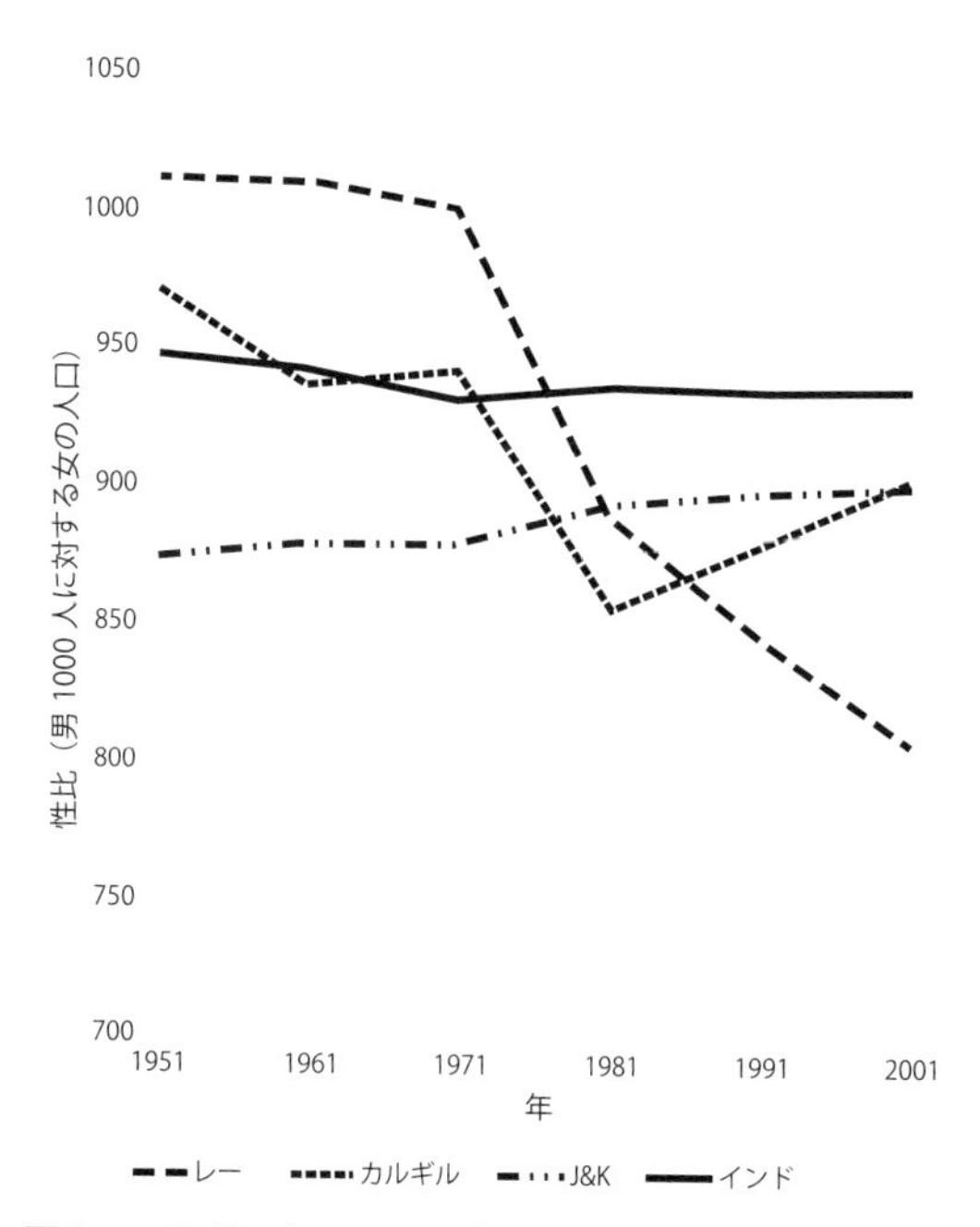

図3-4　ラダックにおける性比の変化（1951-2011年）
注：人口統計資料は以下に準拠して作成（Jammu & Kashmir Development Report, Ch. II Demography 2001: http://planningcommission.nic.in/plans/staeplan/sdr_jamdk/sgr_jkch2.pdf）。1991年統計調査は印パ紛争のため実施されず資料がないため、推定値（1981年と2001年の統計資料の平均値）を用いた。男の数1,000人に対する女の数。

写真 3-1　レーのバザール大通りで商売を営む店舗

よりスリナガルをはじめインド、あるいはネパールからの男の商人や労働者が増加している。このため、２００１年のレー地区における地方（村々）と都市（レー市）の性比を見ると、地方では男の数１０００人に対する女の数が８６１であるのに対し、都市では６４３となっている。同様に、カルギル地区では地方で９３０であるのに対し、都市（カルギル市）では６３８となっている。これはラダック地域外からの男の商人や労働者が主として都市に流入していることを示すものである。

ラダック地域外からの男の商人の増加は、経済と人間関係に変化をもたらしている。商才に優れたスリナガルからの商人はレーのバザールで商売を始め、店舗を買い占めるため、地元のラダック人は観光によって経済的恩恵を受けることが限定される。さらに、彼らはムスリムなので、仏教徒のラダック人の女と結婚するに際して、ムスリムへの改宗を要求する。移住した男の数が多数であるのに対し、ラダック内では慣習的な一妻多夫婚により余剰となる女がいるため、必然的にムスリムの男と仏教徒の女の結婚がおこなわれることになるのである。

しかし、この状況にラダックの仏教徒協会は危機感をいだき、スンニ派ムスリムであるカシミール人と仏教徒との間で紛争が勃発した。なお、ラダックに従来から居住するバルティはシーア派ムスリムでラダックの仏教徒側についている。１９８９年には、デモ、暴力的衝突を経てインド軍による鎮圧と夜間外出禁止令が発令され、同時にストライキが決行された。これは印パ紛争を背景にして、パキスタンと通ずるカシミールのスンニ派ムスリムをラダックから追放するという意図もあった。

ラダック人による一連の抗議活動の結果、インド大統領による「憲法指定部族法令１９８９」が制定され、１９９５年の「ラダック自治山麓開発評議会条例１９９５」により地域開発計画の実質的権限がジャム・カシミール州政府からラダック自治山麓開発評議会（ＬＡＨＤＣ）に委譲された。さらに、２０１９年の「ジャム・カシミール州再編成法」によりジャム・カシミール州はラダック連邦直轄領（ＵＴ：ユニオン・テリトリー）とジャム・カシミール連邦直轄領に分割され、ラダックはカシミールから完全に分離することになったのである。１９７４年のラダック入域制限の解除は、ラダックに現代化と人口動態の変化と紛争をもたらし、その結果、長年の悲願であった政治的変革へと結びついたのである。

また、将来的には、日本で問題となっており、またインドでも現在進行している出生率の低下、都市への移住と地方の過疎化など、現代化にともなう人口動態の変化がラダックでも見られることになるであろう。じっさい、地方の男はレーにはたらきに出て、地方では農耕をおこなうためにネパールからの出稼ぎ労働者が雇用されるという現象が見られるのである。

（煎本　孝）

4

ラダックの宗教的多様性

★仏教、イスラーム、キリスト教の共存★

ラダックは北インドのカシミールと中央アジアをつなぐ経由地に位置し、紀元前3世紀頃の古代インド王朝のアショカ王の碑文や仏像を彫った岸壁画などが数多く残り、この時期にはカシミール由来のインド仏教が伝播していたことが分かる。また、5世紀はじめにインドを訪れた法顕（ほっけん）の求法巡礼紀『法顕伝』には、ラダックと比定できる「竭叉国（かっしゃこく）」における仏教の興隆する様子が描かれ、629年にインドへ求法に出かけた玄奘（げんじょう）の『大唐西域記』にも西チベット地方に仏教が興隆する様子が描かれる。さらに、8世紀中頃の新羅の僧侶慧超（えちょう）の『往五天竺国伝』は、吐蕃王国ではまだ仏教が信仰されないが、吐蕃王国の支配下にあったラダック、ザンスカール、バルティスタンの西チベット地方では仏教が信仰されることを記す。

写真4-1　ギルギッド渓谷にある9世紀後半と推定される仏陀の岩壁画、1983年

ラダックをはじめとする西チベット地方では、古くから仏教が伝播し、信仰されてきた。現在では、仏教徒が多数を占めるラダックとザンスカール、ムスリムが多数派を占めるバルティスタンというように、それぞれの宗教的背景は異なり、ラダックでは数多くの仏教僧院を軸に、チベット仏教が信奉される里として観光地化が進む。

実際には、ラダックには仏教徒、ムスリム、キリスト教徒が共住してきた歴史がある。15世紀から16世紀にかけてバルティスタン全域でイスラーム化が進み、15世紀にラダック王に輿入れしたバルティスタンのカプル王国の王女に付き添って、シーア派ヌールバクシのバルティが初めてシェー（シェイ）村に移住している。また、17世紀には、スカルドのイスラーム君主国との戦争に敗れたラダック王にスカルド君主の娘が輿入れし、

写真4-2　バルティスタン、カプル村に残るペルシャ出身の聖者サイード・アリ・ハマダーニの建立と伝えられる木造のモスク、1983年

写真4-3　ラダック、シェー村にあるサイード・アリ・ハマダーニによって14世紀後半に建立したといわれる歴史的モスク

彼女に伴って多くのバルティが移住し、シェー村、チュショット村に定住している。さらに、17世紀後半には、チベット—モンゴル軍の侵略に対しムガール帝国に援助を求めた代償として、カシミールのムスリム交易商人のレーへの本格的定住が始まり、バザールの中心にモスクも建設された。その後には、カシミールや中央アジアの交易商人とラダック人女性との婚姻によってアルゴンと呼ばれるスンニ・ムスリム集団が形成され、カシミールとヤルカンド間の交易を担ってきた。

一方、17世紀には初めてキリスト教宣教師が訪れており、１７１５年６月にはイエズス会士イッポリート・デシデリ神父がチベットに向かう途中、ラダックを訪れ、ラダック王に手厚くもてなされて2か月間滞在している。布教拠点を築くには至らなかったが、「カシミールから来た商人が多数、この王国に住んでおり、彼らはそこにモスクを持ち、自分たちの宗教を保持することを承認されている」と記す。

しかし、イギリス東インド会社による植民地支配が確立する19世紀中頃には、プロテスタントのモラビア教団（モラビア派教会）がヒマラヤ地域で布教活動を開始し、１８５５年に宣教師W・ヘイデがレーを訪れている。１８５６年にイギリス植民地政府の支配下にあったラフール地区キーロンに伝道所を建設し、１８８５年にはジャム・カシミール藩王の許可を得て、レーに教会を建設している。

写真 4-4　モラビア派教会でおこなわれるクリスマスのキリスト降誕劇、1983 年

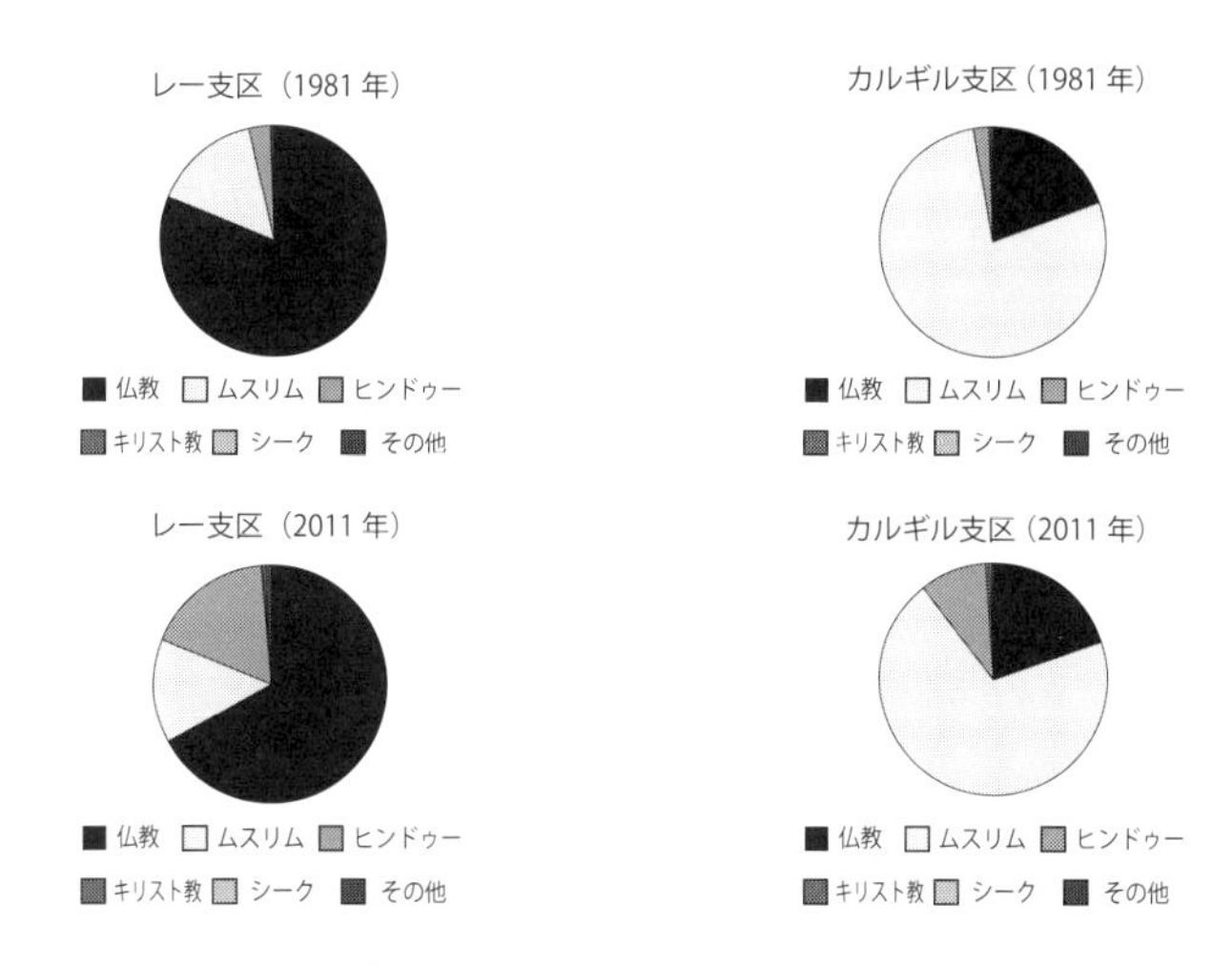

図4-1　レー支区、カルギル支区の宗教別人口の推移：1981-2011年
出典：1981年、2011年インド国勢調査をもとに筆者作成

初めて高等教育を受けたラダック人のうちの1人で、モラビア派教会信徒であるジョルダン氏は、彼の曾祖父について次のように語っていた。「曾祖父はキーロンに出て、1865年にモラビア派教会の洗礼を受けた。その20年後にレーにモラビア派教会の伝道所ができ、曾祖父はレーに戻ったが、クリスチャンとして受けた教育がラダック王に認められ、王からレー市内の現在の土地を貸し与えられた」。モラビア派教会の伝道活動はラダック王に好意的に受け入れられ、ラダック人のキリスト教徒化が進んできた。2017年には、新しい教会の新築も完成していた。

インド独立後のラダックでは、さらに宗教的多様性が進んできた。筆者がはじめてラダックを訪れたのは1980年代はじめであったが、1981年の国勢調査を見ると、早くにイスラーム化されたカルギル支区ではムスリムが多数派をなしているが、レー支区（Leh Subdistrict）では仏教徒、ムスリム、キリスト教徒に加えて、ヒンドゥー教徒、シーク教徒が住み、仏教徒が5万5514人（81・2％）、ムスリムが1万4775人（15・3％）、キリスト教徒（モラビア派教徒）が156人（0・2％）、ヒンドゥー教徒が2046人、シーク教徒が184人であった。

1981年以降3回にわたって実施された国勢調査によるレー支区の宗教別人口の推移を見ると（図4―1）、2001年以降にはとくにヒンドゥー教徒が急増する。インド・パキスタン、インド・中国それぞれとの管理ライン（Loc: Line of Control）を抱えるラダックには、重要な軍事・戦略的拠点として国境警備隊やインド国軍の基地が配置され、インド国内他州出身の国軍兵士部隊が駐屯する。レー支区におけるヒンドゥー教徒、シーク教徒の女性の比率は、それぞれ2001年では13・8％、13・7％、2011年では4・0％、6・8％と低く、男性が大多数を占め、彼らのほとんどは国軍の兵士であることが分かる。

現在、ラダックには民族的基盤が異なるインド国民が多数生活し、仏教、イスラーム、キリスト教というラダック人が古くから信奉してきた宗教に加えて、ヒンドゥー教、シーク教、ジャイナ教などが共存する状況にある。

（山田孝子）

5

憲法指定部族法令の制定を経て連邦政府直轄領ラダックの形成

★「ラダック人」としての帰属性と再出発★

ドグラ体制下の1934年にラダック仏教徒協会が創設されたが（正式登録は1937年）、当時は仏教徒とムスリムとの対立は行動に表れるほど敵対的ではなかったといわれる。しかし、インド独立後のジャム・カシミール州政府の成立はカシミール州政府、つまりムスリムが多数派を占める政府による支配を意味し、仏教徒とムスリムとの宗教的対立が顕在化してきた。「仏教徒の土地」とされ、中継交易の中心地として繁栄してきたラダックは政治的・経済的にだけではなく宗教的にも周縁化されてしまったのであり、この状況を変えようと、ラダック人仏教徒は独立直後の1949年以来、ラダックのジャム・カシミール州からの分離と連邦政府直轄領（以下連邦直轄領）の地位を求める主張を掲げて

写真 5-1　チョカン・ヴィハラの敷地内にあるラダック仏教徒協会本部、2010 年

きた。

たとえば、当時スピトゥック僧院長でラダック・ゲールク派の最高位活仏であるクショック・バクラ師も、ラダック、少なくともレー支区が仏教徒の文化領域であるという民族主義的主張を展開し、1964年に自ら主導して連邦政府直轄による行政を要求している。また、1969年の「ラダック人の指定部族地位」のはじめての要求、1974年のラマ・ロブザン師らによる連邦直轄領と指定部族の地位を求める運動、1982年の国会議員P・ナムギャル氏主導による地域自治を求める運動などが起きている。1980年12月にはレーとカラツェでの政府建物の焼き討ちというように、暴力的な行動さえも起きた。

写真5-2　ラダック自治山麓開発評議会コンプレックス、2017年

1989年7月には、仏教徒に対する差別への不満が爆発した近年最後といえる仏教徒とムスリムとの暴力的衝突が起きた。抗議行動は数か月にわたったが、1989年10月7日にインド大統領によって、「憲法（ジャム・カシミール）指定部族法令1989」という、ラダックにおける8集団を指定部族とする法令の公布を得た。最終的には、1995年5月9日にインド大統領によって、レー支区、カルギル支区のラダック全域に対する「ラダック自治山麓開発評議会法1995年」が署名された。1995年8月28日には選挙が実施され、1995年9月3日にラダック自治山麓開発評議会会議が開会する成果を得たので

ある。

これにより開発などの地域計画に関する計画、実行、地域といった中枢ポストへの任命権などがインド政府およびジャム・カシミール州政府からラダックのローカルな評議会へ委譲された。カルギル支区はその後、レー支区からの分離を要望し、２００３年にラダック自治山麓開発評議会は、レー支区とカルギル支区とでそれぞれ独立に自治山麓開発評議会をもつように再編された。

ただし、ラダック自治山麓開発評議会の成立は、ラダック人仏教徒の不満を解消したわけではなかった。ラダック仏教徒協会は２０００年に発行したパンフレットにおいて、ラダック人仏教徒が強いられている差別の存在として、社会的事業、教育の現場における不平等な実態を取り上げ、連邦直轄領の地位を求める主張をなおも展開していた。仏教徒とムスリムは宗教的対立を孕（はら）みがちななかで、宗派を超えたセミナーの開催、宗派を超えた祭りの創設など宗教的共存にむけての試みもおこなわれたが、一方では、「ラダック人であること＝仏教徒である」といった意識さえ生み出されていった。

写真 5-3　連邦直轄領の地位を求めるラダック人、1990 年

近年には、インド・パキスタン間、インド・中国間の管理ラインにおける武力衝突がたびたび起き、ラダックをめぐる国際情勢の緊迫はインドの安全保障に大きな懸念をもたらしている。こうした国際情勢は、インド政府モディ政権に２０１９年８月

9日に「ジャム・カシミール再編令、2019」の議会での可決をさせたといえる。ラダックは2019年10月31日をもって、レー支区とカルギル支区から構成される連邦直轄領ラダックになり、ジャム・カシミール州の他の地域は連邦直轄領ジャム・カシミールとなった。ラダック人仏教徒はインド独立以来の念願だった連邦直轄領ラダックを手に入れたのである。インド政府にとって、ラダックの仏教徒とムスリムとの平和的共存という政治的安定は地政学的にも必要不可欠といえる。

連邦直轄領政府が公開する「ラダック2050年ヴィジョン（Vision 2050 for Ladakh）」が示すように、ラダックは連邦政府のもとで地域の持続可能な開発・発展が求められている。ラダックの人びとは宗教の違いを抜きにして「ラダック人」としての帰属性のもと、新たな道に踏み出している。（山田孝子）

ラダックにおけるチベット難民とダライ・ラマ14世

コラム1

山田孝子

ダライ・ラマ14世（以後ダライ・ラマ）が中国軍のラサ侵攻によってチベットから脱出してインドへの亡命を果たしてからすでに64年余を経過する。1959年の亡命当時、ヒマラヤを越えたチベット人は約8万人であったといわれるが、難民の流入はその後も続き、1960年末には約10万人に達したといわれる。

1959年には、ラダックにも多くのチベット人が国境を接するチベット西部のガリ地方などから逃れてきている。1969年には、「ソナムリン・チベット人居留地」を立ち上げて難民居留地として登録している。2022年現在まで、遊牧を営むチベット人はチャンタン地方の10か所のキャンプに分散して住むが、レーに近いチョクラムサをセンターにしてチベット難民が暮らし、チベット難民マーケットでの商いで生計を立てる人も多い。居留地の設立当初の人口は、チョクラムサ地区に617人、チャンタン地区に617人であったが、2021年11月にはそれぞれ5584人、1539人となっている。居留地には、非政府組織である「チベット子供村」（TCV）とSOSキンデルドルフ・インターナショナルによって運営されているSOS―TCV中学校があり、2014

写真コラム 1-1　ルトック・ルンドゥップ・チョディン寺院、チョクラムサ・チベット難民キャンプ、2014 年

年にはルトック・ルンドゥップ・チョディン寺院が建立されるまでとなっている。

「子供村」の発想は第二次世界大戦後のヨーロッパで始まっており、1949年にオーストリアのチロル地方の町イムストで、オーストリア人ヘルマン・グマイナーによって「SOS子供村」が建設されている。両親を亡くした孤児や事情があって両親と暮らせない子どもたちに永住できる家庭と安定した環境を提供することを目的とし、家庭のような環境——母、兄弟姉妹、家、村——を子どもたちに提供することを目指したものである。その後、この「SOS子供村」を建設する活動は広くヨーロッパで受け入れられて発展し、国際組織SOSキンデルドルフ・インターナショナルが設立されるまでとなっている。

チョクラムサの学校は、1975年にダライ・ラマによる資金援助とインド政府による土地の提供を得て、「SOS子供村」の協力のもとTCVによって設立されたのである。2022年現在まで10年生までの高等学校教育を担っている。2021年12月現在、チョクラムサの本校は寄宿生609名、通学生393名、スタッフ159名の規模となり、さらにチャンタン地方のハンレ、ニュマ、スムダ地区にも分校がある。教育レベルの高さを誇り、現在では、寄宿舎24戸のうち7戸はラダック人の子どもたちに割り当てられ、チベット人社会だけではなくラダック人社会に対しても教育を提供している。ラダック人の子どもたちにとって、チベット語の読み書きを学ぶことのできる学校となっている。

南インドなど、チベット難民居留地に再建されたチベット仏教僧院は、ラサの大僧院での修行に代わるラダック人僧侶の学びの受け皿になってきた。また、ダライ・ラマは他の地域に比べて頻繁にラダックを訪問するといわれるが、レー郊外のインダス河畔にはダライ・ラマ専用の宿泊施設や講話のためのシワツェル会場が整えられている。

実際、公表分だけでも、1976年9月に亡命後4回目となる「第6回カーラチャクラ灌頂」をレーでおこなって以来、2018年まで計13回の訪問があった。カーラチャクラ灌頂については、1988年にザンスカールで「第12回」、2014年にラダックで2回目となる「第33回」が開催されたが、2014年にはラダック人やチベット人をはじめ、欧米人・日本人などを含め計15万人の参加をみている。2022年7月にもラダック仏教徒協会とラダック・ゴンパ（僧院）協会の要請でラダックを訪れ、月末にチョクラムサのシワツェルで3日間の講話をおこなっている。

ラダック人仏教徒は、インドにおけるチベット亡命政府の成立によってダライ・ラマをはじめ、チベット仏教の本山との直接交流をこれまで以上に盛んに進めることができるようになった。このような仏教徒としてのチベット仏教界との一層の緊密化は、ラダック人仏教徒の間に汎チベット的規範化を進めることにもなっている。

写真コラム1-2　レーのバザールにあるチョカン・ヴィハラを訪れるダライ・ラマ、2014年

写真コラム1-3　第33回カーラチャクラに参加するラダック人、2014年

Ⅱ

歴　史

6

ダルドと北方騎馬民族の到来（紀元前2000年～9世紀）

★アーリア人とモンゴロイドの混成によるラダック人の起源★

ダルドは、現在インダス河に沿った下手ラダック、パキスタンとの間の管理ライン（実効支配線）に近接するダ―ハヌ地域の9村に305世帯、2135名が居住（1990～1991年調査時点）する。もっとも、彼らの伝承によれば、彼らは元来、ローマ（ダルド語ではロム（Dd.））からやって来て、ギルギット（ブラシュブラルド（Dd.））に到り、そこでの新たな支配者から逃亡してラダック各地を移動した後、現在の地に定住したと語られる。

写真6-1　ダーハヌ地域のダルド

じつは、ダルドの起源は謎に満ちている。彼らの起源はアレキサンダー大王の東方遠征と関係するとの説がある。これは、ダルドの文化や言語はチベットのものとは異なり、花を愛で、ブドウ酒を好むなどギリシャ的であること、また形質的にもコーカソイド的であることを根拠としている。

しかし、彼らに牛に関する食物禁忌があるなど、インド的要素が一部認められることも事実である。さらに、コーカソイド的であるとされる形質についても、紀元前２０００年から１５００年に中央アジアから南下し、イラン、インドに進出したアーリア人に由来するインド―アーリア的、あるいはイラン的要素と考えてもよいであろう。

ダルド語は、現在のインド西北部をはじめ、パキスタン北部、アフガニスタン東部に分布するインド―アーリア語族に属す。ラダックのダルドはそのなかのシーナ語を話す。また、ダルドは言語学的分析から紀元前１７００年頃のプロトヴェーダ文化の子孫であるとされ、それに含まれるカシミール語の話者だけでもインドに６９７万人、パキスタンに48万人を数える。

さらに、これらの分布地域は「ダルディスタン」とも呼ばれ、紀元前5世紀の古代ギリシャの歴史家であるヘロドトスの『歴史（III. 102-105）』、紀元後1世紀の古代ローマの博物学者である大プリニウスの百科全書『博物学』には、金を採掘し貢献する蟻がいるというダルド（ダラダエ）の国の記載が見られる。また、アーリア人を祖先とするダルドはパンジャブ平原から北はチトラルに至るまでインダス河を遡行し居住地域を広げたとされる。したがって、ラダックのダルドは彼らの子孫と考えられる。

ラダック王国成立以前のラダック地方について、ラダック王統史はマルユルの上手ラダックはゲサルの子孫たちにより治められており、下手ラダックは小独立公国に分割されていると記し、Ａ・Ｈ・フランケはケーサル伝説の王の名を語る王朝がラダックに存在し、それはラダックの先住民であったダルドと関係があったのではないかと考えている。

写真6-2　ダルドが彫刻したとされるスキン（アイベックス）の岩絵（ザンスカール）

もっとも、ダルドの文化的影響が強く見られるのは下手ラダックであることを考えれば、ゲサルの子孫たちが意味するのは、ダルドではなく後に述べる北方騎馬民族や吐蕃のチベット系民族であった可能性もある。現在でも、モンゴルでは「ゲセル・ハーン物語」や「ジャンガル」などの英雄叙事詩が語られ、あるいは東チベットのカム地方のデルゲはケーサル伝説の発祥の地であるとされているからである。

さらには、ラダックに最初にダルドがやって来たのは、吐蕃の進出以前という可能性もある。吐蕃がかつてダルディスタンの一部であった大勃律（バルティスタン）を支配したということは、当時、ダルドの国がラダック西部にあったことを意味するからである。バルティスタンのみならず、ザンスカールを含むラダック各地の岩の表面にアイベックスの線刻画が残されていること、さらにはダルド文化との共通要素がラダック各地に見られることは、彼らがかつて広範囲に生活を営んでいたことを示している。

吐蕃前史時代の考証的研究において、山口はシャンシュンのラダック地区東部を大羊同に比定し、下手、上手の両シャンシュンの地にニャーティ・ツェンポ以前のピャ部族、もしくはトン部族、ム部族等の所在と、さらに後に彼らと通婚したダン氏の女国を位置づける。その上で、吐蕃の支配者となるヤルルン王家の属するピャ部族がム部族と通婚してボン教徒となり、東遷して東部カム地方に進出し、諸氏族の上に君臨したとする。

4～5世紀の五胡十六国時代には、北方騎馬民族が南下し、4世紀末には北魏を建国し、439年には華北を統一した。また、4世紀には、鮮卑は羌を従えて青海地方に吐谷渾を建国している。さらに、5～6世紀にはモンゴル系の柔然がモンゴル高原から東トルキスタンに進出し、タリム盆地の東西交易路を抑えて有力となるが、北魏に敗れ、552年には急速に台頭したトルコ系騎馬民族の突厥に滅ぼされる。

また、隋書にある女国はカイラス山麓一帯に存在したシャンシュン王国ともされ、開皇6年（586年）、使者を派遣して隋に朝貢しているが、643年には吐蕃のソンツェンガンポ王により併合される。したがって、シャンシュンの位置を西チベットと比定すれば、ラダックへの北方騎馬民族の進出は吐蕃以前となる。

吐蕃王国成立後（618～842年）、吐蕃は東方では吐谷渾と唐と対立するが、西方にも勢力を拡大し、7世紀から8世紀には唐の西域、天山南路のオアシス都市国家を攻め落とし、また大勃律（バルティスタン）を支配し、小勃律（ギルギット）も配下とした。小勃律は大勃律から逃げて建てられたとのことに基づけば、小勃律の住民は元来ダルドであったと考えられる。また、大勃律の住民はおそらく残ったダルドと吐蕃のチベット系民族の混成によりバルティとなった。下手ラダックのカラツェ村の由来がバルティによるものであると語られることから、吐蕃のチベット系民族は、先住のダルドと混成しながらラダック各地で村を作り定住したと考えられる。なお、バルティはイスラーム化し、仏教徒であるラダック人とは宗教的に分離する。しかし、言語はチベット語バルティ方言であり、ラダッ

写真 6-3　下手ラダックにおけるラダック人の少女たち

写真 6-4　ザンスカールの男

ク方言と大きな相違はない。

なお、モン（ここでは楽士ではなく、ヒマラヤ山脈南麓のヒマチャル・プラデシュ地方のクル、マナリの人びとを指す）は、印度人やチベット人とともにラダックにおける農耕の起源に関与していることが結婚歌に登場する。このことから、モンは、形質的にはその程度は不明であるが、少なくとも文化的にはラダックとの関係が認められる。

したがって、ラダックにおいては、6世紀以前の北方騎馬民族、7世紀から8世紀における吐蕃からのチベット系民族、そしてラダック王国を建てた吐蕃王国滅亡後の9世紀におけるチベット系民族と三度の民族到来の波があったことになる。この過程で彼らと先住のダルド、さらにはモンとの混成がおこなわれ、ラダック人が形成されたのである。

（煎本　孝）

7

ラダック王国成立期（c.900〜1400年）

★吐蕃王国滅亡後の逃走★

吐蕃王国はランダルマ王（809〜843年）による破仏を経て分裂滅亡するが、ランダルマ王の曽孫になるキデニマゴンはランダルマの年長の妃の養子であったユムテンによってチベットを追われ、西チベットへと逃走する。

ラダック王統史によれば、ラダック王国最初の王朝はランダルマの曽孫にあたるキデニマゴン（c．900〜930年）に始まる。彼はプランのニズンに都を定め、その後、ルトック、グゲ、プランを含むガリコルスムと呼ばれる西チベット地方を征服する。

ガリコルスム地方の王となったキデニマゴンには、ラチェンパルギゴン、タシゴン、デツクゴンの3人の息子があった。王は長男にガリのマルユル、東はルトクとゴク、デムチョクカルポ、ラバマルポ、イミ岩の峠に至るワムレ、西はカシミール峠の麓までの領域を与え、次男にはプラン、グゲを与え、三男にはザンカルゴスム、ピティ、ピチョックを与えた。長男のラチェンパルギゴンの治めた部分はインダス河沿いの上下手ラダック地域を含む最も広い領域である。

「マルユル（赤い国）」と呼ばれた当時のラダックは、ダルドや北方騎馬民族、あるいは吐蕃と関係する王朝や小独立公国が存在していたと思われる。また、キデニマゴンが騎馬軍団とともに西チベットに逃走した時、ゲシェ（タシ）ツァンが彼をプランに招き、ドザコルスキョンを彼の妻として与え、彼は結婚したと記されることに基づけば、当時すでに西チベットには支配勢力が存在していたことが分かる。これは、吐蕃以前からジャンシュンに王国があったことを考えると、当然の状況であろう。

したがって、その後に成立したラダック王国は、いわば吐蕃王国滅亡後、その故地に戻ってきた征服王朝ということになる。なお、王統史には当時のラダックの住民は黒い弓を用いると記されており、このことは彼らが黒ボン、すなわちシャマニズムをおこなっていたことを示すものかも知れない。

ラダック王国第一次王朝のラチェンパルキゴン（c．930〜960年）に続く諸王の業績から、この時期におけるラダック王国の繁栄をうかがうことができる（図7―1）。なお、ラダック王国第一次王朝の王宮はシェーにあった。

たとえば、ラチェンギャルポ（c．1050〜1080年）についてはルキル（リキール）僧院の建立、ラチェンウトパラ（c．1080〜1110年）についてはヒマラヤ南部のニュンティ（クル）の征服が記される。この征服により、ニュンティからのゾー（ヤクと牝牛の雑種）、鉄などの朝貢の約束が結ばれる。なお、ニュンティの征服は上手ラダックと下手ラダックの連合軍によりおこなわれたとの記載から、この時期にはすでにラダック王国はその全域を統治していたことが分かる。

また、ラチェンナルク（c．1110〜1140年）についてはワンラとカラツェにおける砦の建設がおこなわれたことが述べられる。また、ラチェンタシゴン（c．1200〜1230年）については名前

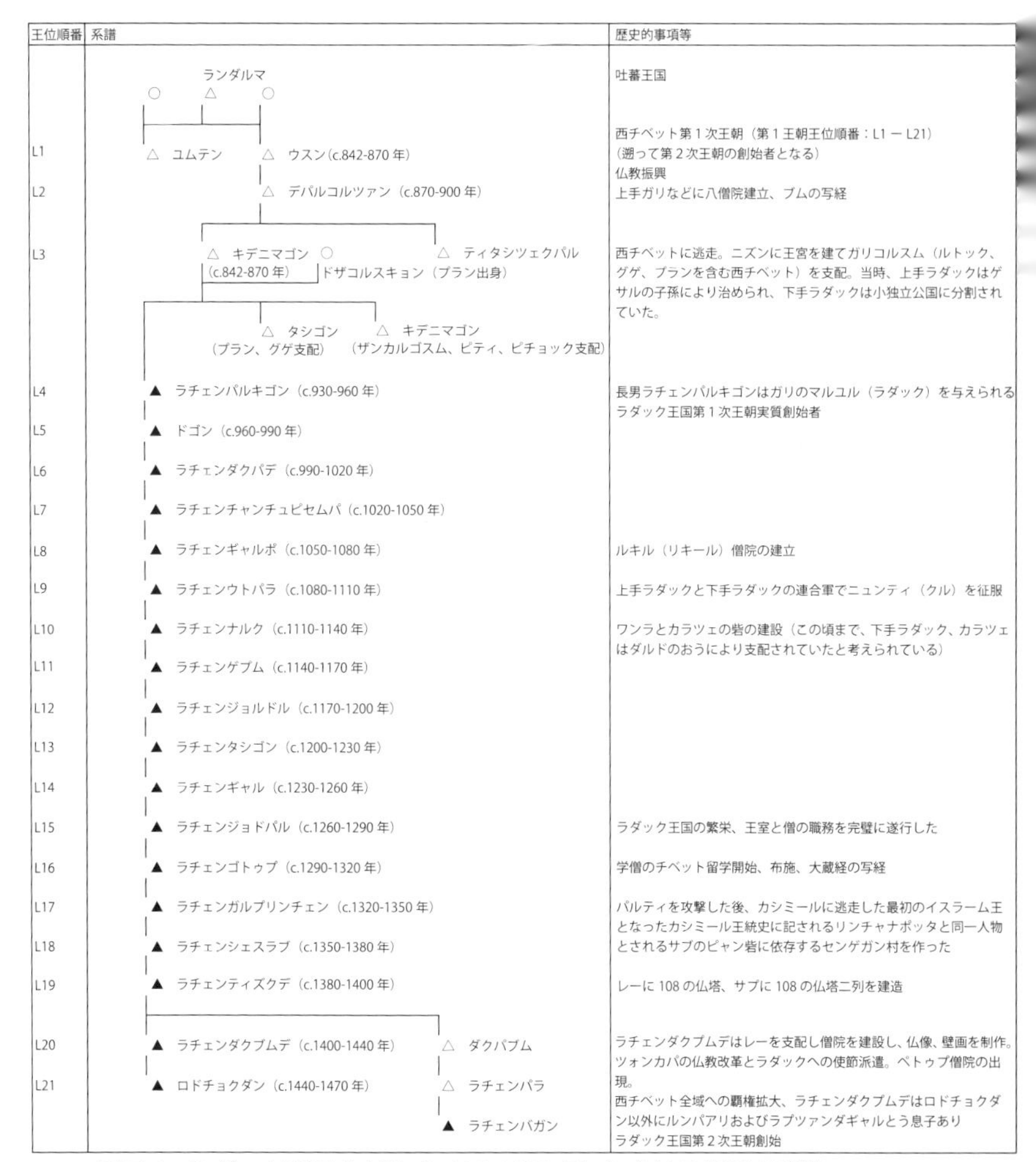

図 7-1　ラダック王国成立期（c.900-1400 年）における諸王の系譜

注：系譜はラダック王統史に準拠して作成（Francke, A.H. 1926 Antique of Indian Tibet. Part II. Archaeological Survey of India, New Imperial Series, Vol.L., S. Chand & Co. pp. 92-127；Gergan, S.S. and F. Hassnain 1977 Critical Introduction. In A.H. Francke (ed.) A History of Ladakh, Sterling Publishers, pp. 1-46；煎本 孝 1986「ラダック王国史覚書」『ヒマラヤ仏教王国 1』東京、三省堂、214-222 頁。；煎本 孝 1986「ラダック王国史の人類学的考察」『国立民族学博物館研究報告』11(2)：403-455）（図 8-1、図 9-1 同）。

写真 7-1　ラダック王国第 1 次王朝シェーの王宮

写真 7-2　シェーの王宮にある三層の高さのブッダの像（ラダック王デルダンナムギャル（N8）により父センゲナムギャル（N7）の追悼のため 1633 年に建立された）

以外の記載はないが、この当時、北方ではモンゴルの勢力が強大化し、やがてその影響はラダックにも及ぶことになる。

ラチェンジョドパル（c．１２６０～１２９０年）の時代にはラダック王国はさらに繁栄したものと思われ、人びとは黄金の帽子を被り、茶と酒で口が空になることはなかったと歌われる。また、彼は王室と僧の職務を完璧におこなったと述べられる。ラチェンゴトゥプ（c．１２９０～１３２０年）の時代には学僧を中央チベットのウ・ツァンに留学させることが始められ、王は金銀、財宝を布施し大蔵経の写本をおこなうなど熱心に仏教を信奉した。

また、ラチェンギャルブリンチェン（c．１３２０～１３５０年）について王統史は名前以外に何も述べていないが、彼はバルティを攻撃した後、カシミールに逃走し、最初のイスラーム王となったカシミール王統史に記されるリンチャナボッタと同一人物であるとされる証拠がある。Ａ・Ｈ・フランケは年代の符合性、名前の一致、さらにギャルブ（王子）という名称に基づき、ラチェンギャルブリンチェンとリンチャンシャー（リンチャナボッタ）の同一性を認めている。

ラチェンギャルブリンチェンの息子であるラチェンシェスラブ（c．１３５０~１３８０年）はサブのピャン砦に守られたセンゲガン村落を作ったと記される。さらに、ラチェンティズクデ（c．１３８０~１４００年）はレーに１０８の仏塔、サブに１０８の仏塔二列を建てた。王朝の継承者である長男のラチェンダクブムデ（c．１４００~１４４０年）はレーを支配し、僧院を建設、仏像、壁画を制作した。

この時、チベットではツォンカパが仏教の改革をおこないゲールク派を創設する。彼の使節はラダックを訪れ、これに賛同したラチェンダクブムデはペトゥプ（スピトック）僧院を建立する。これについて、王統史にはペトゥプ僧院は奇跡により出現したと記される。なお、彼は殺生を禁じた仏法に従い人びとに動物供犠を止めさせようとしたが、人びとの反対にあった。なお、彼の弟のダクパブムは兄とは相容れず、ティンガン（ティムスガン）に王宮を建て、のちに第二次王朝の創始者となる。

ラチェンダクブムデの息子のロドチョクダン（c．１４４０~１４７０年）の時代、ラダック王国はその覇権を西チベット全域に拡大する。王統史にはグゲからの武器、トルコ石、鞍、羊、１５０頭のポニー、40頭のヤクと牛の雑種などを含む貢ぎ物が記されている。

なお、ラチェンダクブムデには、ロドチョクダン以外にルンパアリおよびラプツァンダギャルという息子があった。ルンパアリという名前はその半分はイスラーム名であり、Ａ・Ｈ・フランケは、これはラダックを攻略したザインウルアビディーンによってダクブムデ王がムスリムの妻をめとらされた結果であろうと推測している。

カシミールのムスリム王であるザインウルアビディーンに関して、S・S・ゲルガンは、バルティスタンの首長の忠誠の保証のもとに彼はグゲを攻略し、ラダックのシェー、ムルベに至ったと考えている。もっとも、彼はヒンドゥー教にも寛容であり、破仏をおこなわなかったといわれているため、ラダックにおける仏教への打撃は少なかったものと考えられる。

吐蕃の末裔によって建てられたラダック王国は、西方諸国によるイスラームの影響を受けながらも仏教王国としてその繁栄の礎を築いたのである。

（煎本　孝）

8

ラダック王国発展期（c.1400～1600年）

★太陽と月にたとえられた獅子王と虎僧★

ラチェンダクブムデの弟であるダクパブムの息子はラチェンバラであり、その息子はラダック王国第二次王朝の実質的創始者とされるラチェンバガン（c．1470～1500年）となる。彼は戦いを好む王であると記され、彼とシェーの人びとはレーの王ラチェンダクブムデの息子たちに敵対したとある（図8－1）。

すなわち、ラダック王国第一次王朝の最後の王であるロドチョクダンは、彼の父の弟の孫にあたるラチェンバガンに王位を奪われたことになる。ラチェンバガンの時代には、シュリバラのカシミール王統史によれば、カシミール王ハサン・カーンがラダック侵攻を図ったことが述べられている。

ラチェンバガンには2人の息子があった。兄のラチェンラワンナムギャルと弟のタシナムギャル（c．1500～1532年）である。タシナムギャルは兄をリンシェに幽閉し、自分が王位についた。彼には子どもはなかったが、兄にはラチェンツェワンナムギャル、ナムギャルゴンポ、ジャムヤンナムギャルの三人の息子があり、のちに長男と末男が王位を継承することになる。

図 8-1　ラダック王国発展期（c.1400-1600 年）における諸王の系譜

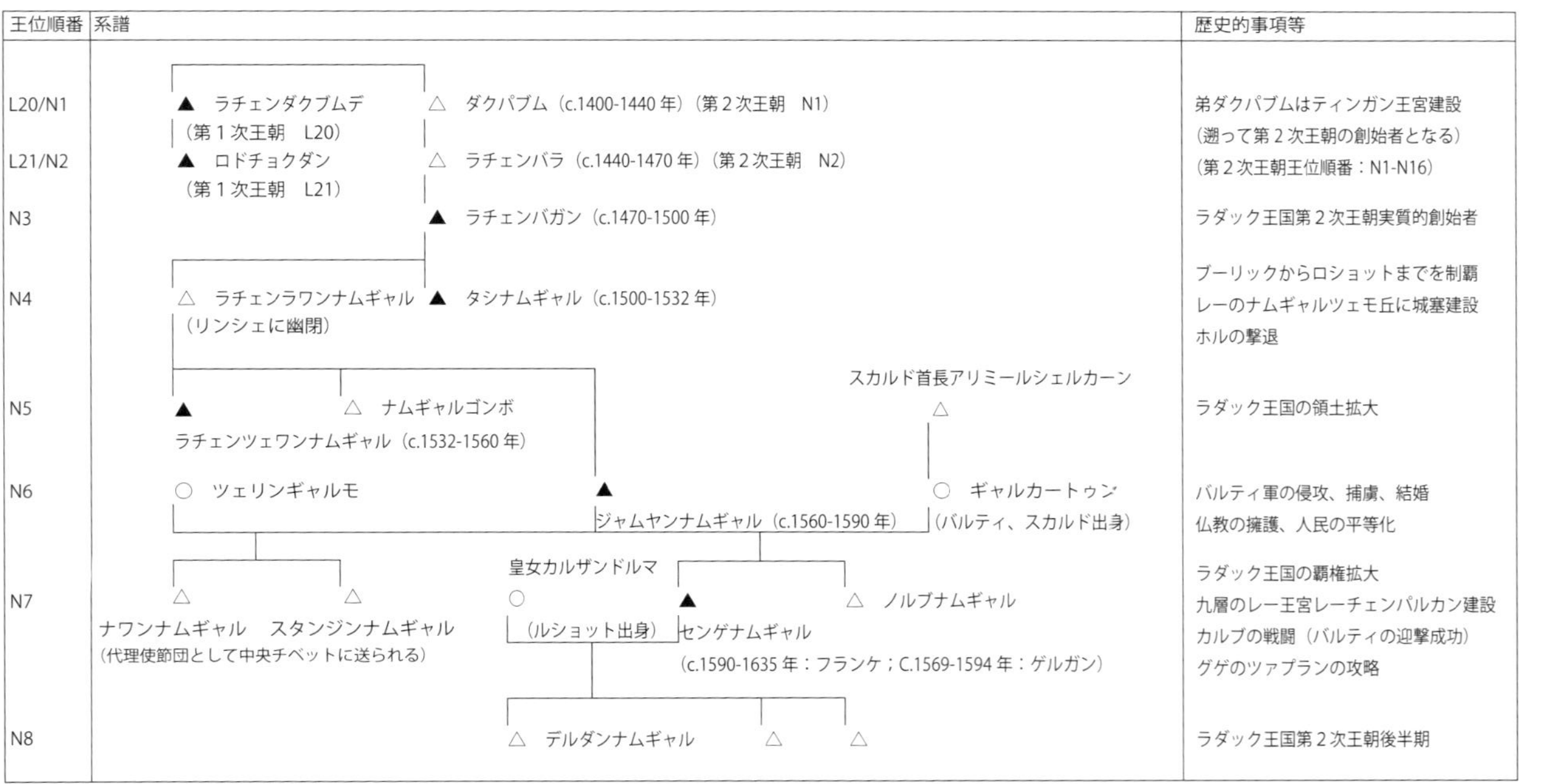

タシナムギャルの治世、ラダック王国はプーリックからロショットまでを制覇する。彼はレーのナムギャルツェモ丘に城塞を築き、またこの時期ラダックに侵入してきたホル（チュルクの一支であるウイグル族）を撃退した。さらに、彼は各村から僧になるべき者の数に関する規則を作った。

さらに、S・S・ゲルガンは、1532年にミルザハイダルドゥグラートがラダックに侵攻したと考えている。彼はヌブラの住民にイスラームを受容させようとしたが、貴族と首長はこれを拒否したため、彼らを殺害し、あるいは捕虜とした。その後、軍隊はレーに入り、そこの2人の支配者はイスラームを受け入れたという。R・A・スタンよると、将軍ミルザハイダルはトルキスタン地方、カシュガルのスルタンであるサイド汗とともに1531～33年に中央チベットまで進出している。

幽閉されたラチェンラワンナムギャルの長男のラチェンツェワンナムギャル（c．1532～1560年）が王位につくと、東はガムリン、南はズムラン、ニュンティ、西はシカル（バルティスタンのシガール）、カカル（バルティスタン西方のカシカル：チトラル）を征服する。さらに、彼は北のホルに対しても戦争を仕掛けようとしたが、ヌブラの住民に反対の嘆願を受けてこれを思いとどまった。当時、ヌブラ住民はラダックとヤルカンドとの間の交易活動に従事していたため、両国の友好関係の維持を重視したからである。

ツェワンナムギャルは子どもを残さず死亡し、このため弟のジャムヤンナムギャル（c．1560～1590年）が王位につく。この王の時代、2人の首長がラダック王国の意に従わなかった。彼らはチクタンとカルツェの王子でありイスラームに改宗し、自らをスルタン（イスラーム君主）と名乗っていた。もっとも、この2人の王子の間には争いがあったものと思われる。王統史によれば、ジャムヤンナムギャルは軍隊を率いて彼らのひとりであるチクタンのツェリンマリクの援助に向かったとあるからである。

しかし、スカルドのアリミールシェルカーンの侵攻によりラダック軍は封じられ、ラダック全域はバルティ軍に征圧される。ラダック王統史には、彼らは仏典を焼却し、インダス河に投棄し、寺院を破壊すると自国に引きあげたとある。この時、ラダック王ジャムヤンナムギャルはアリミールの捕虜となったものと考えられる。王統史には続けて次の記載が見えるからである。

すなわち、アリミールは喜んで彼の娘のギャルカートゥンをジャムヤンナムギャルの妻として与えた。アリミールはすべての兵士たちのために祝宴の準備をおこない、ギャルカートゥンを彼女のすべての宝石で飾り、ジャムヤンナムギャルを王座につかせると次のようにいう。昨日、私は城の下にあるインダス河から一頭の獅子が出現し、ギャルカートゥンに跳びかかるとその身中に消える夢を見た。それは彼女が懐胎するのと同時であった。彼女は男児を産むであろう。彼の名はセンゲナムギャル（獅子王）と呼ばれるであろうと。

こうして、ラダック王はアリミールの娘ギャルカートゥンと共に帰国を許される。その後、ギャルカートゥンはセンゲナムギャルとノルブナムギャルの2人の息子をもうける。また、ジャムヤンナムギャルは前妻ツェリンギャルモとの間にナワンナムギャルとスタンジンナムギャルの二子をもうけるが、彼らはチベットのウ・ツァンにある仏教僧院でジョウォ（ラサのトゥルナン寺の釈迦牟尼像）に礼拝し、献上品を捧げるための代理使節団として送られる。王統史はジャムヤンナムギャルが仏教の擁護に努めたことを記すが、同時に彼は人民に対しても税を減じ、富者と貧者を三度にわたり平等化したと述べている。

センゲナムギャル（c．1569～94年）の時代、ラダック王国はその覇権を拡大し、繁栄を誇った。彼はグゲ、ティセ（カイラーサ）の北面にまで侵攻し、ポニー、ヤク、山羊、羊を持ち帰り、国土をそれで満たしたとある。彼はルショットの皇女カルザンドルマを妻とした。さらに、ドゥック・カーギュ派の僧タックツァンラチェンをラダックに招請し、ヘミ（ヘミス）僧院を拠点に王朝の保護を与えて仏教振興に努めた。また、九層のレー王宮レーチェンパルカンを築いたのも彼である。のちの遠征では、北はガムリンにまで至り、シリカルモにおいてチベットからの使節と会見し、ウ・ツァンに至るすべての国に覇権を置くことに合意を得た。

写真8-1　ラダック王国第2次王朝のレーの王宮とバザール大通り

この王、あるいは息子のデルダンナムギャルの時代、バルティ王アダムカーンはラダックに侵攻し、カルブにて戦闘がおこなわれた。しかし、パチャシャジャンの率いるラダック軍は迎撃に成功する。ラダック王統史にはここで多くのホルが殺されたとあり、ムスリムと仏教徒との間の戦争であった。王統史はグゲのツァプランの攻略にも触れている。この際、ラダック軍はロロンを捕獲したとある。ロロンはキリスト教に好意を持っていたツァプランの王の略称である。さらに、王統史にはルトク、ウ・ツァンなどへの侵攻と、王がこれらを従属させたことが述べられる。

結局、センゲナムギャルはプラン、グゲ、ザンカル、ピティ、プーリックから、東はマルユム峠に至るまでを支配下に置き、ラダック王国は隆盛をきわめる。ラダック王国の人びとは、センゲ（獅子）王とタック（虎）僧を、太陽と月にたとえ賛美した。

ラダック王国第一次王朝後期から、第二次王朝センゲナムギャル、あるいはデルダンナムギャルに至る時期、イスラーム化したラダック西方隣接諸国からのラダック王国に対する攻略が続く。それは、直接軍事行動のみならず、その後のラダック国王とイスラームの王妃の婚姻という両国の姻戚関係の樹立という政策を伴うものであった。

（煎本　孝）

9

ラダック王国衰退期（c.1600～1834年）

★交易経済基盤の喪失★

センゲナムギャルの息子であるデルダンナムギャル（1595～1659／60年）はチクタン、カルツェ、さらにはカプールに進攻し、勝利を収めた。王位を継承するのは、ラチェンデレクナムギャル（1660～85年）である（図9―1）。

彼の治世、ラダック王国はモンゴル戦争（1679／80～1684年）により、モンゴル―チベット軍の攻略を受ける。ここに登場するモンゴル―チベット軍とは、当時ジューンガル王国を建てたモンゴルのガルダンツェワンとゲールク派仏教帝国の建設を計画するダライ・ラマ五世のチベット連合軍である。

これに対し、ラダック王はムガール帝国下にあったカシミール太守に救済を求め、一時的にモンゴル―チベット軍を退却させるが、この代償としてカシミールに多大な債務を負うことになる。すなわち、ラダック王デレクナムギャルはイスラームに改宗しアカバルマハムッドカーンという名をなのること、その称を広く知らせるためにマハムッドシャーの名を刻んだ貨幣を鋳造すること、レーにモスクを建立すること、そして王子のジクパルを人質としてカシミールに連行することである。

しかし、これと同時にモンゴル―チベット軍の反撃が開始さ

図 9-1　ラダック王国衰退期（c.1600-1834 年）における諸王の系譜

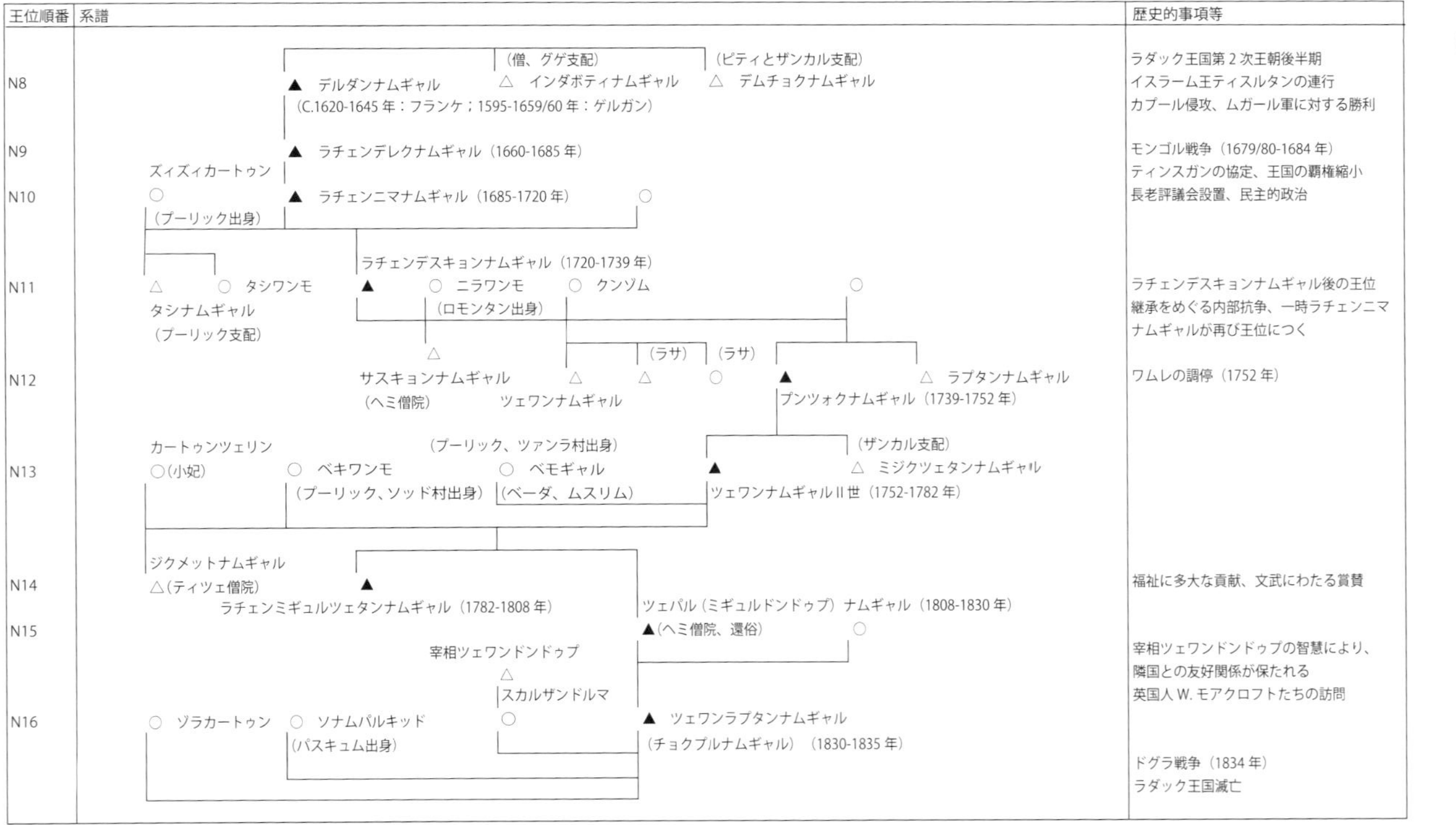

れる。彼らはレーに侵攻し王宮を焼くが、再びラダックに戻ってきたムガール軍によって撃退される。そこで、ラサ政府はブータンのミパムワンポをラダックに派遣し、ティンガンにおいて和平を成立させた。ラダック王国とチベットの間の講和は以下の条件によるものであった。すなわち、ラダック王国はガリコルスム地方を失い、チベットとラダックの国境をデムチョクのラリ川と定める。さらに、チベットとラダックの間の交易協定が定められる。チベット政府の交易者がラダックに茶を送り、これに対しラダック王の使節はチベットに金、サフラン、綿布を献じるというものである。

また、これとは別にラダック王国はカシミールとの間で、山羊毛交易に関するカシミールの独占権を認める交易協定を結ぶことを余儀なくされる。結果として、ラダック王国は東部地域を失い、経済的打撃を被るなどして、王国の覇権は著しく縮小する。

写真9-1　ジャミア・マスジット（1983年）（モンゴル戦争においてラダック王が援軍を頼んだムガール帝国下にあったカシミール太守の要請により、レーの王宮下のバザールに建設されたモスク。ラダックで最も大きいモスクで、再建後の現在もスンニ派ムスリムの礼拝所となっている）

王位を継承したのは長男のラチェンニマナムギャル（1685～1720年）である。彼は裁判において、国家役人、各村から任命された見識ある長老より成る評議会を作るなど民主的に政治をおこなった。王統史には彼の治世について、人びとの間には争いも強盗も窃盗もなくその生活はあたかも子どもが優しい母親とともにあるかのようにしあわせであったと記されている。

ニマナムギャルの王妃はラチェンデスキョンナムギャルを産んだ後、死亡した。王はプーリックのズィズィカートゥンと再婚し、息子のタシナムギャルと娘のタシワンモをもうける。王位を継承したのは、はじめの王妃との間の息子のデスキョンナムギャル（1720～39年）である。彼はネパールのニラワンモを王妃とするが、息子のサスキョンナムギャルが産まれた後、離婚する。のちに、クンゾムを王妃とし、息子のツェワンナムギャルをもうける。さらに、王は三度目の妻をめとり、プンツォクナムギャルとラプタンナムギャルを得る。

王位継承についてここで抗争が起きることになる。王統史には、国家役人、長老評議会、そして人びとは、タシナムギャルは僧となるか、あるいはティンガン王宮に住まうよう要求し、父のニマナムギャルが王位に戻ったとある。すなわち、ニマナムギャルと二番目の王妃ズィズィカートゥンとの間の子どもであるタシナムギャルが、母親ズィズィカートゥンとともに王位継承を図ろうとしたが、反対されたということである。しかし、ズィズィカートゥンはタシナムギャルにプーリックの支配権を与えることになる。

次に王位を継承したのはプンツォクナムギャル（1739～52年）である。ここに至って、プーリックのタシナムギャルはカシミール交易者とラダック住民に対して規制を加えようと試みた。この騒動がチベットのギャルバリンチェン（ダライ・ラマ）の耳に届くと、彼はこの混乱に乗じてインドからの軍隊がチベットを侵攻することを恐れ、カーギュ派の僧ツェワンノルブを調停者としてラダックに派遣する。

ワムレでおこなわれた10か月間に及ぶ調停は１７５２年に成立する。すなわち、ラダック王国における王位継承の方法に関する規則として、王位は長男が継承し、弟は僧になること、ザンカル（ザンスカール）王国、ヘナスク王国の存続は認めるが、ラダック王国においては一つの王国に２人の王は認めないことを定めた。さらに、カシミールとラダック、バルティスタンの間の交易路にあたるプーリック地方において交易者に略奪を加えないという規制処置が定められる。

長男のツェワンナムギャル２世（１７５２～８２年）が王位を継承したが、王統史によればここで王の頭に悪魔が侵入したとあり、彼の奇行について記される。たとえば、５００頭の馬についてわずか一人の馬丁しか置かず、また王宮の灯りを豪奢な形式にしたとある。しかし、人びとにとって最も奇異に思われたのは、王がベモギャルと結婚したことであろう。ベモとは音楽と舞踊を専業とするベーダと呼ばれるムスリムの最下カーストの女のことであり、ラダックではこれらの人とそのカースト以外の人との通婚は忌避とされているからである。

さらに、ツェワンナムギャル２世は租税を一年間に三倍にしたとある。そこで、人びとは兵士をもって王宮に押しかけ、ベモを投獄し、王は改めてベキワンモと結婚させられ、長老、僧院、閣僚によりヘミ僧院に軟禁させられることになる。

王はベキワンモとの間に３人の娘と２人の息子をもうけ、長男のラチェンミギュルツェタンナムギャル（１７８２～１８０８年）が王位を継承する。王統史には彼の治世において、租税が収入に応じて課されるという規則が作られたことが記され、また王が人びとの福祉に多大な貢献をしたことが彼の文武にわたる賞賛とともに述べられる。もっとも、ツェタンナムギャルには子どもがなく、24歳にしてカルズにおいて天然痘により死亡する。このため、ヘミ（ヘミス）僧院の僧になっていた弟のツェパル（ミギュルドンドゥプ）ナムギャル（1808～30年）が王位につく。彼の治世、宰相ツェワンドンドゥプの智慧により隣国との友好関係が保たれ、手紙、贈物の交換がなされたとある。

しかし、王統史はここでツェパルナムギャルについて、父親のツェワンナムギャル2世と同様、頭に悪魔が取り憑いたと記す。王は夜には眠らず、太陽が暑くなってから起きること、この時に12杯の冷水と湯を混ぜた水で手を洗い、これに関する規則を作ったこと、さらに領地を夜間のみ灯りのもとに旅行することなどが述べられている。宰相のツェワンドンドゥプが死亡すると王国の統治は解体へと向かう。すなわち、王妃と息子のツェワンラプタンナムギャルは閣僚に干渉を加え、さらにラダック各地の領主間には対抗が生じる。

ラダック王国の混乱に乗じて攻略を図ったのは、当時勢力を伸ばしていたシーク帝国下にあったジャム、ドグラ地方のグラブ・シン王と将軍ゾラワール・シンである。彼らの優勢な軍隊とラダック王国とのドグラ戦争によりラダックは征服され、独立国としてのラダック王国の歴史は終わることになる。これに関して、王統史第8部は、木―馬年の翌年（1834年）、ドグラ軍がラダックに到達したとのみ記している。

（煎本　孝）

10

ジャム王グラブ・シンの将軍ゾラワール・シンによるラダック攻略

★ドグラ統治の成立（1834～1846年）★

19世紀の初め、パンジャブ地方を根拠とするシーク帝国の大王（マハラジャ）ランジット・シンは領土の拡大政策を進めるなかで、1809年にはイギリス東インド会社とラホール協定を結び、サトレジ河を挟んで北部と南部をそれぞれシーク帝国、東インド会社の領土とすることを取り決めている。その後、ランジット・シンは、北西方向に領土拡大をはかり、1819年には、当時カシミールを支配していたアフガンの支配者を打ち負かし、カシミールをシーク帝国に組み入れている。

1830年代は、ショール用のウールの需要の急激な高まりをうけ、パシュミナ交易による利益は大きな関心を集めていた。当時、西チベットで産出されるパシュミナ・ウールの交易は、チベット・モンゴルとの戦争後の1684年のティンスガン（ティンモスガン）の講和条約で定められた交易協定に基づきカシミールに独占的に保証されていた。しかし、イギリス東インド会社はパシュミナ・ウール交易を、ラダックやカシミール経由ではなく、チベットとイギリスの支配地域との直接取引へと転換させており、シーク帝国にとっても、また彼の最も強力な臣下、ジャム王であるドグラのグラブ・シンにとっても、こ

写真 10-1　ジャミア・マスジッド・スリナガル。15 世紀初めにカシミール君主シカンダールによって建立されたモスク、1988 年。シーク帝国時代に閉門され、ドグラ時代には再開門。背後にはムガール帝国時代建立のハリ・パーバット砦

の交易は魅力的で、ドグラはパシュミナ生産地域の支配を目論んだといわれる。

こうして、１８３４年の夏にドグラのグラブ・シンの命を受けた将軍ゾラワール・シンはラダックに侵攻し、１８３５年にラダック王国を征服したのである。和平調停により、①ラダック王はストックにジャギール（領地）を与えられて退位し、名目的地位はグラブ・シン王の臣下、さらにはシーク帝国のマハラジャ・ランジット・シンの臣下となることで保証、②ラダック王は毎年２万ルピーの進貢の義務と5万ルピーの戦争賠償金の支払い、③レーにドグラの代表として通訳官を駐留させることなどが取り決められ、ラダック王はその名目的地位を保たれて戦争の終結を見ている。

１８３６年の3月には、ゾラワール・シンは一部の兵を残してザンスカールを鎮圧・併合することを命じ、一旦ジャムに引き上げるが、その後のザンスカールでの反乱でゾラワール・シンが率いるドグラ軍は再遠征し、最終的にザンスカール王に各家から取り立てた税をドグラに支払うことを約束させた。ラダックもその後にたびたび反旗をひるがえしたが、ゾラワール・シンはそのたびに遠征して反乱を終息させ、１８３９年の最後の遠征以降１９４７年まで、１８４２年のチベット人に扇動された反乱を除けば、ラダック人はドグラの支配体制をとおして平和的な態度を示し続けたという。

ゾラワール・シンは1840年には、バルティスタンのスカルド国の後継者争いの内紛に乗じ、敗れたカルマン国出身の王妃から生まれた長男側の要請を口実に、ドグラとラダック軍との混成軍をカルマン国の首長の先導のもとに侵攻させ、スカルドを攻略している。ゾラワールは、スカルド王アームッド・シャーを退位させ、ドグラ王国に進貢する事を条件にその長男モハンマド・シャーに王位を就かせ、ドグラ軍を駐屯させるための砦を建てている。これにより、グラブ・シン王はラダックとともにザンスカール、バルティスタンと西チベット全域の支配を確立したのである。

さらに、ドグラは、パシュミナ・ウールの交易による利益を求めようと、1841年の夏にはゾラワール・シンにチベットを侵攻させた。ただし、チベット侵攻中にゾラワール・シンが戦死してドグラ軍は敗退となり、ドグラとチベットは1842年9月17日に、レーで和平協定を結び、チベットはドグラをラダックの支配者として承認し、古来以来の境界を国境とし、お互いにラダックの国境問題に干渉することなく、ドグラもチベット西部の権利をすべて放棄すること、慣習どおりにウール、ショール、茶の交易はラダックをとおしておこなうことなどを取り決めている。

ドグラによる征服後、ラダック王国は終焉を迎え、王家はレーの城から所有地として与えられたストックの城に移り住むこととなったが、社会的権威は慣習として維持された。ドグラの支配体制では、ラダックはレー、カルギル、バルティスタンという3つのテシルを抱えるワザラットという県や州に相当する行政区となり、ラダックには知事としてワザール、それぞれのテシルにはテシダールが任命され、統治された。

ドグラによる統治では、ラダック王国時代の徴税システムが踏襲され、住民には毎年現金または穀物や薪で税を納めること、交易商人に道中で必要な運搬費を提供することなど、以前と同じような賦課が課せられた。ドグラの藩王には、駐留軍や役人の給与などの歳出を差し引いた歳入からの余剰分が送られていた。ラダック王に納めていた租税がドグラに治める形に変わっただけで、とくに圧政というものではなかったともいわれるが、ドグラの役人の村通過の際には、運搬の便を図るための馬やポニー、クーリー（人夫）の提供などが大きな重荷になるとともに、巡視の役人への賄賂も大きな負担であったという。

写真10-2　ラダック王が移り住んだストック城、2009年

チベットとの関係も非政治的・宗教的レベルではそれ以前と変わらなく続き、ラダックでは中央アジアやチベット、カシミールとの間の交易商人のキャラバンが往来した。ドグラによる支配の頃、大麦・小麦の栽培、ヤク・ウシやヤギ・ヒツジを飼育する牧畜による自給自足の生活もほとんど変わることのなくおこなわれており、当時の人口は、１９８３〜８４年の人口の半分以下であったにもかかわらず、作付面積は80％にも及んでいたという。一方で、１８４７年当時、ラダック人交易商人がコムギ粉を羊毛、パシュミナ、塩などと物々交換していたため、食糧供給が不十分にもなっていたといわれる。

ジャム王ドグラは、第11章で述べるように、１８４６年ジャム・カシミール藩王国として新たな出発を遂げており、ドグラによる統治はジャム・カシミール藩王国による統治へと引き継がれていく。

（山田孝子）

11

ジャム・カシミール藩王国の成立と英領インド帝国の統治（1846～1947年）

―――★盛んな国際交易と英領インド帝国の戦略的介入★―――

１８４５～４６年の第一次英国―シーク戦争後の１８４６年３月９日に締結されたラホール条約の条項の一つにおいて、和平調停役を任されたドグラのグラブ・シン王は主権を持った独立国の支配者、藩王であることが認められた。また、別の条項にはシーク帝国のマハラジャはカシミールとハザラ地方を現金と引き換えにイギリス東インド会社に割譲することが明記された。これを受けて、グラブ・シン王は、１８４６年3月16日にイギリス東インド会社とアムリッツァ条約を締結し、１０００万ルピーを支払う代わりにイギリスの統治権のもとでのカシミール地方の支配権を得ている。彼は藩王（マハラジャ）グラブ・シンとなり、ドグラ体制はジャム、西チ

写真11-1　スリナガル、ハウスボートで暮らすカシミーリ、1983年

ベット、カシミールの3地方からなるジャム・カシミール藩王国としてあらたな出発をしたのである。

一方、イギリスによるインド統治を振り返ってみると、もともとアジア貿易を目的に設立され独占権を認められたイギリス東インド会社がインドでの覇権を確立し、商社としてのみならず行政機構としての性格も帯び、1798年頃から植民地経営に乗り出していった歴史がある。東インド会社はインド各地の王国を戦争で屈服させる、あるいは軍事条約の締結などによって自治権を認めた藩王国化していき、1849年にはシーク帝国を滅亡させ、その領土を併合してインド全域の植民地化を完成させている。

東インド会社は、1858年に商社としての役割の終焉を迎え、インドに保有するすべての権限をイギリス国王に委譲して解散し、英領インド帝国の成立となる。1877年以降にはイギリスの君主がインド皇帝を兼ね、ヴィクトリア女王が初代皇帝となっている。こうして、ラダック、ザンスカール、バルティスタンでは、英領インド帝国ジャム・カシミール藩王国による統治が1947年のインド・パキスタンの分離独立まで続いた。

英領インド帝国時代におけるイギリスの植民地統治では、内政に関しては各藩王国の独自性に任せられてきた。このため、ラダックにおける統治は基本的にジャム・カシミール藩王国時代、英領インド帝国時代をとおしてドグラ体制が継続されてきた。古くからの標高差からくる生産品の違い、自然産物の違いを反映した各地方の特産品を求めた国内交易が変わることなくおこなわれていた。チベットや、カシュガルやホータンなどの中央アジアとの国際交易も盛んにおこなわれ、交易キャラバン隊がパシュミナ、茶、綿布、絹、銀製品、干しあんずなどを積んで行き交っていた。

たとえば、イギリス東インド会社統治時代の１８４０年代後半に、陸軍の技官将校としてラダックとチベットとの境界、ラダックと英国インド領のスピティとの境界を策定するためにアレクサンダー・カニンガムがラダックに派遣されたが、彼はラダック王国時代の交易経済について詳細な報告を出版している。第33章でも取り上げられるが、ラダック全体の交易品の年間総額のうち国際交易の合計は全体の99・3％を占め、しかも内訳を見ると国内生産品の輸出が7・8％であるのに対し、外国製品の輸出および輸入の割合は91・5％を占めていた。ラダックの国際交易は、カシミールと中央アジアを結ぶ交易の中継地としての大きな意味を担っていたのである。

写真11-2　国際長距離交易で渡河に欠かせないヒツジの皮袋を利用した筏、バルティスタン、カプル村、1983年

カニンガムの報告を見ると、国内生産品の主要交易品目はパシュミナ、毛布や衣服用の羊毛であった。パシュミナはとくにカシミール、ヌルプール、アムリッツァル、ランプールに輸出された。チャンタン、ルトック産のパシュミナなどショール用ウールはラダック経由でカシミールに輸出され、カシミールにおいてショールや幅広の肩掛け布などに加工された後、再びラダック経由でヤルカンドに運ばれた。その他に、硼砂やイオウ、ギルギット、バルティスタンからシムラに至るヒマラヤ山麓の高原地帯のバザールで売られるあんずやブドウなどの乾燥果実があった。

一方、原料の綿はインドからヤルカンドに輸出されるのに対し、綿布がヤルカンドからラダックを経由してインドへと輸出された。また、生糸、イリチやコータンで生産された粗絹織、「シリン」と呼ばれる絹と羊毛の上質な混紡もヤルカンドからインドへと運ばれた。また、「グル」と呼ばれる粗砂糖はカシミールから約2か月半かけてヤルカンドへと運ばれ、そこで精製され、砂糖飴となり、再び同じ道のりをかけてラダック、インドへと運ばれた。さらに、「チャラス」と呼ばれる大麻抽出物はヤルカンドからラダックを経由してインドへ運ばれるのに対し、阿片がインドからヤルカンドへと運ばれたが、これらも経済的に重要な交易品であった。

交易という経済活動は王国時代からドクラ統治時代、英領インド帝国時代へとラダック全体の経済を繁栄させてきただけでなく、個々の村人の生計も支えてきた。第10章で述べたように、国際交易はときには争いの種となりながらも、王国間の協定により1958年にインド—中国の国境が完全に閉鎖されるまで維持されてきた。

一方、英領インド帝国は、ラダックの地政学的な位置のために、次第にジャム・カシミール藩王国の問題に介入するようになっていった。インド総督は、ジャム・カシミール藩王であるマハラジャ・ランビール・シンの希望に抗して、1869年にラダックにイギリスとの合同行政長官としてケイレイ博士を派遣し、トルキスタンとの交易関係を監督させ、ロシア軍の越境の動きを見張らせた。1870年には、イギリス領インド帝国政府とマハラジャとの間で通商協定が結ばれ、イギリスはトルキスタンとの経済的・交易関係のすべてを管轄する権利を獲得している。

最後に、英領インド帝国時代の大きな出来事の一つとして、キリスト教の布教が始まったことをあ

写真11-3　今日もレーのバザールを賑わす乾燥果実類、2009年

げることができる。1855年にモラビア派教会のW・ハイデはレーを訪れたが、ジャム・カシミール藩王からレーでの定住許可を得られず、1856年にイギリス植民地政府の支配下にあったラホールのキーロンに伝道所を開いていた。キーロンにはラダックから逃れてきた避難民が多数住んでおり、初期のキリスト教への改宗者のほとんどは彼らラダック人であったという。1885年には、インド総督の個人的な支持を得たこともあり、ジャム・カシミール藩王の許可が下り、レーにおいて伝道所を開設することができたのである。モラビア派教会は、ラダック人への布教活動を本格化し、カラツェなどレー以外にも伝道所を開き、1887年にはレーに初めての学校を開校し、その翌年には診療所を開いている。
（山田孝子）

12

インド独立後のラダックの現代化（1947年〜現在）

──★ジャム・カシミール州ラダックとしての出発から連邦直轄領ラダックへ★──

インドの独立はそれまでの英国植民地支配のもとでの藩王国体制から民主的国民国家への脱皮を意味し、毎年8月15日の独立記念日には、ラダックにおいても式典がおこなわれてきた。インド全域でさまざまな社会制度改革、行政・教育システムの整備が進められ、ジャム・カシミール州ラダックにおいても、社会の民主化をはじめ、各村における飲料水供給、灌漑施設や医療施設の整備、さらには電力の供給開始、ラジオ局の開設、レー〜スリナガル間の道路開通、その後のレー〜マナリ間の道路開通、テレビ受信用設備の設置など、現代化が進んできた。

独立後の国民国家としての歩みのなかで、ラダック社会に大きな変化をもたらしたのは、まず身分制度の廃止と土地制度改革ということができる。カーストへの差別は1980年代にもまだ残ってはいたが、王国時代からの王、貴族、平民といった身分は社会・行政制度上の意味がなくなった。1950年にはジャム・カシミール州は、大土地所有禁止令を公布し、1953年、1978年にさらに制限を加えている。「独立後、貴族たちは最大182耕地の所有が認められるだけになり、小作人（シャスパ）制度は廃止され、小作人は10年間耕作し続けた畑を自分の土地であると宣言することが出来るようになった」のである。

また、国民国家としての体制が整えられ、21歳以上の男女に選挙権が与えられた。ラダック地区からは、ジャム・カシミール州議会議員にレー支区、カルギル支区それぞれから1名、国会議員には1名が選出された。ラダック地区という行政区の長官には、州政府任命の副長官が置かれた。1983～84年当時、副長官に全権が委ねられ、そのもとに公共土木局、家畜管理局などの各部局が置かれ、各村には州政府によってゴバ（村長）と村役の2名が任命されていた。

ただし、1980年代当時、州政府任命の村役員とは別に、村の慣習的世話役として2名の「伝統的」村役、4名の青年村役を選ぶ村もあった。慣習的世話役は、村の中でのもめごとの際には集まって話し合い、結婚式の際には村人接待のために机、鍋などさまざまな道具をかき集め、葬儀の際には火葬のための薪を調達し、さらには、チベット暦1月15日の法要など、村全体の寺の宗教行事にはその準備を担っていた。また、裁判制度が整えられるなかでも、紛争解決にはラダック仏教徒協会あるいは村の所属する大僧院の力を借りるのが一般的であった。ラダック仏教徒協会は大きな影響力を維持し、ラダック人仏教徒の地位改善のための政治運動や、土地問題、結婚、離婚など仏教徒間の紛争を解決する母体ともなっていた。

さらに、一妻多夫婚の禁止と長子相続制度の廃止はラダック人の伝統社会システムを大きく変容させてきた。一妻多夫婚の禁止は、すでに独立以前のジャ

写真 12-1　8 月 15 日のインド独立記念日式典、それぞれ民族衣装をまとって参加、1990 年

写真 12-2　サブ村の中学校、制服姿で通学する生徒たち、1990 年

ム・カシミール藩王国期に始まっていた。１９３９年にジャム・カシミール憲法が制定されたが、その後１９４１年には「多夫婚禁止条例１９４１」が公布されていた。しかし、インド政府は１９５４年10月９日に、一妻多夫婚だけではなく、一夫多妻婚も含むすべての重婚の禁止が明記される「特別結婚条例１９５４」を成立させ、１９５５年１月１日から施行してきた。これにより、一妻多夫婚の不法性は財産相続の平等性とともに浸透し、息子たちの独立、さらには子どもたちによる家督の分割が進んできた。

　最後に、教育システムの整備をあげることができる。第11章でもふれているが、１８８７年にモラビア派教会がレーにミッションスクールを開いている。１９１１年にはカシミール政府がレーに学校を開校していたが、独立後には政府によって学校教育の一層の充実・普及が図られてきた。１９８３年当時、ラダック全体では、州立の上級中等学校が１校、９~10年生までの中等学校が15校、上級初等学校が34校、初等学校が１４６校、さらにモラビア派教会が運営するミッションスクールなどの私立学校が18校開校されていた。州立教育施設が整備される一方で、私立学校も増え、２０１６年現在では36校となり、総生徒数は１万５７５人となる。

　一方、チベットとの往来が途絶えたことから仏教学教育の充実が急務とされ、１９５９年にはチョクラムサに、「仏教哲学学校（School of Buddhist Philosophy）」が設立されている。この学校は１９６２年にインド政府管轄の国立仏教学研究所（Central Institute of Buddhist Studies）となり、２０１６年には大学（University）として政府認定され、現在では仏教哲学とともにヒマラヤ地域研究の博士課程プログラムをもつまでとなる。

高等教育機関の充実も図られてきた。１９９４年の州立エリゼー・ジョルダン記念カレッジ（Eliezer Joldan Memorial College Leh）のレー市内における開校、１９９５年のカルギル地区における州立カルギル・カレッジの開校、２０１１年のヌブラ地区における州立ヌブラ・カレッジの開校、２０１３年のザンスカル地区における州立ザンスカル・カレッジの開校、２０１８年のドラス地区における州立ドラス・カレッジの開校、そして２０１９年の下手ラダック地区における州立カラツェ・カレッジの開校と、各地域にカレッジが設立された。ラダックが連邦直轄領になったのに伴い、２０１９年には各地に分散していたこれらの州立カレッジは国立ラダック大学に統合されている。

写真 12-3　レー市内にあるモラヴィア派教会のミッションスクール、2017 年

インドの独立後のラダック社会の現代化は、ラダックの地政学的な位置づけもあり、戦略的な地域開発と歩調を合わせ進展してきた。社会的資本・施設といったインフラの整備が進むなかで、第35章で取り上げるように、中央アジア、チベットとの往来が途絶え、交易経済が成立しなくなるなかで、ラダックの経済的基盤は観光経済へと転換が促されてきたのである。

（山田孝子）

コラム2

ラダックの地政学的位置づけ

山田孝子

インド・パキスタン間、インド・中国間は管理ラインが実質的な国境となり、ラダックからのこれらの地域への陸路での自由な往来はできなくなっているが、ラダックは、カシミール、バルティスタン、チベット、中央アジアとの交易を通した相互交流が盛んにおこなわれてきた地域である。カシミールと中央アジアとの主要な交易路の一つはレーを通るルートであった。スリナガルからレー、そしてレーからカルドンラを越え、ヌブラ地方を抜けてヤルカンドに至る交易路は全行程で約2・5か月間かかったという。また、レーとヤルカンド、ホータン、カシュガルを結ぶ交易路にはこのルート以外にもいくつか開かれており、氷結した河川を通行する冬期間専用のルートもあった。これに加えて、レーとチベットのラサを結ぶ交易路も開かれていた。

莫大な富をもたらす国際交易は王国間に緊張関係をもたらしてきたのであり、隣国との戦争は大抵交易をめぐる抗争となり、平和協定は交

写真コラム2-1　レーとヌブラをつなぐ自動車が通行する世界最高海抜（5514 m）のカルドンラ、2003年

写真コラム2-2　シィヨック川（左）とヌブラ川（右）との合流点、右側のヌブラ川の先にカラコルム山脈を望む、2003年

易・通商協定でもあった。ヨーロッパ世界に対しては世界地図上の空白地帯であったが、古くから中央アジア、チベットへの開かれた通路をもってきたラダックは、イギリス東インド会社によるインドの植民地化が進むなかで、イギリスの対ロシア戦略の要の一つともなってきた。

たとえば、イギリスの東インド会社の軍事用種馬の調達のために中央アジアに派遣されたウイリアム・ムーアクロフトとG・トレベックは、ヤルカンドまでの通行許可を得るまでの1820～22年にラダックに滞在しているが、彼らは英領インドの辺境にあるラダックがトルキスタンや中国との通商の中心的市場としてだけではなく、北方からの敵――ロシア――に対する強固な外塁になると、カルカッタの東インド会社政府に進言している。また、ジャム・カシミール藩王国によるラダック統治が始まった1847年頃には、イギリスはラダックとチベットおよびラダックと英領インド・スピティ、それぞれの間の境界を調査し、確定するための軍務にアレクサンダー・カニンガムら3名を任命し、ラダックに派遣している。

当時のイギリスの中央アジア政策においてイギリス・ロシア関係が中心的問題であり、中央アジアにおけるロシアの勢力拡大、とくにヒマラヤ地帯を通って北部インドを脅かす可能性が心配の種であり続けていた。カシミールが英国領インドと中国・ロシアとの緩衝地としての役割を持ち、トランスヒマラヤやカラコルムの山岳地帯はロシア帝国のインド平原への南下を防ぐ障壁となり得ると考えられ、ロシア帝国が新疆を征服する可能性に対しては、国境をカシミールからさらに北へと前進させる必要があるとされた。いずれにしても当時のイギリスの政策は、国境を画定して緩衝帯（バッファ・ゾーン）を作ることにあり、カシミールにイギリスの支配を確立することにあった。

　実際、アフガニスタンとイギリス領インドとの国境は1983年のデュラン協定で画定し、ロシア帝国とアフガニスタンの国境が1895年の英露パミール協定で画定し、1907年英露協定で正式に決着している。また、1899年3月11日付の覚書の形ではあったが、イギリスの北京駐在大臣マクドナルド卿はときの中国政府（清朝）に、パミールから西チベットまでの中国―インドの国境線を定める提案を手渡しており、これによって英領インドにとっての国境問題はほとんど達成されたといわれる。

写真コラム 2-3　新疆、中央アジアへの交通の要衝ギルギッド、1983 年

ただし、この覚書はイギリスが中国政府に提案しただけであり、正式な国境協定を締結するに至っていなく、しかも「アクサイチンとして知られる地域のほとんどは中国に所属すべきである」とまで注記していた。その後、1913年10月13日から1914年7月3日にかけて開催されたシムラ会議の最終日において、イギリス領インド政府代表のH・マクマホンは「マクマホン・ライン」として知られる中国、チベット、英領インドの国境線を印した地図を付帯地図とし最終草案の仮調印に至っている。

この付帯地図は、マクマホン・ラインの西端ではアクサイチンの北端地域において英領インドとチベットとの国境を示すが、このマクマホン・ラインの承認をめぐる英領インド政府を受け継いだインドと清朝を受け継いだ中国との解釈の違いによって、後に中印戦争が引き起こされている。

トランスヒマラヤ地帯の一見辺境にあるラダックは、かつてはロシア帝国と英領インド、現在は中華人民共和国とインドというように、国家と国家が領土拡張のしのぎを削る地政学的位置にあり続けてきたことが分かる。

III

農耕と生態

13

ヒマラヤ地域の生計活動

★標高差を利用した生存戦略★

ラダックで人間が生存するためにおこなわれる諸活動には、農耕、牧畜、交易などがある。これらは、トランスヒマラヤ山脈中に位置するラダックの乾燥、高標高という環境条件、および南をインド、北を中央アジア、東をチベットと接する地理的条件に対応したものとなっている。

主要な農耕は大麦、小麦の栽培である。人類史的には1万年前に農耕が始められた。ラダックには、紀元前５０００年に始まり、紀元前２５００年から紀元前１５００年に栄えたインダス文明を受け継ぐ人びとによって大麦、小麦の農耕がもたらされたと考えられる。

ただし、小麦は標高の高い所では栽培できない。標高３４５０ｍのレーでは大麦と小麦の栽培が見られるが、これよりインダス河上流地域では大麦のみの栽培となる。もっとも、ザンスカールでは標高３９００ｍ付近まで大麦と小麦の栽培が見られ、これ以上になると大麦だけである。つまり、３９００ｍが小麦の栽培限界高度となる。さらに、大麦の栽培は標高４１００ｍまで見られるものの、この標高では穂が熟すのは難しい。また、チャンタン遊牧民のカルナック集団では標高４３０７ｍの冬場所に大麦畑があるが、これは家畜の飼料用である。したがって、人間の食料としての大麦の栽培限界は標高4100m、飼料用としての大麦の栽培限界は標高4300m程度となる。

牧畜は農耕とともに始められたと考えられる。じっさい、インダス文明では牛、羊、山羊が飼われていた。しかし、ヒマラヤ山脈のような高地では牝牛と雄ヤクの雑種第一世代の雄であるゾー、雌であるゾモが育種され、農耕用や乳製品の生産に用いられる。このためには、農耕民はヤクを家畜とする遊牧民との接触が不可欠となる。この遊牧民は北方騎馬民族が南下し、チベット高原でヤクを家畜化するに至ったものであろう。

ラダックでは夏の間、本拠地となる村から高地にある「ブロック」と呼ばれる放牧拠点に家畜を移動させる移牧がおこなわれる。下手ラダックでは、標高2850〜3048mに位置する村々と標高3050〜3950mにあるブロックとの標高差は200〜1050mとなる。ブロックよりさらに標高の高い家畜の放牧地であるジョンサの標高は3500〜4000mになる。また、上手ラダックでは、標高3520mに位置する村から標高3800mにあるプーと呼ばれる放牧拠点に家畜を移動させる。この場合、村と放牧拠点との標高差は280mとなる。

ラダックとザンスカールの間にあるインダス河南側、ザンスカール北部のザンスカール山脈中では、標高3160〜4100mに位置する村々は、夏の間、標高4170〜4450mのジョンサ、あるいはドクサと呼ばれる放牧拠点を移動しながら牧畜活動をおこなう。標高の高い所に位置する村々の場合は、村々と放牧拠点との標高差は70〜720mであるが、標高の低い所に位置する村では標高差は860〜1240mとなる。また、ザンスカール南部の大ヒマラヤ山脈北面では標高3840〜4

100mに位置する村々は、夏の間、標高4065～4675mにある「ドクサ」と呼ばれる放牧拠点を移動しながら牧畜活動をおこなう。この場合、村々とドクサとの標高差は75～835mとなる。

ザンスカールでは、標高3900mから4000m以上になると、農耕から牧畜への比重が急激に増加する。彼らは標高に対応して、農耕と牧畜との比率を調整しているのである。これは、標高3000m以下の下手ラダック、さらにはその下流のバルティスタンにおいて、あんずなどの果樹栽培の比率が高くなることと現象としては異なるが、生存戦略としては共通している。牧畜によるバターなどの生産物と果樹栽培による干しあんずなどの生産物は、ともに交易商品としての価値を持つからである。

写真 13-1　インダス河の南側、ザンスカール山脈中の夏の放牧拠点であるドクサ

さらに、ラダック東部の標高4300～6700mのチャンタン高原においては、農耕はできないため遊牧が生存活動となる。ここでは、ヤク、パシュミナ山羊、羊の飼育がおこなわれ、季節ごとのキャンプが設けられ、年間を通した夏冬往復型、あるいは周回型の移動生活が営まれる。ここには、3地域集団が見られ、ツォーカル湖周辺のサマン－ロクチェン集団では、標高4560～4600mの冬場所から標高4760mの夏場所に至る標高差200m（植生限界の4850mまでの放牧を含めれば標高

差290m）、年間活動空間1200㎢（湖面積を除くと1150㎢）が利用される。

また、ラダックのチャンタン高原東部ツォモリリ湖周辺のコルゾック集団では、標高4360〜4400mの冬場所から標高4600〜4800mの夏場所までの標高差440m（同490m）、年間活動空間2050㎢（同1900㎢）が利用される。

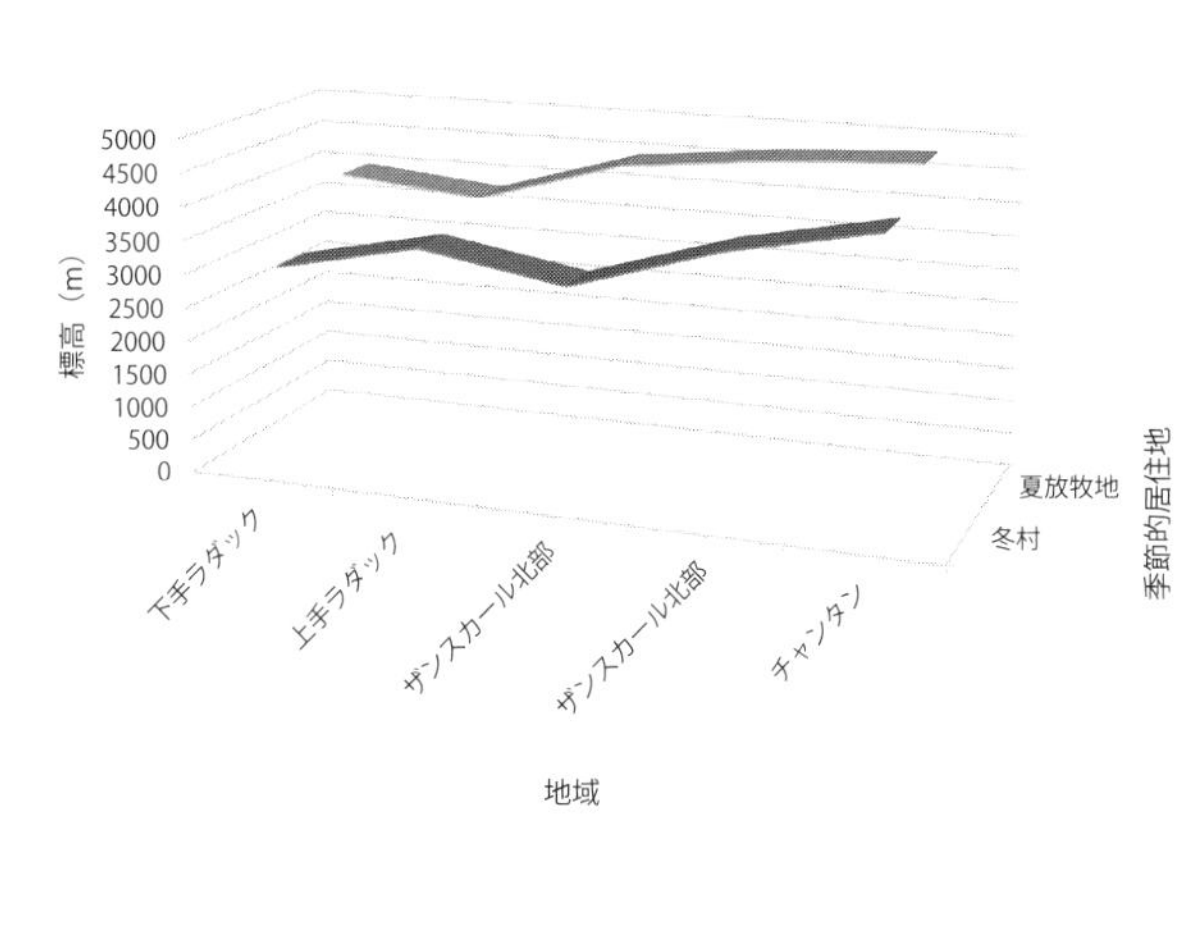

図13-1　ラダック、ザンスカール、チャンタンにおける標高差による活動の空間利用

さらに、チャンタン高原西部のザンスカールと接する地域を遊牧域とするカルナック集団の第1集団では、標高4288〜4307mの冬場所から標高4720mの夏場所までの標高差432m（同562m）、第2集団では、標高4350〜4400mの冬場所から標高4720mの夏場所までの標高差370m（同500m）、年間活動空間650㎢が利用される。

標高差による活動の空間利用は、下手ラダック、上手ラダック、ザンスカール北部、ザンスカール南部、チャンタンという各地域における冬村と夏放牧地の標高で示すことができる。標高の低い下手ラダックから標高の高いチャンタンに行くにしたがって、冬村の標高も夏放牧地の標高もともに高くなっていることが分かる（図13―1）。

すなわち、標高差に応じた活動の空間利用という生存戦略を通して、農耕、牧畜が営まれている。その結果、生産物に地域差が生じることになり、地域間での近距離、中距離交易が可能となる。さらに、チャンタン遊牧民の生産する「パシュミナ」と呼ばれる山羊の内毛は高級ショールの原材料となるため、カシミールに輸出され、それから作られた製品はインド、中央アジアなどに輸出される。ここに、国家間の長距離交易が成立する。

ラダックは交易の中継国となり、輸出入税は王国の経済基盤となった。そして、主都のレーでは交易商人が行き交い、王宮の下にはバザールが作られ、レーは政治と商業の中心都市として発展したのである。

（煎本　孝）

14

農耕と水の配分

★階層性と平等原理との折衷★

ラダックの村々はインダス河とその支流に沿って分布している。しかし、上手ラダックのシェー村やその対岸にあるチュショット村を除いて、多くの村々ではインダス河本流から灌漑用の水を取ってはいない。ラダックはインダス河の上流地域にあり、多くの部分で河の両岸は急峻な崖になっており、インダス河の水を直接利用することはできないのである。

しかし、ラダックの人びとは灌漑技術を持っている。村の背後の山脈の積雪を水源とする小川から流れ出る水を、灌漑用の水路により夜の間に村の貯水池に溜める。そして、昼間にそこから畑に水を引き、作物を育てるのである。水量は乏しく秋には水は涸れてしまう。したがって、畑の面積は利用できる水の量により制限される。

ラダックでは、主要な作物は大麦、小麦であり、その他下手ラダックではそば、粟も栽培される（表14―1）。

収穫後、土起こしをした畑に新たに大麦、小麦の種がまかれるのは、翌年の春である。もっとも、種まきの前に畑の準備がおこなわれなくてはならない。第一に畑まで水を引く運河（大水路）の壁と畑の段の修理、第二に畑を湿らせ、第三に堆肥を

表14-1　ラダックにおける栽培穀物の名称（種・品種）、栽培期間、利用部位

番号	名称			栽培期間	利用部位	備考
	和名（通称）	ラダック語名	ラダック語表記			
1	大麦	ナス	nas	3月下旬－7月下旬	種、葉/茎/根（家畜）	一般名称
	1(1)	ヤンカル	yang dkar		種、葉/茎/根（家畜）	品種：白い大麦粒、早熟
	1(2)	ヤンナック	yang nag		種、葉/茎/根（家畜）	品種：黒い（赤い）大麦粒
	1(3)	ヤンスゴン/スゴンモ	yang sngon/sngon mo		種、葉/茎/根（家畜）	品種：青い大麦粒
	1(4)	ソワ	so ba		種、葉/茎/根（家畜）	品種：大麦粒の皮が付着
	1(5)	トゥクチュスミン	drug cu smin	3月下旬—5月下旬	種、葉/茎/根（家畜）	品種：60日で実る、早熟
	1(6)	トゥクズルナス	drug zur nas		種、葉/茎/根（家畜）	品種：穂の先端が6本、六條大麦
	1(7)	ウーツァンパ	dbus gtsang pa		種、葉/茎/根（家畜）	品種：ワッカ、ムルベックで栽培
2	小麦	トー	gro	3月下旬－8月中旬	種、葉/茎/根（家畜）	一般名称
3	そば	ブロ	bro/'bro		種、葉/茎/根（家畜）	一般名称
	3(1) そば	ギャンダス	rgya bras	7月下旬－10月	種、葉/茎/根（家畜）	一般名称
	3(2) 韃靼そば	ブロスック/ブロキャン	bro sug/bro rkyang	7月下旬－10月	種、葉/茎/根（家畜）	ダッタン種、早熟、苦みあり
4	粟	チャ	cha	3月－10月	種、葉/茎/根（家畜）	ダ-ハヌ地域、下手ラダックで栽培

注：この他、米（オロ：'o lo）はラダックでは栽培されないが、輸入され料理に使われる。また、大麦のドルマナス (sgrol ma nas) は政府による輸入品 (ロシア産) で高生産性。

まく。畑の準備が整うと、畑の耕作（播種、土起こし、整地、水路作り）、畑の小区画を作る（整地、主水路作り、側水路作り、畑の小区画を整える）、水やりと除草がおこなわれ、収穫と脱穀、そして畑の土起こしとなる。

播種から収穫まで大麦で3・5か月間、小麦で4か月間を要する。また、運河の修理に始まり脱穀が完了し最終生産物を貯蔵するまでに、大麦で5か月半、小麦で6か月が必要になる。

下手ラダックでは、はじめに畑に種をまき、後でゾーに犂を曳かせて土を起こす。また、ここでは土地が肥えているため、手のひらに7粒の麦を乗せてまくだけでよいといわれる。これに対して、上手ラダックではゾーに犂を曳かせた後から種をまく。この方法で

はゾーの起こした土の線に沿って種をまく。しかし、この方法では2〜3倍の量の種が必要になる。

畑起こしのためにゾーに曳かせる木製の犂は「ショル」と呼ばれる。これは、湾曲した犂の上部にかじとりがあり、下部には土を起こすための鉄製の犂先が付けられる。これに取り付けられた長い木の棒であるながえは、2頭のゾーの首の上に渡された「ニャシン」と呼ばれるくびきに紐でくくり付けられる。

写真 14-1　ゾーによる犂耕での畑起こし

カラツェ村では、チベット暦2月に種まきと畑起こしをする際、彼らは占星術師のところに行き、畑に水を入れるのに良い日を占ってもらう。畑の中の水路作りが終わってから20日後くらいに、最初の水やりが1軒の特別な家から始められる。この家には小さな畑が一つあり、それは1834年のドグラ戦争後の行政長官であるワジール（かつてのラダック王国時代の宰相や大臣）がこの家に与えた畑であるため、この家は最初に水を畑に入れる権利を持っているのである。

これ以降の水の配分の順序は、毎年、「ルギャン」と呼ばれるくじ引きで決められる。紙に名前を書き、これを一人ずつが引く。くじを引く者は決まっておらず誰でもなれる。くじを引く者を家の外に出しておいて他の者がくじを作り、くじができると一人ずつ呼ばれ順番に引く。人びとは村の真ん中にある、柳の木のある場所という意味の「チャンリ」と呼ばれる公共の広場に集まり、ここで行事がおこなわれる。

なお、ドムカル村では、くじ引きは次のようにしておこなわれる。一人の男が目隠しをされ、外からの音も聞こえない別の部屋で待つ。各家の父、あるいは息子という代表の男が、それぞれマッチ棒、木片、石片などの小さな品物を出して置く。その後、目隠しをされた男が入ってきて、混ぜられたもののなかから一つずつ選び取っていく。この際、目隠しをされた男は、この目的や方法について何も知らされていない通りすがりの人が呼ばれることもあり、毎年代わる。このくじ引きは、小麦の収穫と脱穀が終わり山の牧草を刈る時に、村の共有地から牧草を刈ることのできる家を決める際にもおこなわれる。

カラツェ村では、くじで順番が決まれば、2軒ずつ対にして各回1日の水を配分し、村全体を10日間で一巡する。これが3回繰り返される。なお、すでに、村では固定した3軒ずつの家の集まりが決められている。毎年のくじの順番はこの3軒ずつの家の集まりを単位としたものである。したがって、最初の2軒ずつを対にした水の配分は、この3軒ずつの家の集まりを順番に2軒ずつに再編成した集まりを単位とすることになる。

カラツェ村全体では25軒の家がこの順番に登録されているが、1軒は畑が村の上の方にあるためこの水の配分に係る必要がない。また、最初に水の配分を受ける特別な家は、同時に3軒ずつの家の集まりに加わっており、この順番に参加する。さらに、ラダック王国時代の官僚であった、より良く最良のいう意味の名称がつけられたT家は、ラダック王国時代の上流社会集団に属する。この家は他の村びとたちより広い畑を持っているため、同時に3軒ずつの家の集まりに2度入るという特権を持つ。

また、モン（楽士）の家は畑が小さいため、他の家と一緒になって1軒分として、家の集まりに加わっている。なお、集まりの一つは、畑が小さいため半日分の水の配分を受けることになっている。この

写真 14-2　畑に水を配分するためのため池（カラツェ村）

集まりの中の1軒は、かつてモラビア派教会に属するキリスト教徒であったが、現在は仏教徒となっている。さらに、他の1軒は、チベット医学の医師であるアムチの家である。

多くの村々では、水の長という意味の「チュルポン」と呼ばれる管理者が任用され、水の配分を監視する。この仕事の報酬として、彼には少しの麦粒が支払われる。

カラツェ村では、王族の系統といわれる上流社会集団に属する家があり、村びとは上流社会集団の家の人びとに敬意を表すなど、常に社会的地位に気を配っている。行事の時の座席の配置や席次は、階層性の象徴となっている。

カラツェ村における水の配分については、かつての上流社会集団であり広い畑を持つ家、そしてワジールにゆかりのある畑を持つ特別な家に特権が認められている。同時に、他の家々にはくじ引きという公平な方法で平等に権利が与えられている。ただし、モン、アムチ、キリスト教徒など、畑の面積の小さな家々においては、半分の量の水を得る権利が与えられるにとどまる。

したがって、ここでは、社会の階層性と平等原理とが折衷した、しかも畑の面積に応じるという合理的な水の配分のしくみが見られるのである。

（煎本　孝）

15

収穫と分配

★わかちあいのこころによる特別な分配方法★

下手ラダックのカラツェ村（標高3010m）を1988年8月に訪れた時、人びとは畑で小麦の収穫をしているところであった。小麦の収穫は大麦より2週間遅れでおこなわれる主要な作物の最後の収穫である。大麦、小麦の収穫作業は、収穫とポロツェ作り（乾燥）から成る。

収穫は、小麦の茎を穂や葉と一緒に根から引き抜く。左右の手で別々に10本ほど摑み手元に引くと、引き抜くことができる。引き抜くと同時に、根に付いた土を振って払い落とす。一度に片手で引き抜く茎の数は限られているので、引き抜いたものを手に持ったまま、7〜8回引き抜きを繰り返し、いっぱいになったら後ろに置く。結果的に、片手で50〜100本くらいのまとまった束となる。

また、上手ラダックのレーでは収穫に際して鎌を用いる。この時は、茎の下端を引いて切る。カラツェでは収穫に鎌を用いることはない。鎌を用いるのは家畜の餌としての草を刈り取る時である。

収穫された小麦は、根を上に、穂を下にして立て、畑に並べて乾燥させる。これを「ポロツェ」という。根を上にするのは、土を乾燥させて、のちにこれを落とすのに適しているためであり、また雨が降った時に穂に雨がかかって腐るのを防ぐためである。さらに、ハトなどの鳥の害を防止することにもなる。このように、束にしたものを畑一面に広げて、2～3日乾燥させる。また、天候が悪く雨が降りそうな時は、穂を内側に、根を外側にして円く積み上げ、この上に布をかけて雨が穂にかかるのを防ぐ。なお、大麦の乾燥は、収穫後、畑を二毛作のために使用するので、畑の外側に干す。

写真 15-1　畑での小麦の収穫

大麦の収穫後、「ブロ」と呼ばれるそばが植えられる。小麦の場合は一毛作であるが、大麦の場合はそばや粟との二毛作となる。もっとも、粟はカラツェではあまり植えられていない。しかし、下流のドムカル村やスクルブチェン村では、少数の家々は粟を植えており、さらに下流のダーハヌ村ではほとんどの家で粟が耕作される。ダーハヌ地域は畑が良く気温も高いため、大麦の播種時に粟が植えられる。粟は根から引き抜いて収穫される。

なお、カラツェのGT家では、大麦の収穫後、粟とえんどうが二毛作として混植された。粟を収穫するためには、大麦の播種時に植えなければならない。したがって、これは、粟が実を結ばないことを承知の上で、家畜の餌にするため、同様に実を結ばないであろうえんどうと一緒に植えたのである。

すべての収穫が終わった後に、犂を用いて畑の土が掘り起こされる。これは、不要な雑草を根から取り、また土を柔らかくするためである。何もしなければ、降雪の後、土は固くなってしまうのである。収穫後におこなわれる畑起こしは「ロクチャクセ」と呼ばれ、この時、種はまかれない。

なお、翌年の春から夏のはじめの畑起こしは、畑の土が次々と上下が逆になるという意味の「ジンモセ」と呼ばれ、種を播きながら同時に土起こしがおこなわれる。また、大麦と小麦は年毎に畑を交代する。つまり、ある畑から大麦を収穫すれば、次の年には同じ畑から小麦を収穫するという輪作がおこなわれることになる。これは土壌の改良のためである。

ところで、仏教僧院における僧は、1年のうちの5～6か月間は僧院による貸借契約や儀軌による収益で生活が支えられているが、残りの6～7か月間はそれぞれが自給自足の生活をしなければならない。このため、僧は商売や、時には乞食をする。

ここで、乞食というのは、慣習として制度化されたもので、「ソスニェムス」と呼ばれる。これは、村の家々で大麦や小麦の収穫後、それぞれの家が僧をはじめ、鍛冶、楽士、チベット医などに収穫物の一部を供する慣習である。さらに、カラツェ村の「マネパ」と呼ばれる2軒の家もソスニェムスを受けることができる。この家はチベット暦5月に、すべての村人がマニ石積みのところに来て、石に「オンマニパドメフム」という観音菩薩の六字真言を刻む行事をおこなう際、食事、大麦酒、茶、パンを用意するからである。このマネパの役割を担う2軒の家は、村の中での順番制になっており、毎年交代する。

ソスニェムスは、すべての家々がおこなわねばならないものとされている。この慣習について、僧の一人は、僧は村人に奉仕しているからだとその理由を述べる。

ソスニェムスの量は僧1人が1度に運べる最大量であり、これは1回のみ許される。通常、一度に背負って運ぶ麦束の量は1クル（60～70kg）であり、これを脱穀して麦粒に換算すれば1カル（13～14kg）に相当する。

なお、インダス河下流のドムカル村では、この村の僧のみならず、スキルブチェン村をはじめとする他の村々から、僧や尼僧がソスニェムスにやって来る。この際、彼らは脱穀後の麦粒を好むという。この時は、村人の判断により供する量が決められる。僧や尼僧は麦粒をもらう前に、祈りを少し唱えるのである。

かつて、僧たちはどの村に行ってもよかったが、今日では僧たちの自給自足が可能となったため、一般の僧は自分の村でさえソスニェムスには行かず、寺院の管理者だけが行くという。なお、この制度は村人個人の家に行くことはできず、麦を収穫している畑、もしくは脱穀している場所のどちらかにしか行くことができない。もし、畑に行けば、脱穀している場所には行くことができないことになる。さらに、もし、脱穀が終了していれば、たとえまだ麦粒をもらっていなくても、個人の家に直接行くことは恥ずべきことであるとされている。これは、本当の乞食になると考えられているからである。

この「ソスニェムス」と呼ばれる収穫物の特別な分配方法は、社会の専業化に対応するための分配を通した協力であり、互恵性に基づく労働と収穫物の交換である。したがって、その背後にはわかちあいのこころがはたらいており、これが制度化されて社会規範として慣習化されているのである。

（煎本　孝）

16

脱穀と家畜

★家畜の貸借関係によるたすけあいのこころ★

大麦、小麦の脱穀作業は、土払い／クルの運搬、チョック作り（乾燥）、脱穀（家畜）、脱穀／分離（風）、脱穀／分離（篩）、穀粒／塵分離（風）、くず藁を貯蔵、穀粒を袋に入れる（家に運搬／貯蔵）、追加作業としての穀粒／塵分離（風）を経て大麦粒貯蔵（家）となる。

畑で乾燥させた小麦は片側に根が来るようにまとめたものと、片側に穂が来るようにまとめたものを交互に7～8層に積む。交互に積み重ねるのは、運搬する時にバランスを取るためである。1層は、大人が両手でひとかかえの束を2束並べたものからなっている。この際、根に付いた土を棒で叩いて落とす。

積み上げた小麦の層を「タクパ」と呼ばれる2本の紐を巻いて括り付け、人が背負って運搬できるようにする。この麦束を「クル」と呼ぶ。力の強い男で7～8層、女で6～7層、子どもで3～4層から成るクルを運ぶことができる。

家屋の近く、あるいは脱穀するための「ユルタック」と呼ばれる円形の場所に運ばれたクルはそのまま2～3日間置かれる。次にこれらは、順次、畑で乾燥した時とは逆の方向に、すなわち穂を上に、根を下にして中心に向かって円くなるように立てかけられる。これは「チョック」と呼ばれ、人がしゃがむという意味である。穂を上にするのは、太陽に良くあて、速く乾燥させるためである。天候にもよるが、乾燥には1週間、時には2週間を要する。

脱穀は円形のユルタックの中心から外側に向かって、牝牛2頭、雄牛、ゾー2頭、馬が、並んで頭をそろえて左方向に回れるように首を綱でつながれる。交代で牛を後から追うと、動物たちは円を描いて回り、地面にまかれた麦束は動物に踏まれて細断される。

なお、馬を一番外側に置くのは、馬が速く歩き、他の動物を引っ張るからである。また、ゾーは牛よりも速く、強いので牛よりも外側に置かれる。一番内側に置かれる牝牛は特別に慣らされた牝牛で、中心近くをくるくると回る。そのうち、動物たちは「ホロホロ」といわれ小枝で尻を叩かれるだけで回る。回る速度は毎分4回程度である。回る速度は毎分4回程度である。家畜を用いた脱穀は一日で終わる。

写真16-1　収穫した麦の束をまとめて背負う

写真16-2　ユルタックでの家畜による脱穀

次に、麦粒とそこに混ざっているくずわらを積み上げて山の塊にし、両側からほうきですくって上に放りあげて風でくずわらを飛ばす。さらに、まだ混ざっている麦粒とくずわらを帯状に地面に置き、これを両側からほうきですくって上に放りあげる。この時、父と娘は口笛を吹きながら作業していた。口笛を吹くのは風を呼ぶためだという。そして、少しずつ風下の方に進んで行く。くずわらは風に飛ばされ、後には地面に落ちた麦粒が残る。さらに、麦粒の上にまだ残っているくずわらは、母によりほうきで集められ分離される。もし、風が強ければ、動物での脱穀とくずわらの分離作業は1日で終わる。

その後、ブリキ板に穴をあけて両側に取手を付けたふるいを用いて、麦粒をふるいにかけ細断されなかった穂の一部や小石や牛糞などを分けて取り除く。ふるいにかけている間も、口笛を吹きながらの作業が続く。

次に、山にした麦粒を木製で先が四角になったシャベルですくって放り投げる。目印にあんずの葉の付いた小枝を置き、それよりも向こう側に飛ばす。風でくずわらと土埃が飛ばされ、麦粒が下に落ちる。この作業は少しわざと経験が必要であり、少量の麦粒をシャベルに乗せ、上にあげながらシャベルを回して麦粒を空中に散布させる。

最後に、娘は円形の鉄板に穴をあけたふるいで麦粒をすくい、頭の高さにあげて落とす。風でくずわらや土埃を飛ばすのである。これを2度ずつ繰り返す。

父が家から厚いチャパティという意味の「タキトゥクモ」と呼ばれる小麦練り粉をダルバ（ヨーグルトからバターを抽出した後に残った液体）を用いて発酵させて焼いたパンを持って来る。麦粒を積み上げた山の上に指で吉祥の相である卍の逆字（ユンドゥン）が描かれる。そこに、吉祥の印である赤白の肩掛けが敷かれ、タキトゥクモが置かれる。タキトゥクモの上には、麦こがし粉が乗せられる。なお、通常は麦こがし粉を大麦酒で練ったコラックの上にバターを乗せるが、今回はコラックがなかったのでタキトゥクモが用いられ、またバターもなかったため麦こがし粉が用いられた。これは、山の食べ物という意味の「オンスザン」と呼ばれる。なお、ドムカル村ではコラックの代わりに小さなブッダの像を乗せる者もおり、またある者は高僧であるリンポチェにもらった麦粒の入った聖なる包みを置く。

そして、麦こがし粉を麦粒の上に3回まき、大麦酒を柄杓ですくって空に3回まく。これは収穫前におこなわれる初穂儀礼（シュブラ・チェンモ）と同様、村のラーとパスラー（父系出自集団の神）への奉納儀礼である。

このように、犂を使った畑起こしや脱穀など、農耕における家畜の労働力としての役割は重要である。もし、これらの作業のために十分な家畜が家にあれば、自分たちで作業をおこなうことができる。しかし、家畜を2～3頭しか所有していない家もある。この場合は、他の家から家畜を借りることになる。たとえば、脱穀のためSK家がGT家から午前中に牛を借りたので、午後にはGT家はSK家から牛を借りることができた。これらの貸借関係は「キムツェス」と呼ばれる隣人や、「スニェン」と呼ばれる親族の間でおこなわれる。

貸借関係は、貸した家の家畜が少なければ、借りた家は、貸した家の脱穀の際に家畜を貸すことになる。また、貸した家の家畜が十分にあれば、貸した家が脱穀作業において麦粒とくずわらを分離する際に、借りた家から人が行って手伝う。もっとも、貸した家の人手が十分にあれば、何もする必要はない。なお、この貸借に金銭のやり取りはない。

この貸借は、より一般的には、お返しという意味の「ベス」と呼ばれる。これは互恵性に基づいており、ラダックの人びとの社会規範として重要なものとなっている。この互恵性は金銭ではなく労働を通して成立し、隣人や親族の間における必要な状況に対応した相互扶助の慣習である。

また、これは収穫物の分配ではなく、生産活動のために必要な生産手段の貸借なので、わかちあいのこころの発動ではない。むしろ、この行動は困っている人がいれば助けたいという普遍的なおもいやりのこころが源流になり、それが隣人や親族にまで拡大し、社会生態的条件のもとでたすけあいのこころとして展開した労働交換の慣習である。

（煎本　孝）

コラム3

大麦の計量単位と貸借契約

煎本 孝

ラダックでは、かつては大麦が通貨としての経済的機能を果たしていた。その計量単位である1カル（khal; 大麦粒で13〜14kgに相当）とは、収穫した麦の束をまとめて1度に背負う時の単位（クル、khur; これ自体は60〜70kg）に含まれる麦粒の容量である。また、1カルの種を播く畑地の広さをも示す。1カルは5ボー（bo）、1ボーは4ブレ（bre）である。すなわち、1カルは20ブレとなる。1ブレはそれを量るための木製の容器一杯分である。

なお、大麦の重量の換算は、インドの単位との比較から、1カルは7バティ、1バティは2シェルに相当し、1シェルは1kg未満なので、1カルは13〜14kgとなる。したがって、1ブレは650〜700gとなる。

さらに、穀物だけではなく、あんずなどの収穫物の容量を表すために、ズガル（sgal; 袋）とツェポ（tse po; 背負い籠）が用いられる。1ズガルは3ツェポである。1ズガルは約1／2パツァ（pha tsa; ヤク毛製袋）、あるいは5カルである。すなわち、1パツァ＝2ズガル＝10カルとなる。1カルは13〜14kgなので、1パツァは130〜140kg、1ズガルは65〜70kg、1ツェポは21・6〜23・3kgとなる。

僧院と村人の間の大麦と畑地に関する貸借契約には、第一に「パカシャス（固定した、永久の（ウルドゥー語）・貸借契約）」と呼ばれる永代貸借契約による貸借地料、第二に「ゴンペジン（僧院の・畑地）」と呼ばれる僧院の所有する耕作地の貸借、第三に大麦粒の貸付契約であるシャス（貸借契約）がある。

第一のパカシャスとは、村人が僧院に土地を寄進し、この土地を僧院が誰かと永代貸借契約を結ぶことにより、貸借料を得るというものである。貸借料は収穫量の30～35％である。たとえば、100カルの大麦の収量があるとすれば、30～35カルを僧院に支払うということになる。

僧の1人が2～3年の期限を決められ、この家から貸借地料をとる。もし、それが15カルであれば、これで150名の僧が何日間生活できるかを計算することができる。通常、僧1人が1日に生活するためには大麦粒1ブレが必要なので、15カル（300ブレ）であれば150人の僧の生活費2日分に相当する。これに基づき、寄進者のために2日間の儀礼をおこなうこととなる。そして、担当の僧は儀礼をおこなうための食事等すべてを手配して、2日間の儀礼をおこなうのである。

第二に、ゴンペジンは僧院所有の土地である。これは僧個人に分配され、自分で耕作しても、あるいは貸借契約を結んで貸借地料を得ても良い。貸借契約の場合、ラマユル村では、1カルの種を播く広さの畑地からその4倍程度の4カルの収穫量があるため、貸借料として収量の少ない高地の畑では2カル、収量の多い低地の畑では3カルを僧院に納める。したがって、この場合、貸借料は収穫量の50～75％ということになる。しかし、これは永代借地ではない。個人の僧に分配された土地は、「タジン（僧・土地）」と呼ばれる。

第三の大麦粒の貸借契約は第一の永代貸借契約と同様、「シャス（貸借契約）」と呼ばれる。これは、裕福な村人が大麦100カルを僧院に寄進したものを資本とし、村人に貸付けて利息を得るものである。20～30年前までは村々では少数の家だけは自給自足でき、多くの家はそうではなかった。このため、春に食料不足が起こり、大麦の種籾がなくなった。そこで、村人は僧院から種籾を借り、秋に利息とともに僧院に大麦粒を返すのである。したがって、1カルを借りると1カル5ブレを僧院に返すことになる。この利率は、「ジマルンガ（4・になる・5：4が5になる、すなわち25％の利率）」と呼ばれる。

この際、最初に僧院に大麦粒を寄進した者のために、この利息にあたる部分で寄進した者の希望に応じた儀礼がおこなわれることになる。この管理・運営のため、2～3年の期間、1人の僧が任命され、彼が資本の大麦粒を人に貸付け、この利息を集めるのである。利率が25％であるから、100カルを僧院に寄進すれば、25カル分で何日間の儀礼がおこなえるかを知ることができる。これは、定まった日における年間儀礼となり、永代続くことになる。

また、この契約は寄進者と僧院との間でなされる。任命された僧は、市場や村人から大麦炒り粉、茶、バター、野菜、油、タマネギ等を購入し、儀礼を手配する。なお、この時、彼は儀礼そのものには参加せず、行事の管理にあたる。そして、彼の任期が終了すると、次の僧に資本の大麦粒を引き渡すのである。

なお、村人同士の間でも貸借契約がおこなわれる。畑地の所有者は、播種や畑起こしをせず、また水やりもおこなわない。彼は「シャス」と呼ばれる貸借契約を畑地の借り手との間で結び、生産量の一定の割合を得る。このような契約はラダックでは一般的であり、僧院の畑を村人に貸す場合と同様である。

IV

果樹栽培

17

果樹栽培

★下手ラダックにおけるあんずなどの果樹栽培★

あんずなどの果樹栽培は、主として標高3000m以下の下手ラダックにおいて見られる。あんずは5月に日本の桜よりも少し白っぽい花を咲かせ、7月中旬には実をつける。人びとは、7月から8月にかけてあんずの収穫、果肉と核(殻を含めた種子全体)の分離、乾燥などをおこなう。さらに、9月には、核の殻割と、仁(核の内側の種子)からの油の抽出がおこなわれる。また、8月下旬にはりんご、9月にはぶどうとくるみの収穫がおこなわれる。もっとも、カラツェで最も多く栽培されているのはあんずであり、ぶどうはほとんど見られない(表17―1)。

ハルマンは最上級のあんずであるが、この名称はウルドゥー語と思われる。この種類は、昔カラツェのインダス河下流にあるバルティスタンから移入されたといわれている。また、干しあんずは一般に「リルティン」と呼ばれるが、ハルマンを乾燥したものは特別なので、「リルティン」とは呼ばずに「パティン」と呼ぶ。なお、パティンのことをチベットでは、ラダックの果物という意味の「ンガリカムブ」と呼ぶ。

ラクツェカルポは、白い種子という意味であるが、これは他のあんずの種子がすべて黒色なので、これらと区別するために

表 17-1　ラダックにおける栽培果樹の名称、収穫期、利用部位、保存法

番号	名称			収穫期	利用部位	保存法	備考
	和名（通称）	ラダック語名	ラダック語表記				
1	くわ	オセ	'o se	6-7 月			一般名称
	1(1)	オセカルポ	'o se dkar po	6-7 月	果実	生・自家消費	品種：熟しても白色のまま
	1(2)	オセ	'o se	6-7 月	果実	生・自家消費	品種：熟すと黒・赤色になる
2	あんず	チュリ	cu li	7 月中旬 -8 月末			一般名称
	2(1)	ハルマン	hal man	7 月中旬 -8 月末	果肉、種子、葉（家畜）	生・乾燥	品種（最上品）
	2(2)	ラクツェカルポ	lag tse dkar po	7 月中旬 -8 月末	果肉、種子、葉（家畜）	生・乾燥	品種（上品）
	2(3)	シャンビャル	sham sbyar/ sha sbyar	7 月中旬 -8 月末	果肉、種子、葉（家畜）	生・乾燥	品種（果肉と種が離れにくい）
	2(4)	シツィグガルモ	rtsi gu mngar mo	7 月中旬 -8 月末	果肉、種子、葉（家畜）	生・乾燥	品種
	2(5)	シツィグカンテ	rtsi gu khan te	7 月中旬 -8 月末	果肉、種子、葉（家畜）	生・乾燥	品種：種子は油抽出用
3	りんご	クシュ	ku shu	8 月中旬 -9 月末			一般名称
	3(1)	ヤングマクシュ	yang ma ku shu	8 月	果実、葉（家畜）	乾燥・自家消費	品種：味は良くない
	3(2)	タクシュ	khra ku shu	8 月	果実、葉（家畜）	生・商品	品種：小さく赤く甘い
	3(3)	モンゴルクシュ	mong gol	9 月	果実、葉（家畜）	生・商品	品種：大きいが甘くない
	3(4)	アムバルクシュ	ambar	9 月	果実、葉（家畜）	生・商品	品種：稀、大きいが甘くない
	3(5)	パタックヨンテクシュ	pa tag yon kre ku shu	9 月末	果実、葉（家畜）	生・商品	品種：小さく味は良くない
	3(6)	スキュルモクシュ	skyur mo ku shu	8 月	果実、葉（家畜）	生・自家消費	品種：酸っぱい
4	ぶどう	ルグン	rgun ('brum)	9 月			一般名称
	4(1)	ルグンナク	rgun nak	9 月	果実、葉（家畜）	生、葡萄酒（ダ - ハヌ）	品種：大きな房で実が黒色
	4(2)	ルグン	rgun	9 月	果実、葉（家畜）	生、葡萄酒（ダ - ハヌ）	品種：小さくて実は緑色
5	くるみ	スタルガ	star ga	9 月末 -10 月中旬			一般名称
	5(1)	ンガンスタル	ngan star	9 月末 -10 月中旬	種子、葉（家畜）	生、乾燥、油抽出	品種：悪い（種を出しにくい）
	5(2)	ザンスタル	bzang star	9 月末 -10 月中旬	種子、葉（家畜）	生、乾燥、油抽出	品種：良い（種を出し易い）

写真 17-1　木を揺すって落としたあんずの実の採集

付けられた名称である。生でも実は味が良く、とくに生のまま食べられる。乾燥したものも味は良いが、パティンほどではない。干したものは一般名称ではリルティンであるが、普通はこう呼ばないで「ラクツェカルポ」と呼ばれる。

ンガルモとカンテというあんずの種類がある。ンガルモは甘いという意味で、カンテは苦いという意味である。この対立的弁別法は、砂糖入りの紅茶を「チャガルモ」と呼び、塩入りのバター茶を「チャカンテ」と呼んで区別する時にも用いられる。紅茶は後の伝来であるから、元来からあったバター茶と区別するために、この弁別法が用いられたのである。

あんずのンガルモは正確には、核の殻の中にある仁が甘いという意味の、シツイグガルモであり、同様にあんずのカンテはシツイグカンテである。また、これらをあんずの一般名称であるチュリを用いて、「チュリガルモ」、「チュリカンテ」と呼ぶこともある。この他、シャンビャルというあんずの種類がある。

あんずの分類は、本来、包括的な範疇であるチュリの下位分類としてシツイグ（チュリ）ガルモとシツイグ（チュリ）カンテがあり、のちにハルマン、ラクツェカルポ、シャンビャルという種類が移入され、これらはそれぞれ独立した種類として、チュリの下位分類に位置づけられたものと考えられる。このため、ハルマンとラクツェカルポは、干しあんずの名称も一般名称のリルティンと区別される。また、シャンビャルはシツィグガルモと同様な加工、利用方法であるが、果肉と核が離れにくいことから、シャンビャルとして独立して分類される。

これらのあんずは、それぞれの種類の木に実をつける。すなわち、あんずの分類は、個別的な範疇としての木の種類に基づいていることになる。

あんずの栽培は、実から取り出された核を翌年の夏の初め、大麦の播種と畑起こしと同じ時期に、両手に一杯地面に撒き、犂で耕す。人びとは、ハルマンを好む。芽が出て30㎝くらいになると、根と土を一緒に取りだす。そして、早く、大きく育つように、新しい場所を掘り、間隔をあけて移植する。2年目には、50～60㎝ほどになる。家畜が食べないように保護し、土に養分を与えるために人や家畜の堆肥を施す。3年目には、花を咲かせて実をつける。

写真 17-2　あんずの実と種（核）の分離

また、あんずの栽培には、ペバンと呼ばれる接ぎ木がおこなわれる。カンテなどのあんずの樹木を根元から切り、そこから出た新しい枝の樹皮を剥ぐ。他方、ハルマンから出た新しい枝の樹皮を剥ぎ、これを台木であるカンテの新しい枝の樹皮を剥いだ部分に被せて固定する。ハルマンの樹皮から新芽が出てくれば、これはハルマンになる。

この方法は、芽や枝ではなく樹皮を台木に接ぎ、活着させる点に特徴が見られる。なお、接ぎ木を表すペバンという言葉がウルドゥー語であることから、この方法はハルマンそのものと同様、バルティスタンから移入された可能性がある。

くわ（桑）は「オセ」と呼ばれ、夏のはじめ、6～7月に実のなる最初の果樹である。くわは、ラダックでは価値ある果物とは考えられていないため、他の人の畑になった実であっても、誰もが食べることができる。

りんごは「クシュ」と呼ばれる。8月中旬から始まり、9月末まで収穫される。少年や少女など若い者が木に登って手で取る。大人だと重いため枝が折れて危険だからである。集めたりんごの実は広げて乾燥させ、冬期間の家畜の餌にする。しかし、多くは生のままバザールで売り、また家族が食べる。さらに、実を二つに切って屋上で乾燥させ、干しりんごを作る。これは冬の間のおやつになる。また、干しりんごを、「ストゥン」と呼ばれる石のくぼみに入れて叩きつぶし、「クシペー」と呼ばれるりんごの粉にする。これは、コラックに混ぜて食べられる。

ぶどうは「ルグン」と呼ばれ、9月に収穫される。地上から手で集められるが、手が届かない場合には、木の棒の先端に割れ目を入れ木片をかませて紐で結び、先を二叉にした道具を用いる。ぶどうは売られ、また家で食用にされる。もし、ぶどうの収穫量が多ければ、「ルグンチャン」と呼ばれるぶどう酒を醸造することができる。もっとも、カラツェをはじめ、ラダックではぶどうが多くないので、ぶどう酒は作らない。ただし、下流のダーハヌ地域では、ぶどうが多く収穫されるため、ぶどう酒が作られる。乾燥させたぶどうは、ウルドゥー語で「キシミリ」、ラダック語で「バショ」と呼ばれる。かつて、ラダックの人びとは、交易によってバルティスタンから干しぶどうを手に入れた。

くるみは「スタルガ」と呼ばれ、果樹では最後の9月末から15日間ほどにわたって収穫される。収穫は2週間ほど続き、木に登り棒を使って叩き落される。くるみの木に登るのは、専門の少年や大人の男である。くるみの木は高く、枝は細く折れやすいからである。ドムカル村では、3〜4名の専門家がおり、人びとはくるみの実を落とすために、彼らを呼ぶのである。

また、くるみの実の外皮は、ラダックの伝統的着物である羊毛製のゴンチェを染めるための染料となる。核は石皿と小石を用いて割られ、内部の仁が集められる。仁は石皿と石ですりつぶされ、両手で圧力をかけて温められた石皿の上で油が抽出される。くるみ油は、あんず油のように苦味を取るために沸騰させる必要がなく、直接使用することができる。

このように、あんずをはじめ、くわ、りんご、ぶどう、くるみなどの果樹栽培は、下手ラダックからバルティスタンにかけての比較的標高の低い地域での特徴となっている。

（煎本　孝）

18

あんずの収穫と加工方法

★石皿を用いたあんず油の抽出★

あんずの収穫は、地面から直接棒で枝を叩き、実を落とす。あるいは人が木に登って揺すり、長い棒で枝を叩き、地面に落とした実を手で拾い集める。それを「タンジ」と呼ばれる手かごに入れ、それがいっぱいになると「ツェポ」と呼ばれる背負いかごに入れて家まで運ぶ。その後、あんずはさまざまに加工され、最終的にはあんず油が生産される（図18―1）。

あんずの生産量は、毎年ほぼ決まっており、場所ごとにツェポ何杯分の収量と記憶されている。GT家では、このような場所が全部で27か所あり、総合計は165・5ツェポ（1ツェポは21・6〜23・3kgなので、生重量で3574〜3856kg）となる。なお、この他、ブロックには20ツェポ、432〜466kgの収量のカンテとンガルモがある。したがって、一家での合計は年間4006〜4322kg（約4トン）となり、村全体では約100トンの収量となる。

GT家では、ハルマンとラクツェカルポは、5ズガル（袋）が生のまま売られる。また、これらを乾燥させた干しあんずは1ズガルとなる。カンテの干しあんずは1ズガルである。カンテとンガルモの種子を分離した後の果肉を乾燥させたスカンポ

図 18-1　ラダックにおけるあんずの採集活動、加工活動の時系列と名称

時間（チベット暦）	活動の時系列		ラダック語(1)	
	採集活動	加工活動	日本語仮名表記	ラダック語表記
6 月中旬	あんずの実の採集		チュリドゥワ	cu li bsdu ba
	1 木の枝を揺すって実を採る		チュリスプックパ	cu li sprug pa
	2 地面に落ちたあんずの実を拾う		チュリトゥワ	cu li btu ba
	3 あんずの実を家に持って帰る		チュリキョンワ	cu li 'khyong ba
		実の乾燥	チュリニマタンワ	cu li nyi mar gtang ba
		あんずの実を果肉と核に分離	チュリコパ	cu li bkog pa
		果肉 / 核の乾燥	チュリニマタンワ	cu li nyi mar gtang ba
8 月中旬		あんずの核を石皿の上で叩いて割る	ラクツェチャクパ	lag tse bcag pa
		殻	ラクルス	lag rus
		仁の乾燥	チュリニマタンワ	cu li nyi mar gtang ba
11 月（随時）		あんず油の抽出	マルトネ /ートンパ	mar bton pa
		1 ストゥンで仁を叩き潰す	シツィグドゥンワ	rtsi gu brdung ba
		2 粉状の仁を石皿で磨り潰す	シツィグタルワ	rtsi gu dral ba/- 'thag pa(2)
		3 仁の圧縮によるあんず油の抽出	マルトネ /ートンパ	mar bton pa
		あんず油	シツィグマル	rtsi gu mar
		油抽出後の残渣	パチャ / コルナック	pa ca/gor nag(3)

注：(1)ラダック語表記は正書法によるが、じっさいのラダック語では語尾のワ / パがセと発音される。(2)粉状の仁を石皿ですり潰すことをシツィグタルワという。文法的にはシツィグタクパであるが、水車の石臼で麦粒を碾く時にタクパを用いる。(3)パチャ / コルナックという名称は油抽出後の残渣だけではなく、油抽出前の練り粉に対しても使用される。

写真 18-1　屋上でのあんずの実、種を分離した実の乾燥（カラツェ村）

は9ズガルとなる。この内、半分は売られ、半分は家畜の餌になる。なお、1～2ズガルはGT家の自家消費になる。
また、種子（核）はカンテが5ズガル、ンガルモが0・5ズガルとなる。これらから、内側の仁であるシツィグが16ℓ入りの缶で8缶得られ、そこからあんず油が3缶の48ℓ抽出される。あんず油3缶の内、1缶はGT家の仏間の灯明に使用される。2缶は料理油として用いられ、またコラックとともに食される。ただし、この内の2ℓは髪油となる。
シツィグガルモには、そのまま生で食べる以外に2つの加工法がある。第一は乾燥して干しあんずのリルティンにする。第二の加工法は、果肉と核を分離し、それぞれを乾燥させる。乾燥させた果肉は「スカンポ」と呼ばれる。あんずの実の全体は「チュリ」と呼ばれ、それを乾燥させたものは「リルティン」と呼ばれる。しかし、果肉だけを乾燥させたものは「スカンポ」と呼ばれるのである。
また、核は「ラクツェ」と呼ばれるが、仁と同じく「シツィグ」とも呼ばれる。日本語で両者をともに種（種子）と呼ぶことと同様である。なお、果肉は生のものも乾燥したものも、一般的には「チュリゴカン」と呼ばれる。また、仁を取り出すために核の殻を割るが、その割れた殻は「ラクルス」と呼ばれる。

なお、シャンビャルというあんずの種類は、シツィグガルモの場合と同様に、全体をそのまま乾燥させたリルティンにするか、果肉と核を分離し、果肉を乾燥させたスカンポにする。もっとも、シャンビャルは果肉が核に付いていて分離しにくい。それで、分離した後、核に付いた果肉を取るために、核を水に浸けて洗わなければならない。

苦い仁を持つシツィグカンテの場合は、そのまま実の全体を乾燥させずに、シツィグガルモの第二の加工法と同様、果肉と核を分離し、それぞれを乾燥させる。果肉を乾燥させたものはスカンポとなる。シツィグカンテの主要な利用目的は、核の中の仁から油を抽出することである。したがって、シツィグカンテ以外のあんずとシツィグカンテでは、仁の利用目的が異なる。シツィグカンテ以外のあんずであるハルマン、ラクツェカルポ、シツィグガルモ、シャンビャルの仁は、食用にされる。これに対して、シツィグカンテの仁は食用にはされず、乾燥、保存され、その後、叩きつぶされ、すりつぶされ、油が抽出される。

写真18-2　石皿を用いたあんずの加工とあんず油の抽出（ティミスガン村）

なお、苦い仁を持つシツィグカンテの苦みの成分は種子に含まれる青酸配糖体のアミグダリンかと思われる。これは、加水分解されると猛毒のシアン化水素を生じ、呼吸や血管の中枢を興奮させ、大量に摂取すると、めまい、吐き気、動悸などの中毒症状や麻痺を起こす。これらは、抽出した油についても同様である。

乾燥した核を割り、中の仁を取り出す際には、「ツィク」と呼ばれる石皿の上に置く。この石皿は、表面は平らで長さ40㎝、幅は片側が30㎝、反対側が10㎝ほどの三角形に近い石板であり、狭い方の端には半球状のくぼみが作られている。殻を割る時にはこのくぼみを手前にして平らなところで殻をわる。なお、くぼみはこの時には用いず、のちに油を抽出する時に使う。

核を割るために、「ツィクブ」と呼ばれる小石が用いられる。この小石は底が平らで、全体は片手でつかめるように丸くなっている。この作業は、母と息子の妻、少女など、女がおこない、男はおこなわない。また、割った殻と仁を選別するのは、少年、少女、子どもがおこなう。したがって、この作業は核を割る人と、割れた殻と仁を選別する人の２人でおこなわれる。集められた仁は、２〜３日乾燥され、保存される。

あんずの油が必要になると、油を抽出する作業にかかる。村の道端には大きな自然石が地面に出ており、これにくぼみが作られたものを「ストゥン」と呼ぶ。仁をこのくぼみに入れ、「ストゥンブ」と呼ばれる石棒で叩いてつぶす。また、木製の竪杵が用いられることもある。

家に持ち帰った粉状の仁は、再び石皿と小石でつぶす。これは、油を抽出するという目的による石皿の第2の使用法である。すると、仁の粉はのり状になり、少し油がしみだしてくる。この後、石皿を3個の小石の上に乗せ、下で木を燃やして石皿を温める。そして、石皿の上にすりつぶして粉状になった仁を置いて、両手でこねる。やがて、こねられた仁は粘着性のあるのり状になる。この時に、少し水を混ぜる。さもなければ、さらに粘着性が増す。この時、苦いようなにおいがし、苦味が取れていく。

次に、油を抽出するために、こねられた仁を端から転がすようにして、両手で前に押して圧力をかける。この時、石皿のくぼみは手前ではなく、向こう側に位置させている。すると、油がしみだしてきて、最後に石皿のくぼみに溜まる。この時、石皿は火から下ろされているが、少し温かくなったままである。石皿のくぼみに溜まった油は木製のさじで集められる。

油を搾った残渣は「パチャ」、あるいは「コルナック」と呼ばれる。これは小さな片に分けられ、乾燥させられる。翌日、再びこれを外のストゥンに持って行き、叩く。その後、家に持ち帰り、再び石皿の上ですりつぶし、前と同じ過程で油を抽出する。同じ材料を用いて二度、油の抽出を繰り返すことになる。あんずの油の抽出におけるすべての過程は、女によりおこなわれる。

（煎本　孝）

19

あんずの生産物と利用方法

★交易商品としての価値★

あんずの実、および加工された干しあんずやあんず油などの生産物は、食用、商品、交易品、家畜の餌、飲料用、灯明、髪油、燃料など、さまざまな利用方法がある。

すべてのあんずは果肉を生で食べることができる。もっとも、ハルマンとラクツェカルポは味が良いので最も好まれる。あんずの実全体を乾燥させた干しあんずも同様である。ハルマンの干しあんずであるパティンやラクツェカルポの干しあんずであるラクツェカルポは、干しあんずの一般名称であるリルティンと区別されている。

干しあんずは、客人への茶菓子として出される。また、シツィグガルモ、シツィグカンテ、シャンビャルなどの核と分離された果肉は干されてスカンポとなる。スカンポは良い状態のものは人がそのままで食べ、腐っていたりして状態の悪いものは山羊や羊などの家畜の餌にする。

あんずの干し果肉であるスカンポは、ストゥンで粉砕して粉状にし、こすと細かくなる。これは、あんずの粉という意味の「チュリペー」と呼ばれる。暑いときに、水にこれを入れると酸味のある飲料になるので、旅に携帯した。また、コラック（大麦こがし粉を茶とバターで練ったもの）とともに食べることもできる。さらに、「チャンパ」と呼ばれるチベットのチャンタン高原の遊牧民は、これを好んだので、下手ラダックの人びとは交易のためチャンタンに行き、これを売った。チュリペーは、シツィグガルモとシツィグカンテの両方から作る。ンガルモとカンテは仁の違いによるものであり、果実の味には関係ないからである。

ハルマン、ラクツェカルポ、シツィグガルモ、シャンビャルの核は割られて、なかの仁が取り出され、食用にされる。しかし、シツィグカンテの仁は毒を含むため、食用にされない。このため、シツィグカンテの仁はあんずの油を抽出するための原料とされるのである。また、抽出された油にも毒が含まれているので、油を使用する際は、火で温めて煙を出し、沸騰させて表面に出る泡が完全に消えてから用いる。

これはたまねぎなどを炒める際の食用油として使用される。あんず油は、あんずの油という意味の「チュリマル」、あるいは仁の油という意味の「シツィグマル」と呼ばれる。半分炒った大麦にエンドウ豆や小麦を混ぜて挽き、その粉を水で煮て、円錐形に盛った食べ物は「パパ」と呼ばれる。この上にくぼみをつけ、そこにチュリマルを入れる。これは、客人に出され、また結婚式などの特別な行事の際に提供される。客人は、手でパパを少しちぎり、チュリマルをつけて食べる。これはチュリマルの香りがして大変おいしい。

あんずの油は食用の他に、僧院や家の仏間における、供養の火という意味の「チョトメ」、あるいはバターの火という意味の「マルメ」と呼ばれる灯明に用いられる。これは、あんずの油の重要な用途であり、植物油あるいはバターなどは人びとが僧院に寄進する必須の品目であった。

また、あんずの油は、頭の油という意味の「ゴクット」と呼ばれる化粧用油として利用される。これは、皮膚を乾燥や日焼けから守り、良い香りがするので、伝統的にラダックで用いられてきたものである。現在では、あんず油はバザールで売られ、インド人の兵隊や軍の士官、そしてレーのような町に住むラダック人が購入する。また、母親はこれを子どもの髪に塗る。油は髪を柔らかくし、乾燥から守り、つやを出すので、髪のために最良のものであるといわれる。

また、核を割った後の殻であるラクルスは、料理や茶をこしらえるための燃料にされる。さらに、油を搾った後の「パチャ」、あるいは「コルナック」と呼ばれる残渣は牛にやる。しかし、大量に与えると牛は死んでしまう。したがって、牛に残渣を与える場合は注意しなければならない。与える量は親指の先くらいの少量である。じっさい、開いている戸口から牛が入ってきて、この残渣を大量に食べて死ぬという事故はしばしばある。また、残渣をドラム缶に入れて水を満たしておくと、日々少しずつ溶け出すので、この水を牛に飲ませても良い。これは牛の健康に良いとされている。

人がこの残渣を食べると意識不明になる。もっとも、残渣を水に入れて沸騰させると、苦味が取れて甘くなる。また、バター茶を混ぜて作る時に、残渣を一緒に入れると、苦味が取れて食べることができる。人びとは、こうしてシツィグカンテの仁の残渣を食べることができる。

あんずは交易品や商品としての価値がある。とくに、カラツェ村はラダック王国時代からの交通の要所であり、街道沿いにバザールがある。カシミールのスリナガルからヒマラヤ山脈を南から北に越え、東西に流れるインダス河をはじめて南側から北側に渡る橋がカラツェの近くにある。そこでは、かつてカラツェの領主が交易商人たちから通行税を徴収していた。

写真 19-1　バザールで売られている干しあんず（カラツェ村）

現在では、ラダックの首都レーに車で行くためには、スリナガルからの1日目はカルギルに泊まり、2日目の昼にカラツェに着いて休憩し、その日の夕方にレーに到着するという日程になる。レーからスリナガルに行く際にも、カラツェは1日目の昼に休憩する地点になる。したがって、バザールで都合よくあんずを売ることができるのは、カラツェの地理的条件によるものである。

生のあんずの値段は、ハルマンとラクツェカルポで、1キログラムあたり14～16ルピー（1980年時点での1ルピー＝28・8円の為替レートで403～460円）、チュリカンテは6ルピー（172円）である。干しあんずは、パティンは質が良いので、1キログラムあたり40ルピー（1152円）、質の劣るンガルモやカンテのリルティンで36ルピー（1036円）である。また、ンガルモやカンテなどの核のないスカンポは、20ルピー(576円)である。さらに、シツィグガルモの仁(種子)は125グラムあたり30ルピー(864円）であり、これはくるみの5ルピー（144円）に比較して高価である。また、あんず油は、720ミリリットルほどの一瓶が100ルピー（2880円）である。これらは、カラツェの村びとたちにとっての貴重な現金収入となっている。

なお、ヌルラ村の1軒の家では、1982～83年頃からあんずでジャムを作り始め、レーのバザールで売っている。また、現在では、あんずの油を使った化粧用クリームや石鹸も作られている。これらは、1980年代から見られた観光客の増加にともなうラダックの土産品として開発されたものである。

カラツェで比較的熱心にあんずが収穫されるのは、干しあんずや仁に商品価値があるのみならず、あんずの実を生のままバザールで売ることができるからである。ラダック王国時代から交易品として重要であったあんずは、今もその価値を保持しているのである。

（煎本　孝）

コラム4

バルティスタンにおけるあんず

山田孝子

「チュリ」と呼ばれるあんずの木は古くから重要な果樹として栽培されてきた。その果実を天日で乾燥させた干しあんずは、古くからラダックと中央アジア、チベットとの交易における重要な商品の一つとなってきたが、レーのバザールで、今でも干しあんずは重要な商品となっている。

　下手ラダック地方からインダス河を下ってバルティスタンに至る地域はあんずの果樹栽培が盛んな土地で、干しあんずの産地として知られる。近年、下手ラダック地方では、4月中旬には観光の目玉として日本の桜の花見に匹敵する「あんずの花祭り」が開かれるようになっており、あんずの花の満開の様子などを紹介する動画がユーチューブでも掲載されている。

　1983年に訪れたバルティスタンのカプル村はかつて王国として栄え、ラダック王国と姻戚関係を結んだこともあるが、この村でもあんずの果樹栽培が盛んである。カプル村はシガール村とともにバルティスタンのなかでも干しあんずの産地として有名で、村で栽培されるあん

写真コラム 4-1　あんず、クルミ、ポプラなどの木々に取り囲まれる家々、カプル村、1983年

ずの品種は40種類ほどに及んでいた。どの家でもいろいろな品種のあんずの木を混ぜて、大抵100～200本を所有していた。

あんずの木の栽培は、種子から育てる場合もあるが、接木して育てることも多い。接木は春にのみ古くから伝統的におこなってきた方法であるといい、甘い種類のあんずの枝を苦い種類のあんずの幹に接木すると、その枝から甘い種類のあんずが収穫できるようになる。種子から育てる場合には、必ず若木を山羊などに食べられないように注意する必要があるという。

果肉を取った後の種子を土に埋め、芽が出始めたときには、新芽を家畜に食べられないように、ある種の野草を家畜の糞と混ぜて水を加えた液を新芽に塗っておく。少し生長したところで、別の植えたい場所に移植して育て、十分に木が成長した頃には、肥料を与えるようにする。どの木にも1本、1本所有者が決まっており、誰も他人の木から実を取ることはできない。ただし、落ちた実であれば、だれでも取ることができることになっている。

あんずには「スタチュ」と呼ばれる甘い種類と「コチュリ」という苦い種類がある。甘い種類には加工しないで生食用だけにするものと果実をそのまま乾燥させて干しあんずに加工するものがある。苦い種類は種子を取りだし、果肉を天日乾燥させて干しあんずに加工する。

種子つきの干しあんずは「パティン」、種子を取り去った干しあんずは「コック・パティン」と呼ばれるが、パティンはとくに高価な交易品となった。どの家も干しあんずに加工する種類を多く栽培し、7月中旬頃からの夏のシーズンが果実の収穫時期となる。生食用あんずは1本の木で60～70kgを収穫でき、干しあんずも毎年約100kgのパティン、300～500kgのコック・パティンが生産でき、1年で消費でき

コラム4

バルティスタンにおけるあんず

ないくらいの量になるという。

あんずは果実を食用とするばかりではなく、仁から油を取って食用や灯明用とし、干しあんずは牛の飼料にもなる。また、あんずの古木がとても良い薪になるだけではなく、種子の殻も火持ちが良く、とくに冬には薪と一緒に使うと暖かくしてくれる貴重な燃料となる。干しあんずを作るときに取り除いた種子はたいてい150～200kgになるが、この種子から多いときには10ガロン（約45リットル）の自家用の「油」――あんず油――がとれる。あんず油は料理や灯明として使われるだけでなく、髪のツヤを良くし、太陽に当たっても頭が熱くならない効果があるといって髪油にも利用される。

カプル村では結婚式のハレの食事には、オオムギ粉を柔らかく練って丸く形を整えたザン（練りがゆ）の中央に窪みをつけ、そのなかをあんず油で一杯にしたマル・ザンが必須となっている。ラダックに比べて、バターの生産量が少ないバルティスタンでは、あんず油はバターに変わる大切な食用、灯明用の油となっている。

村内の「チャンラ」と呼ばれる広場には、窪みをつけた平たい石臼が据えられた共同調理場があり、あんず油もその調理場の石臼を使って作られる。種子の殻を割って取り出した仁は、石臼の窪みに入れ、石で叩いて砕き、さらに、別の平たい石臼の窪みを使って丸い石で磨りつぶす。これを壺に入れて水と混ぜると、油が浮

写真コラム4-2　村のチャンラ（広場）にある共同調理場、カプル村、1983年

いてくる。これを絞って取りだしたのがあんず油である。あんず油は、冬には人の体を温かくしてくれ、また心をフレッシュにさせてくれるという。残った滓は茹でて苦みを取り除いた後、干した蕪などと一緒に再び茹でて、ミルクの出が良くなるといって牛に与えたという。

写真コラム 4-3　平たい石臼の窪みを使ってあんずの種子の仁を磨りつぶす、1983 年

あんずは干しあんずという交易用商品としてばかりではなく、自家消費に余すところなく利用でき、村の生活を支えてきた大切な果樹となっていた。ラダックにおいても、同じようになくてはならない果樹としてとくに下手ラダック地方では栽培されている。現代では、ジャム、オイル、洗顔用石鹸など、あんずの果実の加工品は工場生産され、ラダックの特産品として販売されるようになっている。

上手／下手ラダック、ザンスカールにおける移牧

20

家畜の育種

★ヤクと牛の交配による品種改良★

家畜は農耕における犂耕や脱穀に必要なだけではなく、荷物の運搬、乳、ヨーグルト、バター、チーズなどの乳製品、食用としての肉、毛織製品や毛皮製品を生産するために生活に欠くことはできない。また、家畜の糞は燃料や堆肥になり、家畜そのものも地階にある冬用台所の周囲に設けられた家畜部屋に収容することで、暖房としての役割を持たせることができる。さらに、家畜は商品や交易品としても用いられる。

したがって、ラダックにおける牧畜は、農耕、果樹栽培、交易とともに、重要な生計活動となっている。これらは相互に補完し合いながら、全体として人びとの農牧商活動体系を形成する。同時に、ラダック、ザンスカール、チャンタンなどにおける牧畜活動の形態には地域差が見られる。

第Ⅴ部とⅥ部では、標高を指標としながら、地域間における牧畜活動の多様性に焦点をあて、過酷な環境でいきるための生存戦略を明らかにする。

上手、下手ラダックでは、育種用の雄ヤクを除いてヤクは見られないが、逆にチャンタンにいない牛、ヤクと牝牛の雑種第一世代のゾー、ゾモが見られ、家畜の種類、性、年齢等に基づ

表 20-1　ラダックにおける家畜の分類と名称（上手 / 下手ラダック）

一般名称	性	年齢				備考
		0 − 1	2—2/3	2/3—成畜	高齢個体	
ヤク	雄 / 雌	ヤクブ g.yag bu	—	—	—	繁殖用の雄のスマヤク：dmag g.yag が
ヤク	雄	—	—	ヤク g.yag	ヤクルガン g.yag rgan	各村に 1 頭いるのみ
g.yag	雌	—	—	ディモ `bri mo	ディルガン `bri rgan	ディモの発音：ブリモ (L.Lk.)
ゾー / ゾモ	雄 / 雌	ゾブ mdzo bu	ゾブ mdzo bu	—	ゾールガン mdzo rgan	1 − 2 歳もゾブ：mdzo bu
ゾー / ゾモ	雄	—	—	ゾー mdzo	—	
mdzo/	雌	（ベト）(be to）	（ベト）（be to）	ゾモ mdzo mo	—	ゾモの雌子牛 (ゾメベト：mdzo ma'i be to)
mdzo mo	去勢雄	—	—	スカム skam	—	家畜を区別したければゾースカムという
牛	雄 / 雌	—	—	—	—	
バ /ba	雄	ランブ glang bu	—	ラントー glang to	ランルガン glang rgan	
ラントー /	雌	ベト be to	バクシャット	バ / バラン ba/-lang	バルガン ba rgan	雌 2 歳はバクシャット：bag shad(Sb.)
glang to	去勢雄	—	—	スカム skam	—	
山羊	雄 / 雌	リグ /*ri gu	ラソル ra gsor	—	—	/* 1 歳雄 / 雌はスキェロパ：skye lo pa
ラ	雄	—	—	ツィプ rtsid pu	スツィルガン rtsid rgan	若い雄 / 雌はラソル：ra gsor
ra	雌	—	—	ラマ ra ma	ラルガン ra rgan	
	去勢雄	—	—	スカムツィト skam rtsid	—	
羊	雄 / 雌	ルグ lu gu	ルグ lu gu	—	ルックルガン lug rgan	ルグ：lu gu は若い雄 / 雌
ルック	雄	—	—	ポラック pho blags	—	
lug	雌	—	—	マモ ma mo	—	
	去勢雄	—	—	スカムポラクス skam pho blags	—	

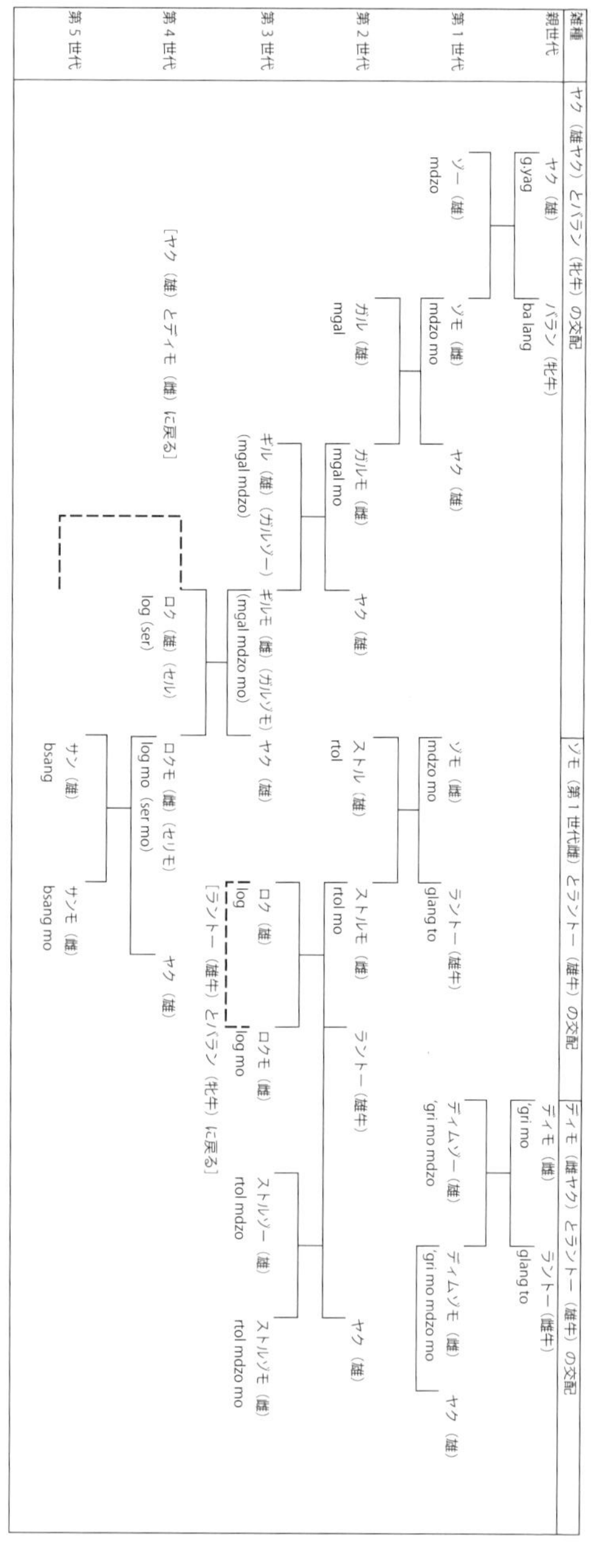

図20-1　ヤクと牛による育種と名称

く分類名称が広く認められる（表20―1）。

ラダックにおける家畜の特徴は、人びとが異なる種類の家畜をかけ合わせて作る雑種の存在である。高地に適応し半野生で体の強いヤクと、低地に適応し家畜として人びとに慣れている牛とをかけ合わせるのである。

そのかけ合わせ方により、さまざまな種類の雑種が生まれる（図20―1）。ヤクと牝牛バランの雑種第一世代は雄のゾーと雌のゾモとなる。ゾーは犂を引くことができる。また、ゾモは、牝牛よりも脂肪質の多く含まれる乳を生産する。しかし、ゾーは生殖不能である。ゾー、ゾモの寿命は、ヤク、ディモの寿命が16年、雄牛ラントー、牝牛バランの寿命が18~19年であるのに対し、21~22年と長い。

次に、雌のゾモとヤクをもう一度かけ合わせると、雑種第二世代の雄のガルと雌のガルモができる。これは、人為的に交配させるのではなく、放牧地での自然交配である。ここでも、ガルは生殖不能である。ガル、ガルモの寿命は、9~10年であり、ゾー、ゾモより短い。

ガルモを再びヤクとかけ合わせると、雑種第三世代の雄のギルと雌のギルモができる。これらは、「ガルゾー」、「ガルゾモ」とも呼ばれ、寿命は15年である。寿命から見れば、ギル、ギルモは、ガル、ガルモより長いが、ゾー、ゾモよりは短い。ギルはおそらく生殖不能であろうといわれる。

そこで、再びギルモとヤクをかけ合わせると、雑種第四世代の雄のロクと雌のロクモができる。ロクとは変化するという意味であり、もとの雄のヤクと雌のディモに戻る。これは、金という意味の雄の「セル」と雌の「セリング」とも呼ばれる。金という名称から分かるように、この雑種は高価であり、乳の質は極めて良い。また、セル、セリングの寿命は25年であり、この点から見れば、ゾー、ゾモ、あるいはヤク、ディモより良い。

なお、雑種第五世代は、清浄という意味の雄の「サン」と雌の「サンモ」と呼ばれるが、ここまでの雑種は一般的ではない。すなわち、ヤクと牝牛の雑種は連続して雄のヤクをかけ合わせることにより、雑種第四世代で、ほぼヤクとディモに戻るのである。

また、ヤクと牝牛バランの雑種第一世代のゾモを、雄牛であるラントーとかけ合わせると、雑種第二世代の雄のストルと雌のストルモができる。ストル、ストルモの寿命は15~18年であり、寿命が

写真 20-1　畑起こしに用いられるヤクと牝牛の雑種第 1 世代雄のゾー

9～10年のガル、ガルモより長い。したがって、ゾモとヤクを人為的にかけ合わせてガル、ガルモを作ることはほとんどなく、むしろゾモをラントーとかけ合わせてストル、ストルモを作る。雄牛は背中に荷物を載せられたり、犂を曳かせるためにくびきを付けられると、跳ねたり嫌がったりするので、人びとは使用しにくいという。したがって、ヤクの血統を持つ雄のゾーやストルが、犂を曳く仕事に用いられるのである。ストルはゾーと同様に生殖不能である。

そこで、ストルモを再度、雄牛のラントーとかけ合わせると、雑種第三世代の雄のロクと雌のロクモができる。ロクは前回と同様、変化するという意味であり、もとの雄牛のラントーと牝牛のバランに戻る。すなわち、ヤクと牝牛の雑種第一世代のゾモは連続して雄牛をかけ合わせることにより、雑種第三世代で雄牛ラントーと牝牛バランに戻る。なお、希ではあるが、雑種第二世代のストルモを雄ヤクとかけ合わせて、雄のストルゾー、雌のストルゾモを作ることもできる。

さらに、ヤクの雌であるディモと雄牛のラントーをかけ合わせると、雄のディムゾー、雌のディムゾモができる。ディムゾーは犂を引くのがゾーよりも強力であり、ディムゾモの乳はディモやゾモよりも美味である。もっとも、寿命は16～18年で、ゾー、ゾモの21～22年より短い。ヌブラ地域のディガルで、これらを飼っている人がいる。なお、ディムゾモをヤクとかけ合わせることは可能であるが、ラントーとかけ合わせることはできないという。

人びとが雑種を作る理由は、ヤクと牝牛から生まれる雑種第一世代の雄のゾーは力が強く、犂を引く能力を持っていること、そして雌のゾモの乳の量が多く、脂肪質を多く含むことにある。雄牛は荷物を載せて運ぶことはできるが、犂を引かせることはできない。また、ゾモの乳から生産されるバターは、牝牛からのバターの2倍の生産量になる。冬の間、ヤク、ディモは、山の上で自由に放牧させるが、ゾモは村の家のなかで飼う。このことは、この時期、山の上に行くことが困難な人びとにとっては、好都合である。

すなわち、ラダックの人びとは、低標高に適応した牛と高標高に適応したヤクをかけ合わせることにより、強い体力と質が良い多量の乳という人びとにとって都合の良いヤクの形質を牛に取り入れる。このことにより、ラダックの人びとは、自分たちが居住する標高3000〜4000mに適応した雑種の家畜を人為的に生産しているのである。

人びとが育種する家畜は、ラダックにおいては、第一世代のゾー、ゾモが最も有用性があり、一般的である。また、ゾモとヤクから生まれる雑種第二世代のガル、ガルモ、およびゾモとラントーから生まれるストル、ストルモも見られる。しかし、雑種第三世代のギル（ガルゾー）、ギルモ（ガルゾモ）は、ほとんど見られない。また、ザンスカールでは、ヤク、ディモの他、雑種第二世代のガル、ガルモ、およびストル、ストルモが見られる。さらに、チャンタンでは、雑種はあまり見られず、ヤクとディモが優勢となる。

（煎本　孝）

21

ラダックのブロック、ジョンサ、プー

★標高差を利用した移牧★

ブロックとは高所、あるいは村から離れた山地という意味で、ドクとも発音される。下手ラダックでは、ブロックは、二次的に形成された付加的な畑と出小屋を中心とする夏の間の居住地を示す。同時に、ゾモ、牝牛、山羊、羊を置き、乳製品などを生産するための場所でもある。さらに、それよりも高山にあり家畜を放牧し搾乳する場所であるジョンサの拠点ともなる。

人びとは、村の畑だけでは収量が十分ではないため、各家単位で山地に水路を引き、新たな畑を作る。そして、畑と家畜の世話をするために、夏の期間、家族は村とブロックに分散する。ブロックでの活動は夏の間だけで、冬には全員が本村に戻って来る。

写真 21-1　下手ラダックのブロックにおけるヨーグルトからバターの抽出

カラツェ村では1〜10軒から成る5か所のブロックがある。カラツェ村からこれらのブロックまでの直線距離は3・0〜7・5㎞であり、ブロックの標高は3348〜3498m、標高3048mのカラツェ村とブロックの標高差は300〜450mになる。

また、カラツェ村の人びとが使用するジョンサは3か所あり、1〜2か所のブロックがそれぞれ1か所のジョンサを利用している。ジョンサの標高は3500〜4000mとなり、カラツェ村との標高差は450〜950mとなる。すなわち、カラツェ村の20軒の家が5か所の地名を付けられた地域に固まってそれぞれブロックを持ち、その上の高山にある3か所のジョンサを家畜の放牧のために利用しているのである。

ジョンサでの放牧は、1人がブロックから数軒の家のゾーやゾモを預かり、数人で50〜60頭の家畜の面倒を見る。そして、帰ったら、乳牛1頭、1か月当たり1バティ（約2㎏）のバターを家畜の所有者に渡し、残りは家畜を預かった者の利益となる。家畜を預かる者は、「ジョンパ」と呼ばれる。下手ラダックでは男だけがジョンパとなる。ただし、カラツェ村ではバザールでの商売の機会があるため、専門のジョンパはいない。

カラツェ村下流のインダス河右岸に位置する標高2900mのスクルブチェン村は面積が極めて小さい。ここに、200〜300人からなるすべての家々が集合している。しかし、支流の谷の奥は広く、畑も2〜3個の村が形成されるほど広い。そこで、人びとは夏の間、このブロックに住む。多くの者が夏の間、移住することは、上流に1つの小学校があることからも分かる。さらに、ブロックより上流の高山では、ジョンパが人びとから家畜を預かり、管理し、乳製品を作る。

しかし、冬の間、これらブロックの住民は全員村に帰り、村に住む。その理由は、支流の奥は標高が高く寒いためであり、また冬期間は新年や結婚式など多くの行事が村でおこなわれるからである。スクルブチェン村から支流の上流にある6か所のブロックまでの直線距離は２・５〜９・５㎞であり、ブロックの標高は３２００〜３９５０ｍ、村とブロックの標高差は３００〜１０５０ｍである。

その下流に位置する標高２８５０ｍのアチナタン村でも支流の上流に多くのブロックがある。ここでは、1〜2軒ではあるが、すでにブロックに永住している者もいる。この場合、ブロックは分村としての意味を持つことになる。アチナタン村から支流の上流にある3か所のブロックまでの直線距離は２・０〜６・５㎞であり、ブロックの標高は３０５０〜３７５０ｍ、村とブロックの標高差は２００〜９００ｍである。

同様に、カラツェ村下流のインダス河右岸に位置する標高２９５０ｍのドムカル村から支流の上流にある5か所のブロックまでの直線距離は７・５〜12㎞であり、ブロックの標高は３４００〜３８５０ｍ、村とブロックの標高差は４５０〜９００ｍである。

したがって、下手ラダック全体で見れば、標高２８５０〜３０４８ｍに位置するそれぞれの村を中心に、インダス河支流の上流地域に各家がブロックを持ち、移牧の拠点とすることが分かる。これらブロックと各村との直線距離は２・０〜12㎞であり、ブロックの標高は３０５０〜３９５０ｍ、村とブロックの標高差は２００〜１０５０ｍの範囲にある（図21―1）。

上手ラダック、レーの東16㎞に位置するシェー村では、ブロックという言葉は用いられず、峡谷の最奥部という意味のプーという言葉が用いられる。プーは高山の牧草地であり、畑はなく、夏の間家畜が放牧され、搾乳がおこなわれ、バターが作られる。

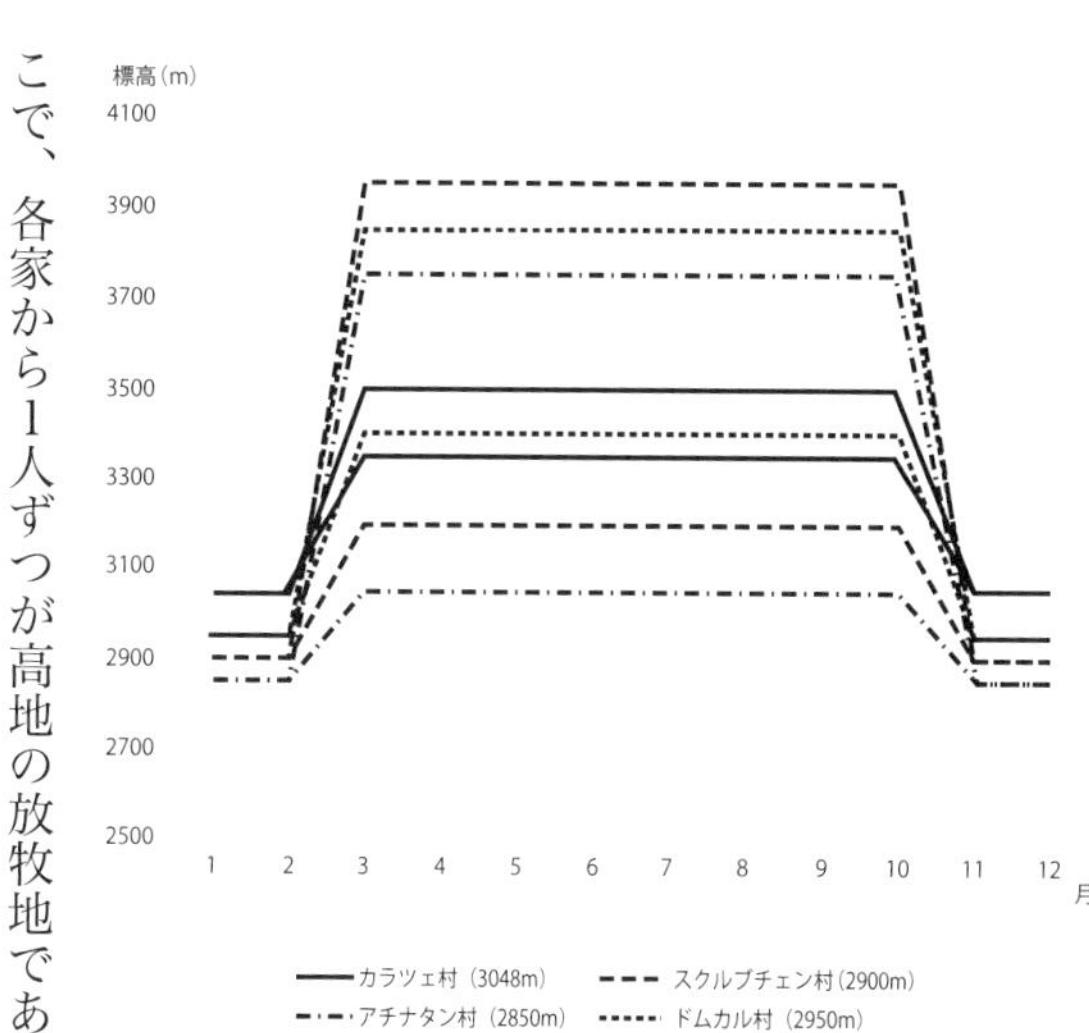

図21-1　下手ラダックのブロックの季節利用（1983年）

同様に、レーの隣にある標高３５２０ｍのサブ村でも、ラダック山脈を越える標高５３８０ｍのディガル峠に至る渓谷に、プーが3か所作られている。標高は３８００ｍ程度であり、それぞれに7~15軒の小屋がある。上手ラダックのプーは、活動空間という視点からは、下手ラダックのジョンサに相当する。この場合、村と放牧拠点との標高差は２８０ｍとなる。

下手ラダック、インダス河左岸のザンスカール北部にあるザンスカール山脈中に位置する標高３１６０メートルのワンラ村では、ブロックを持っている家は数軒しかない。しかし、ワンラ村では、多くの家はゾモの乳とバターに依存している。そこで、各家から1人ずつが高地の放牧地であるジョンサに行き、夏の2~3か月間留まる。最後に、各家が1日に搾乳して桶に入れる乳の量を立てた棒で測り、これに基づいて生産物であるバターを分配する。

１９８０年8月29日~9月5日に、ザンスカールのパドムからラダックのラマユルまで踏査した際に観察したところによると、標高５０００ｍのニュツェ峠からラダック側に下った標高４０２０ｍ地

点の川岸に、数軒の石積みの小屋があり、10頭ほどの子ヤクがいた。ここには、少年を含む7人の男がおり、この内3人の男はヤクの放牧のため山の上に行っていた。彼らは、このような場所を2つ持っており、夏の間はここよりも高い場所（標高4400m）に6～8月に滞在し、9月になって現在の場所に移動した。ここには、10日間滞在し、その後、ワンラ村に帰り冬を越す。

また、ここより標高の高い夏の場所には女たちがいたが、この時期、彼女たちは麦の収穫のため村

写真 21-2　ザンスカール山脈中のドクサでの搾乳

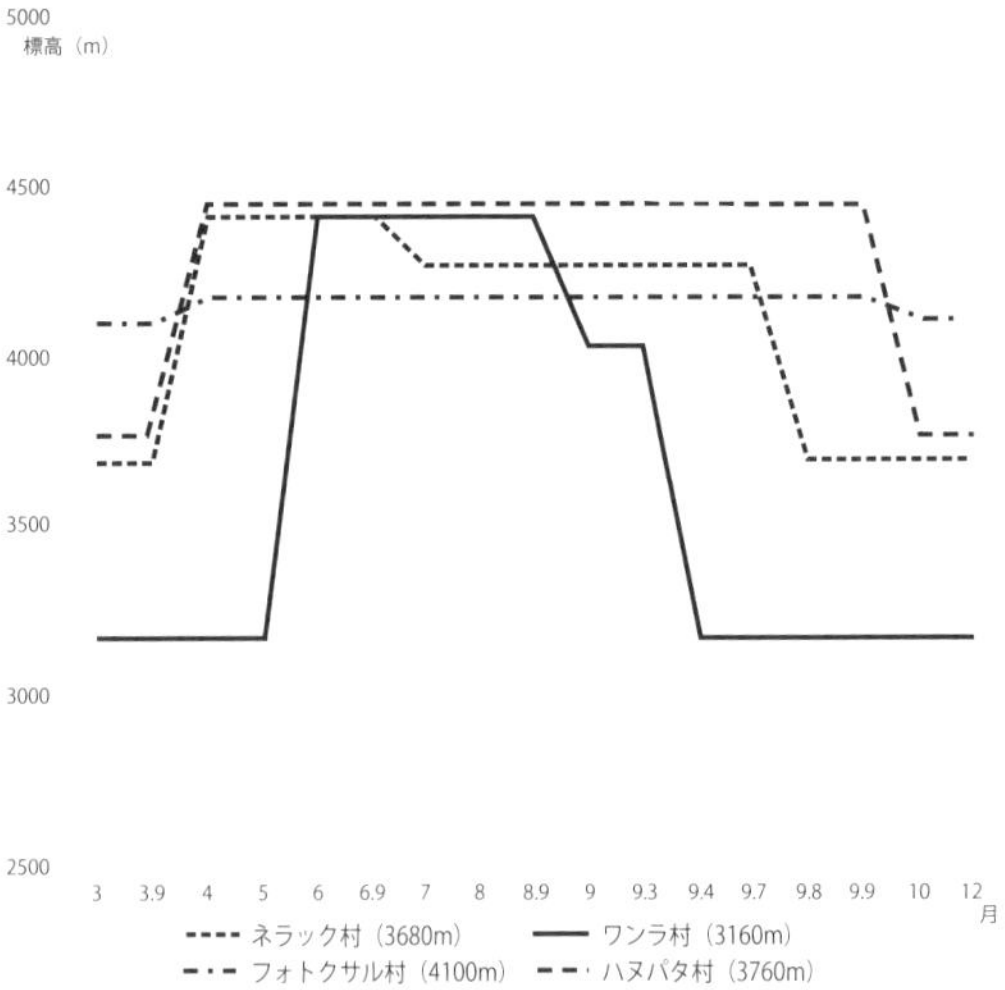

図 21-2　ザンスカール山脈中の村々のジョンサ、ドクサの季節利用（1980 年、1983 年）

に帰ってはたらいていた。なお、家畜はヤク、ディモが13頭、ゾー、ゾモが25頭、雄牛、牝牛が45頭、山羊、羊が100頭いた。

さらに、標高4860mのセンゲ峠のラダック側には、ザンスカール川対岸の標高3680mに位置するネラック村のドクサがある。ドクサは家畜の放牧と乳製品の生産活動のための拠点となる季節的居住地である。ドクサは下手ラダックのブロックと同義ではあるが、農耕のための耕作地はない。したがって、ザンスカールのドクサは活動空間という視点からは、下手ラダックのジョンサ、あるいは上手ラダックのプーに相当する。

ワンラ村のように、標高が比較的低い場合には、ジョンサとの標高差は860~1240mと大きいが、その他の村のように標高の高い所に位置する場合には、標高差は70~720mと小さくなる。村からジョンサ、あるいはドクサまでの直線距離は、ワンラ村では14・0km、その他のザンスカール山脈中の村々の場合は3・5~12・2kmである(図21―2)。

すなわち、ザンスカール山脈中に位置する村々では、それぞれジョンサやドクサを持ち、村から標高4400mの高地まで拠点を移しながら、標高差を利用した移牧がおこなわれているのである。

(煎本　孝)

22

ザンスカールの人口、標高、耕地面積、家畜数

★標高による生計基盤の変化★

ザンスカールは、ラダック地域の南に位置し、北をザンスカール山脈、南を大ヒマラヤ山脈にはさまれた高標高、寒冷地域である。標高３６１０ｍのパドムを中心地とし、ここに入るには、東は標高５１００メートルのシング峠、西は標高４３５０ｍのペンシ峠、南は標高５９３０ｍのウマシ峠、北は標高４８６０ｍのセンゲ峠を越えねばならない。ザンスカールは、大山脈群に囲まれた閉鎖的な地形的特徴を持つ。

１９８０年に現地で収集した１９７０年時点の統計資料に基づき、25の村について、人口、標高、耕地面積、性比を示す。村の人口の平均は２９９人で、頻度の最も多いのは、人口１５０～２０００人に含まれる村６例である。さらに、人口１５０～３００にかけては大きなピークが見られ、ここに25の村の内14例が含まれる。人口の最低値は１２４人で、最高値は６５６人である。総人口は７４８５人（男３７９６人、女３６８９人）である。また、１９８３年に現地で収集した１９８０～81年時点の統計では、総人口８１７５人（男４１０４人、女４０７１人）であり、年間当たりの人口増加率は０・92％となる。さらに、２０１１年の統計では、総人口１万３７９３人（男７００８人、女６７８５人）

であり、1980年からの年間当たりの人口増加率は2・21%となる。この近年の急激な人口増加は、ラダック全域においても見られるように、1974年の入域解禁以降の現代化と人口流入によるものである。

標高についての頻度分布を求めると、標高3500〜4000mにおいて、25例中18例の村が集中する。しかし、4000mを超える村も2例見られた。これらの村は、ザンスカール川支流のツァラップ川沿いにある標高4100mのシャデ村、同じく支流のカルギャック川沿いにある標高4130mのカルギャック村である。なお、ザンスカールにおける村全体の標高の平均値は、3701mである。

写真22-1　ザンスカール、ルンナック渓谷のイチャル村（標高3,840m）

ザンスカールの耕地面積においては、500〜1500エーカーに大きなピークが見られ、最低値は674エーカー、最高値は3769エーカー、平均値は1620エーカーである。耕地面積の合計は、40512エーカーである。1エーカーは0・4046haなので、これは16391haとなる。

さらに、村ごとの性比（女の人口を100とした時の男の人口）の頻度分布を見ると、ザンスカール全体の性比は102・9（男の人口3796人、女の人口3689人）であるにもかかわらず、最低値36・7から最高値158・7に達する幅広い変異が見られる。この変異の要因の一つは僧院の存在である。男だけからなる僧院のある村では、性比が高くなり、逆に男が僧院に行った村では性比が低くなるからである。

人口と標高の間で線形回帰分析をおこなうと、回帰直線の方程式は、Y =−0.4813 x +3824.5 であり、相関係数は r =−0.298 となり、人口と標高の間に弱い負の相関が見られる。同様に、標高と耕地面積の間では、回帰直線の方程式は、Y =−2.2394 x +9862.4 となり、相関係数が r =−0.407 という中程度の負の相関が見られる。なお、標高と各村における家屋1軒当たりの耕地面積の間には相関係数 r =−0.185 という弱い負の相関が見られ、標高と各村における人口1人当たりの耕地面積の間には相関係数 r =−0.323 という中程度の負の相関が見られる。すなわち、標高が高くなると、村の耕地面積は小さくなり、人口もやや減少するのみならず、1人当たりの耕地面積も減少する。

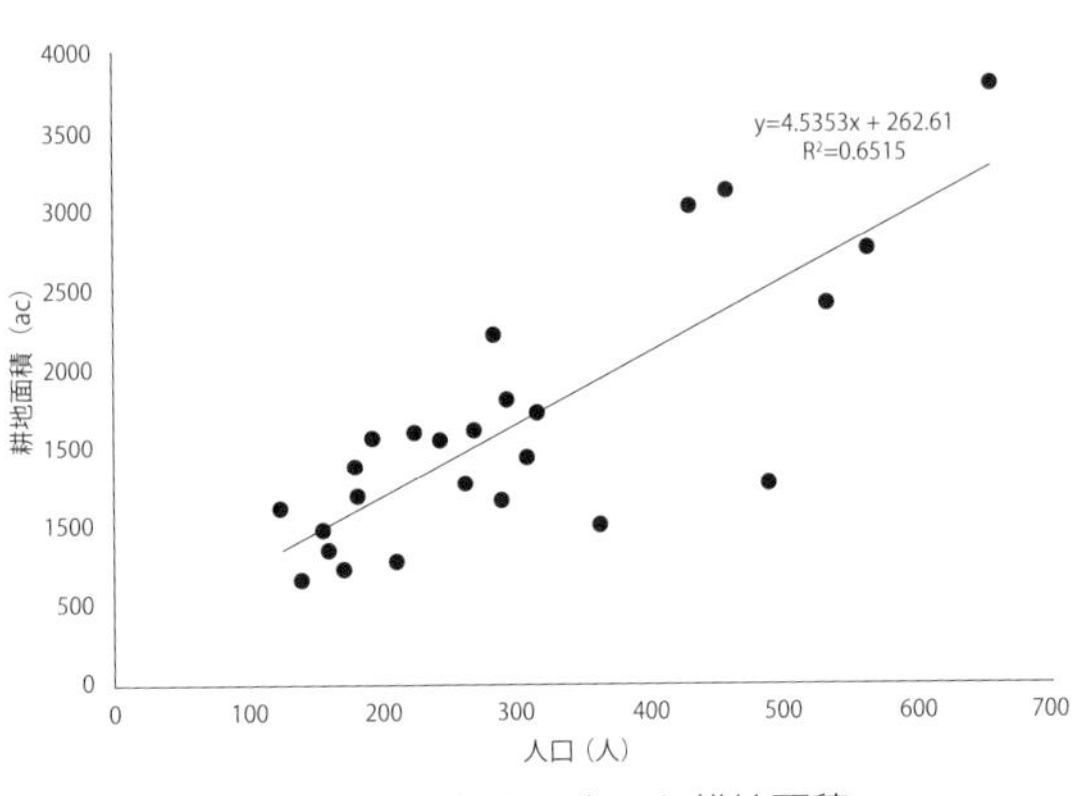

図 22-1　ザンスカールにおける人口と耕地面積

　また、人口と耕地面積の間で線形回帰分析をおこなうと、回帰直線の方程式は、Y =4.5353x +262.61 であり、相関係数が r = 0.807 という強い正の相関が見られる（図22―1）。したがって、耕地面積と人口の間には社会的調整による平衡が保たれていることが分かる。社会的調整としては、婚姻制度と人の移動が考えられる。限定された耕地面積における、一妻兄弟多夫婚と男の僧院への移動、また少数ではあるが女の尼僧院への移動は、人口圧を抑制する。これとは逆に、一夫多妻婚、さらには未婚の母親の存在は、人口圧を増加させる。さらに、広い耕作面積を持つ村への婚姻を通した男、女の移動がある。とくに、標高が高く、耕地面積が狭くて生活の厳しい村から、女がザンスカール外にはたらきに出て、そのままそこで結婚するという事例も見られる。

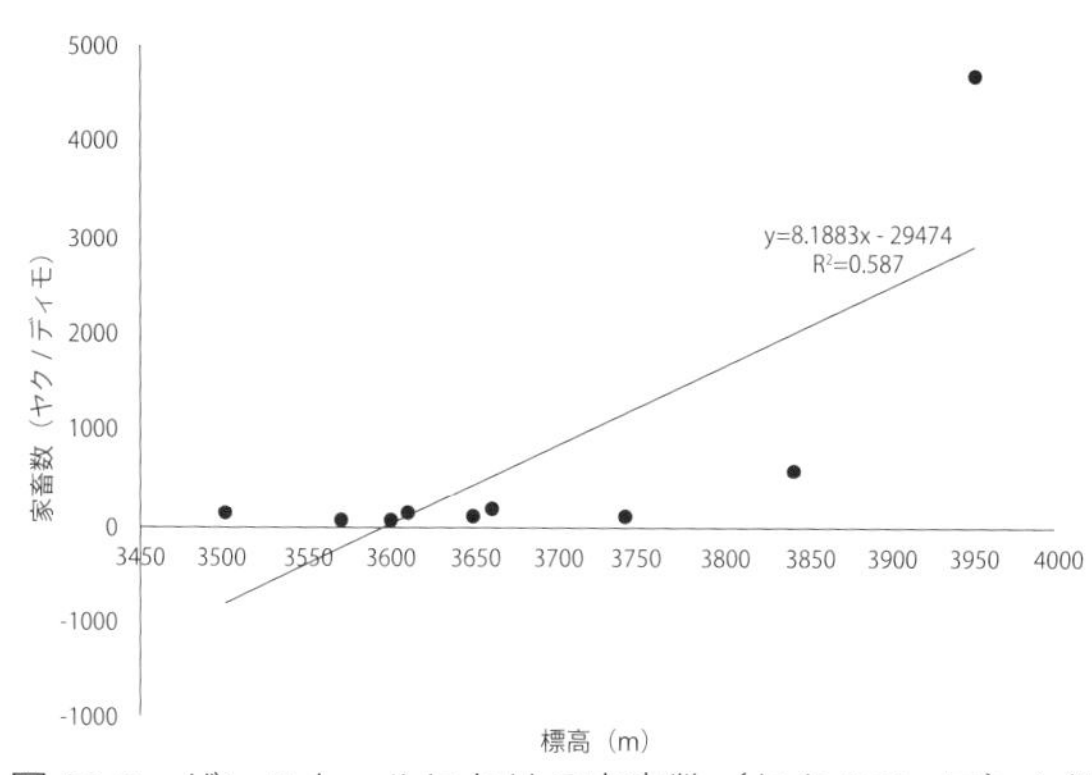

図22-2　ザンスカールにおける家畜数（ヤク/ディモ）と標高

次に、１９８３年に現地で収集した１９８１年7月時点で記録された、68の村々を管轄する9か所の地区センターごとに集計された家畜の種類と頭数に関する統計資料に基づき、地区センターの標高と牧畜の関係について分析する。山羊、羊の頭数と標高の間には、相関係数がr = 0.814という強い正の相関が見られる。同様に、ヤク、ディモの頭数と標高の間では、回帰直線の方程式は、Y=8.1883x-29474となり、相関係数はr =0.766という強い正の相関が見られる（図22—2）。これは、標高の高い村々で、より多くの山羊、羊、およびヤク、ディモが飼われていることを示す。なお、ザンスカール全体での山羊、羊の頭数の合計は２６７５０頭であり、ヤク、ディモの頭数の合計は５９２７頭である。

　これとは対照的に、雄牛、牝牛の頭数と標高との間には、r =−0.211という弱い負の相関が見られる。このことは、標

写真 22-2　ザンスカール、ルンナック渓谷のテスタ村のドクサ（標高 4,360m）

高の低い村々では、より多くの雄牛、牝牛が飼われる傾向があることを意味する。とくに、標高の低いパドムでは、雄牛、牝牛の合計頭数は３７２頭であり、標高の高いイチャルやテスタでの26頭、および0頭と比較してきわめて多い。なお、ザンスカール全体での雄牛、牝牛の頭数の合計は、１９９５頭である。

また、ヤクと牝牛の雑種第一世代のゾー、ゾモと標高の間の相関係数はr＝0.0358となり、相関は見られない。これらの家畜は農耕と結びついているため、標高の低い村々でも高い村々でも同様に飼われることを示す。なお、ザンスカール全体でのゾー、ゾモの頭数の合計は２９６３頭である。

さらに、ヤク、ディモ、および山羊、羊の頭数は、とりわけ標高３８４０ｍのイチャル村地区、標高３９５０ｍのテスタ村地区で急激に多くなる。じっさい、これらの地区には、イチャル村、テスタ村だけではなく、標高４１００ｍのシャデ村、標高４１３０ｍのカルギャック村など、ツァラップ川やカルギャック川上流域の標高の高い村々が含まれる。

村々の標高が高くなると、耕地面積は小さくなるが、逆に山羊、羊、およびヤク、ディモの頭数は多くなる。すなわち、標高により生計基盤は変化し、標高３９００ｍ以上になると、農耕から牧畜への比重が急激に増加する。これは、標高３９００ｍ程度が小麦の栽培限界であり、大麦も４１００ｍ以上になると栽培はできても、穂が熟すのは難しくなることと矛盾しない。

（煎本　孝）

23

ザンスカールのドクサ

★新たな余剰生産物を生み出すための展開★

大ヒマラヤ山脈北面のルンナック渓谷を構成するザンスカール川の支流ツァラップ川は、標高３６１０ｍのパドムからイチャル村を経て遡り、標高３８５０ｍのプルネ村で再び二俣に分かれる。左俣はプクタル僧院を経て、ザンスカール山脈のなかを紆余曲折しながらチャンタン高原に至る。この途中から分かれた北側の支流はザラ川と名前を変え、ザンスカール山脈を越えてレーに至る標高５３００ｍのタグラン峠へと続く。南側の本流は大ヒマラヤ山脈を越えてマナリに至る標高４９１５ｍのバララチャ峠へと続く。

ツァラップ川左俣流域には、標高４０８０ｍのタンタック村、標高４１００ｍのシャデ村、ヤルシュン―マルシュン村、サタック村などがあり、またザラ川上流は、チャンタン遊牧民のカルナック集団、およびサマン・ロクチェン集団の季節場所となっている。他方、ツァラップ川右俣はプルネ村から上流をカルギャック川と名前を変え、テスタ村、タンツェ村、カルギャック村を経て、大ヒマラヤ山脈を越えマナリに至る標高５１００ｍのシング峠へと続く。

ザンスカールでは、高山にある放牧キャンプを「ドクサ」と呼ぶ。畑のある本村とは別に、主として標高４０００ｍを超える高山にドクサがあり、夏の間の牧畜活動の拠点になっている。ドクサでは、ヤクの毛で織られたテントが石積みの壁を側壁として設営され、壮年の男や女、少女たちが生活し、乳製品を作っている。なお、男だけ、女だけがドクサに行く場合もある。搾ったゾモの乳を加熱し、毛布を掛けて保温しながら発酵させてヨーグルトを作る。さらに、ヨーグルトを攪拌し、バターを抽出する。その残液を加熱し、チーズを分離させる。そして、湿ったチーズを外に干して乾燥チーズが作られる。

写真 23-1　ザンスカール、イチャル村のドクサ（標高 4,370m）（子牛はキャンプに繋がれ、母ヤクは放牧される）

ドクサでの一日の活動は、ドクサで生活する彼ら自身によって、次のように時系列として語られる。①起床する、②ヨーグルトを攪拌する（バター作り）、③子牛にトゥッパを与える、④朝食をとる、⑤チーズを作る、⑥ヤク、ディモを連れてくる、⑦乳を搾る、⑧ヤク、ディモを連れ出す、⑨子牛を去らせる、⑩乳を温める、⑪昼食をとる、⑫子牛を連れ戻す、⑬ヤク、ディモを連れ戻す、⑭乳を搾る、⑮乳を温める、⑯夕食をとる、⑰就寝する、である。この他、⑱昼間に干しチーズを作るという活動、⑲2～3週間後にバターを羊の皮袋に入れるという活動もある。

イチャル村のドクサにおける観察によれば、朝の搾乳後、ディモの子牛はドクサのテントの前に繋がれ、親牛たちだけが開けた谷や峠の下に広がる草地に放牧される。その後、子牛は親牛とは別の方向に放牧される。夕方には親牛たちは戻り、テントの前に置かれた塩をなめ、再び搾乳される。ザンスカールでは、チャンタンとは異なり、多くのバターを得る目的で、搾乳は朝と夕方の2度おこなわれる。ディモは人に追われて放牧地に行き、また追われて帰ってくる。もっとも、放牧地では人は付き添わず、自由に放される。子牛がドクサにいるので、母牛は出て行くことを嫌がる。逆に、子牛がドクサにいるため、母牛は帰ってくることにもなる。

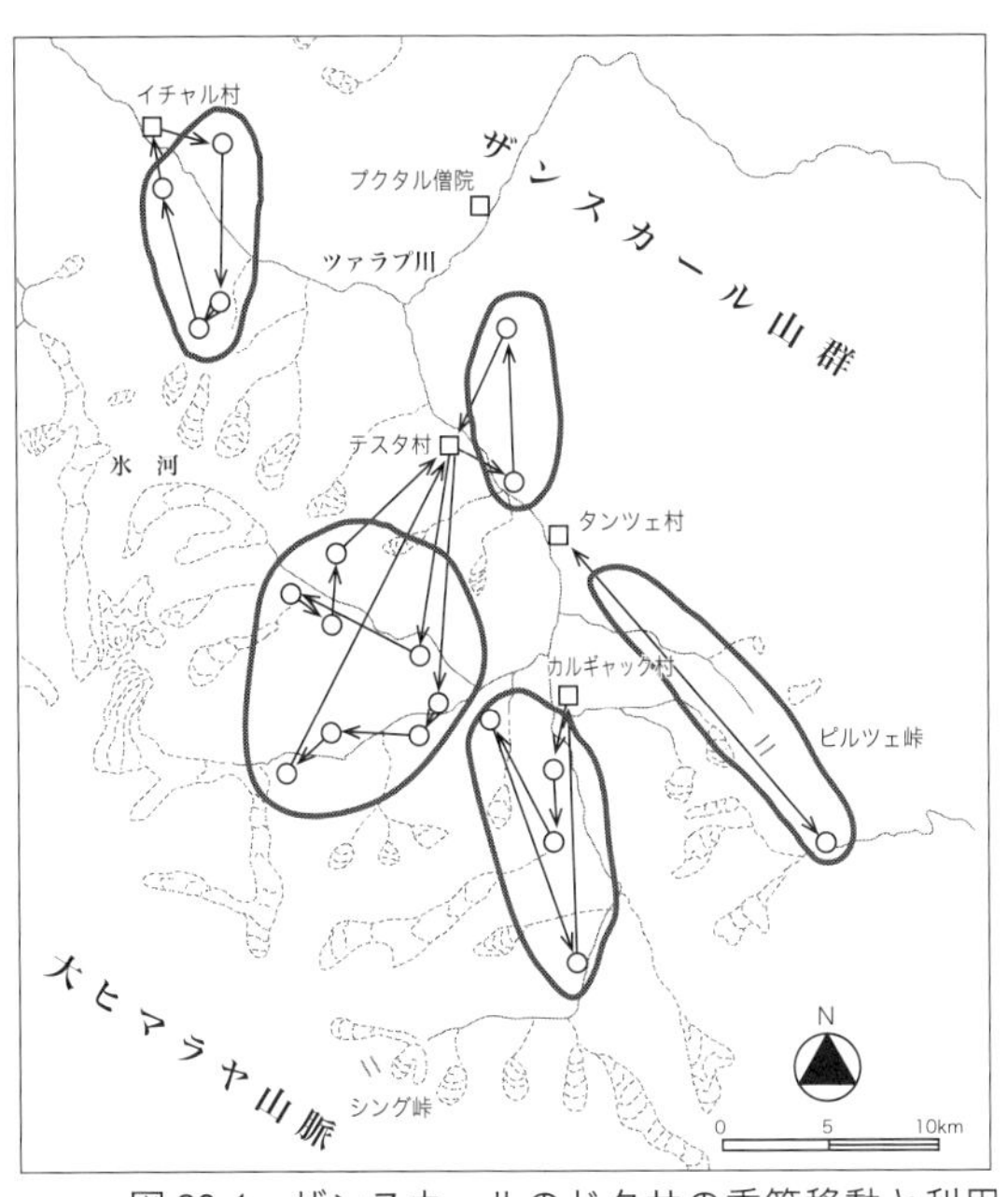

図23-1　ザンスカールのドクサの季節移動と利用空間（ルンナック渓谷、ツァラップ川上流域）

イチャル村、テスタ村、カルギャック村でのドクサの季節的利用は、異なる場所にあるテントの設営のための石積みの壁が設置されているドクサへの2〜4回の移動による。これらのドクサの場所は固定しており、周辺の放牧地とともに原則として各村に使用権がある。もっとも、異なる村間での共同利用も見られる。

季節移動の居住型は、はじめは、村から近く標高の低いドクサが使用され、やがて村から遠く標高のより高いドクサに移動し、その後、直接、あるいは村に近く標高も低いドクサを経て、秋の収穫期には村に戻るという周回型である（図23―1）。

夏のはじめに、村から近いドクサを利用するのは、積雪量の多い谷間にある村よりも少し標高の高い山の斜面の雪が早く溶け、牧草が出るためである。また、夏の後半になると、雪が溶けて牧草が生長する標高の高い山の斜面の牧草地が利用される。そして、夏のおわりには、標高の高い場所の草が枯れるので高度を下げ、また村での大麦の収穫に通うのに便利なように、村の近くにドクサを設営する。

したがって、ドクサの季節移動を標高という点から見れば、高山性草原の時間調節的な季節利用、および村での収穫作業の時期に基づいた垂直移動型となる。また、ドクサの標高は、4065～4675mの範囲にあり、村とドクサの標高差は75～835mの範囲となる。もっとも、タンツェ村では標高4730mの高標高に位置するドクサも利用される（図23―2）。

写真23-2　ザンスカール、テスタ村のドクサでの家畜の管理

なお、カルギャック村上流の標高4610m地点のシング峠へのベースキャンプ地をさらに登ると、地面は岩石のかけらとなり、植物はイネ科の草となる。雪渓を越えた標高4850mになると植物は見られない。したがって、放牧地の標高は、草本の植生限界である最大値標高4850m以下となる。

ザンスカールにおける農牧活動体系は、第Ⅵ部で述べるチャンタン高原における遊牧活動体系とは一線を画す。ザンスカールでは、高標高において牧畜への比重が増加していたとしても、人びとの生存はあくまでも農耕に依存している。人口と耕地面積の間に強い正の相関が見られることは、農耕だけで自給自足できていることを意味する。テスタ村の人が、ドクサに行く理由はバターやチーズを得るためであり、畑が少ないからではないと語るのは、このことを示している。

カルギャック村では、山羊、羊やディモを売る。ある人は、ラダックのレーに行き、あるいはマナリからの交易者にバターや干しチーズも売る。もし、降雪がなければ、8月にチャンパ（チャンタンの人）がやって来る。カルギャック村の人は、チャンパの持ってきた羊毛や塩を大麦と交換し、また金を払う。羊毛2kgは100ルピーであり、塩1kgは1kgの大麦という換算率になる。

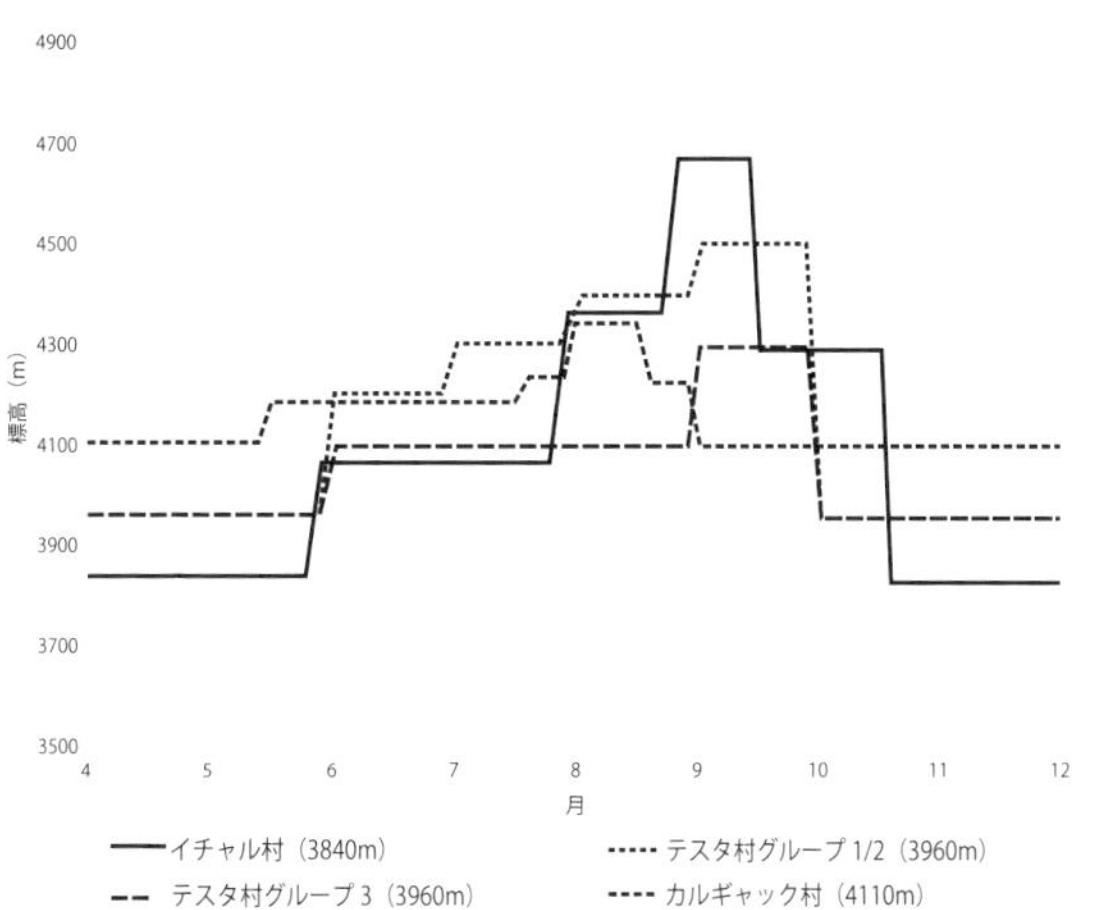

図23-2　ザンスカールにおける村ごとのドクサの季節移動と標高（1983年）

ザンスカールにおいて、山羊、羊、およびヤク、ディモの頭数と標高の間に強い正の相関が見られ、標高の高い村々でより多くのこれらの家畜が飼われているのは、広い高山性草原で多くの家畜を放牧することができ、交易のための余剰生産物を得るためである。その結果、高標高において牧畜への比重がより増加するという行動が見られるのである。

これは、下手ラダックのカラツェ村の人びとに

写真 23-3　イチャル村のドクサの少女たち

とって、あんずの栽培が大麦や小麦の生産に付加するためのものであっても、それらの不足を補うためではないことと同様である。この場合も、彼らは、あんずの栽培の比重をより増加させるという行動をとることになる。

この背景には、家畜によって生産される乳製品、およびあんずから生産される干しあんず、あんずの仁や油が、ともに商品、交易品としての価値を持つという共通性が見られる。彼らは、厳しい環境において、その生態的条件を逆に利用し、交易品としての新たな余剰生産物を生み出すための活動の場を開拓しているのである。

（煎本　孝）

24

ラダックにおける乳製品の生産体系

★ヨーグルトからバターとチーズへ★

ラダックにおいて、乳製品は一般的に次のように作られる。牛乳を搾るという意味の「オマツィルワ」と呼ばれる搾乳の後、牛乳を沸騰させるという意味の「オマロワ」と呼ばれる作業をおこなう。じっさいには、沸騰する手前で止め、前にバターを取った後のダルバ、あるいは「タラ」と呼ばれる水溶液を加える。この水溶液には、発酵のために必要な乳酸菌が含まれている。これを、毛布を掛けて暖かい場所に3~4時間置くと、ヨーグルトができる。この過程は、「オマスニャロワ」と呼ばれる。

次に、ヨーグルトをコクゼム、あるいは「タルゼム」と呼ばれる桶に入れる。そして、「シュマ」と呼ばれる撹拌棒で混ぜる。撹拌棒は、上部2か所で「クグリ」と呼ばれる木製の輪が通され、それは紐で柱に結び付けられている。また、棒を回転させるために、紐の両端に木片が付けられた「ジョブラン」と呼ばれる道具が用いられる。この紐の中央部分を棒に巻き付け、紐の両端に付けられた木片を左右それぞれの手で握り、交互に引くと混ぜ棒が回転し、下部の板が取り付けられた部分の回転により牛乳が撹拌されるのである。この作業は、ヨーグルトを撹拌するという意味の「ジョトクパ」と呼ばれる。

図24-1　ラダックにおける乳製品生産の時系列と名称

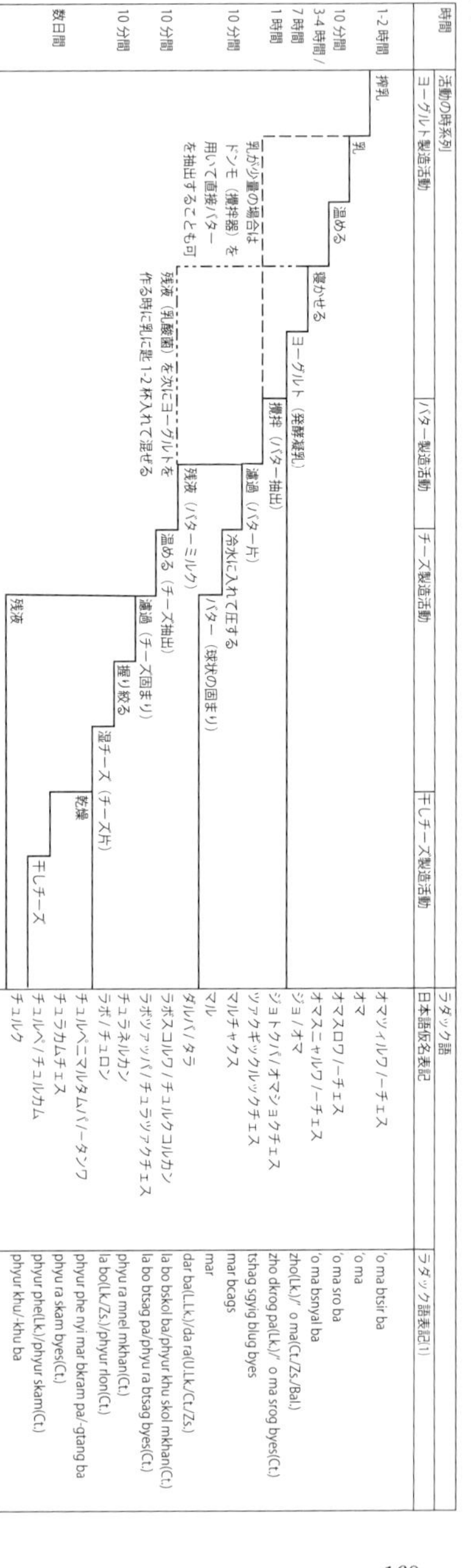

注：1 ラダック語の地域差は表記の後に以下の地名をつける。(Lk.) ラダック、(L.Lk.) 下手ラダック、(U.Lk.) 上手ラダック、(Ct.) チャンタン、(Zs.) ザンスカール、(Bal.) バルティ

1時間ほど攪拌すると、「マル」と呼ばれるバターが出てくる。手でバターを取り、冷たい水の入った容器にバターを移す。残った溶液を温めると、沸騰する前に「ラボ」と呼ばれる湿ったチーズが分離する。この過程は、「ラボスコルワ」と呼ばれる。これを薄い布でこすとチーズが残る。この過程は、「ラボツァッパ」と呼ばれる。このチーズを日に干して乾燥させると、「チュルペ」と呼ばれる干しチーズができあがる。これは、バターとともに保存食となり、また交易品として用いられる（図24―1）。

ザンスカールのドクサでは、1日2回の搾乳と乳を温めてのヨーグルト作り、そしてヨーグルトを攪拌してバターを抽出し、さらに残りの液を熱してチーズを作り、そのチーズを乾燥させて干しチーズを作るという乳製品の生産活動が重複しながら継続的におこなわれる。

女たちは搾乳を終え、乳の入った桶を持ってテントのなかに入る。乳は「オーツァ」と呼ばれる濾過器でゴミを取り除かれる。この濾過器は、「セプキャ」と呼ばれる1ｍほどの高さの野草の茎を切り束ねて舟形に作った長さ20㎝ほどの道具である。

手桶に水を入れ、束ねたセプキャ草の茎で作った同じく「セプキャ」と呼ばれるブラシで洗い、この水も乳に加える。直径40㎝、高さ20㎝の銅製の鍋一杯にして、これを火にかける。火が消え、娘は左手の小指で乳の温度を測り、火から下ろす。これに、ヨーグルトを少し入れて混ぜ、再び小指を入れて温度を点検する。温度が高かったため、このなかに水を2杯入れ、混ぜて冷やす。そして、蓋をして衣服を2枚かけて置く。

写真24-1　ザンスカール、イチャル村のドクサでのバターの生産

乳の仕込みから7時間でヨーグルトができる。ヨーグルトを直径40㎝、高さ52㎝で底の方が広がったゼムと呼ばれる木桶に入れて、長さ87㎝、羽部分の直径19・5㎝の「シュブマ（シュマ）」と呼ばれる攪拌棒を柄に巻き付けた「ジョブダン（ジョブラン）」と呼ばれる革紐を交互に引いてかき混ぜる。

父が娘に代わってヨーグルトを攪拌する。娘は湯を沸かし、それを攪拌しているヨーグルトの横に垂らすようにして柄杓で6～7杯注ぎ込む。「マル」と呼ばれるバターが、白いヨーグルトのなかで黄色い塊になって浮いてくる。これを柄杓ですくい取り水のなかに入れ、さらに手で集めて大きな塊にする。ヨーグルトの攪拌をはじめてから、1時間でバターが抽出される。

バターを取り終わった残りの「タラ」と呼ばれる白い液体を鍋に移して、火にかけて温める。火から下ろしたタラの表面には白い柔らかそうな塊が浮いている。これが「ダボ」と呼ばれるチーズである。残った液体は捨てる。ヨーグルトからバターを取り終わった残りのタラからチーズを抽出するのに10分間かかった。

写真 24-2　イチャル村のドクサでの干しチーズの生産

前日作ったチーズの水を取り除き、「ダボ」と呼ばれるチーズだけを袋に入れる。これは後に乾燥させられ、「チュルペ」と呼ばれる干しチーズとなる。取り除かれた水はチーズの水という意味の「チュルク」と呼ばれ、ディモにやる。その後、彼女たちは、歌を歌いながら、昨日抽出したバターを円く固めて、羊の皮袋のなかに入れる。

イチャル村のドクサに滞在している父と娘の家族の1983年8月14日のバターの収量は2・0キログラムであった。この父子は12頭のディモを毎朝夕搾乳しており、それぞれの搾乳で手桶一杯分の乳、約10ℓが採れる。1回の搾乳で1頭当たり約1ℓ、1日当たりでは約2ℓの乳の収量となる。3回の搾乳分30ℓから2・0kgのバターが抽出されたので、乳1ℓ当たり0・

06kgのバターが生産される、あるいは1kgのバターは15ℓの乳から生産されることになる。

さらに、ディモ1頭当たり1日に2ℓの乳が得られるので、年間5〜10か月間の搾乳で、300〜600ℓの乳となる。乳1ℓ当たり0・06kgのバターが抽出されるので、この乳から18〜36kgのバターが得られる。したがって、12頭のディモから年間に生産されるバターの総量は216〜432kgとなる。ドクサに10テントがあるとすれば、村全体での1年間のバターの生産量は2160〜4320kg（約2〜4トン）となる。

なお、チャンタンでは、バターを抽出するために、「スキャル」と呼ばれる皮袋にヨーグルトを入れ、これを30〜45分間揺する。もし、熱くなれば冷たい水を入れ、冷たくなれば熱い湯を入れる。内部の温度は揺すった時の音で聞き分ける。また、外から皮をつまんでバターがすでにできているか否かを知る。そして、皮袋の口を開け、人差し指になかの液を付け、息を吹きかけて水を飛ばし、指先にバターが残っているか否かを見る。その後、バターの小片が浮かんでいる液を、濾過の袋という意味の木綿製の「ツァクギィック」と呼ばれる袋に注ぎ、バターを濾して「タラ」と呼ばれる残液を「ザンブ」と呼ばれる小鍋で受ける。そして、すべてのバターを冷水の入った別の小鍋に移しバターの小片を集めて握り、球形のバターにする。さらに、このバターを小鍋の底に打ち付けてバターのなかに残っていた水を排出する。こうして、タラや水を含まない純粋なバターを得る。ヨーグルトからバターを作るのには、1時間半を要する。

乳製品の生産は人類による乳酸発酵の発見と応用という知的技術である。牧畜と乳製品の生産体系の開発は、持続的な食料確保のための生存戦略なのである。

（煎本　孝）

VI

チャンタン高原における遊牧

25

チャンタン高原の遊牧民

★季節毎の固定地点を巡る周回型移動★

チャンタンは、チベット北部からラダック東部に広がる標高4300〜6700mの高原である。植生は高山性草原で、遊牧民は季節移動を伴うヤク、山羊、羊の牧畜をおこなう。冬期の気温は摂氏マイナス5度からマイナス35度となり、テントでの生活と放牧活動は過酷である。さらに、豪雪の年には牧草が雪に埋もれるため、家畜は大量に餓死し、遊牧民の生活を根底から脅かす。

この地域には、公式名として、サマン―ロクチェン、コルゾック、カルナックという3行政区が定められ、それぞれが遊牧集団の年間活動空間となっている。なお、サマン―ロクチェンは地域の名称として「ルプショ」とも呼ばれる。彼らは、遊牧民であり、チャンタンの人という意味の「チャンパ」と呼ばれる。サマン―ロクチェン集団は70テント、コルゾック集団は150テント（含家屋）、カルナック集団は70テントからなる。さらに、1964年以降は、それぞれの地域に、30テント、150テント、15テント（1990年時点で30テント）のチベット遊牧民の難民が移住した。

さらに、1960年代以前を伝統的生活の基点とするならば、

１９７０年代に始まり１９９０年代に至るチャンタンからレーへの移住と定住化への傾向は、彼らの生活に徹底的な変化をもたらした。１９９０〜１９９１年時点で、サマン－ロクチェン集団の70テントの内20テント、カルナック集団の70テントの内35テントが、レー近郊の居住地に定住し、部分的に、あるいは完全に遊牧生活から離れた。

なお、その後、チャンタンではテント数の増加も見られ、２０１１年における指定部族としてのチャンパに関する統計では、サマン－ロクチェン集団は71世帯、人口２２９人（男１１９人、女１１０人）、コルゾック集団は２５３世帯、人口９３１人（男４８５人、女４４６人）、カルナック集団は35世帯、人口１５２人（男70人、女82人）となる。

チャンタン遊牧民は、伝統的には定住せず、年間を通して遊牧活動をおこなう。もっとも、カルナック集団は、冬の村に日干しレンガで作った家を持ち、大麦の畑もある。また、サマン－ロクチェン集団は、冬場所の近くに物資を保管しておく建物を持つ。さらに、コルゾック集団には25家族の定住者がいる。

遊牧の年間季節移動は、基本的には、「グンツァ」と呼ばれる冬場所と「ヤルツァ」と呼ばれる夏場所の間の往復運動であり、その途中の「ストンツァ」と呼ばれる秋場所を春と秋に利用する。ストンツァは春に利用する時には、春場所を意味する「スピットツァ」ということもできるが、本来これらは場所に対する名称なので、「ストンツァ」と呼んでも矛盾はない。

冬場所は少しでも暖かい低地で、風を防ぐ山に囲まれた盆地に設営され、夏場所は雪が溶けて草原が現れる高山に設営される。秋になり降雪が来ると、それにしたがって低地への移動を繰り返し、最

写真25-1　チャンタン遊牧民のテントと放牧されているヤク

終的に冬場所へと戻る。夏場所、秋場所、冬場所とも、テントの設営場所、およびそこを拠点として利用される放牧地は、長期的には変化することがあっても、毎年ほぼ決まっている。

したがって、チャンタン遊牧民の季節移動の居住型は、理念的には冬場所と夏場所との間の往復運動を主軸とするが、実践的には冬、春、夏、秋の季節毎の固定地点を巡る周回型となる。この季節移動は、冬と夏という季節に応じて、標高４３００ｍ以上のチャンタン高原において、標高４８００ｍに至るまでの高度差を伴う空間利用となっている（図25―１、２）。

サマン―ロクチェン集団の各季節場所間の直線距離を合計した年間移動距離は92・８㎞であり、冬場所と夏場所の間の直線距離は29・０㎞、最大標高差は２００ｍ（夏のキャンプよりさらに高い草本の植生限界標高４８５０ｍ地点まで利用しているとすれば２９０ｍ）になる。また、年間の遊牧活動空間は１２００㎢（湖の面積を除けば、１１５０㎢）となる。

ポンカナウは、ツォーカル湖とその回りの山々に囲まれた盆地にあり、近くには僧院もあり、冬場所に位置する。しかし、活動という視点からは、冬から春、および秋から冬に移行する途中、70テントの全員が集合し、新年をはじめとする儀礼や祭礼がおこなわれる結節点としての特別な地位を占める。このことは、サマン・ロクチェン集団の季節移動と活動の特徴となっている。

コルゾック集団はツォモリリ湖周辺を遊牧域としている。北側は、ポロクンガ峠でサマン・ロクチェン地域と接し、また、西側の山脈でサマン―ロクチェン集団の夏場所と分離される。東はツォモリリ湖の東にある山を越えた地域にまで至る。彼らは、夏場所の違いから3集団に分けられる。3集団とも、冬場所はツォモリリ湖の東南に位置するショチェン地域であり、夏場所は、ツォモリリ湖北部、ツォー

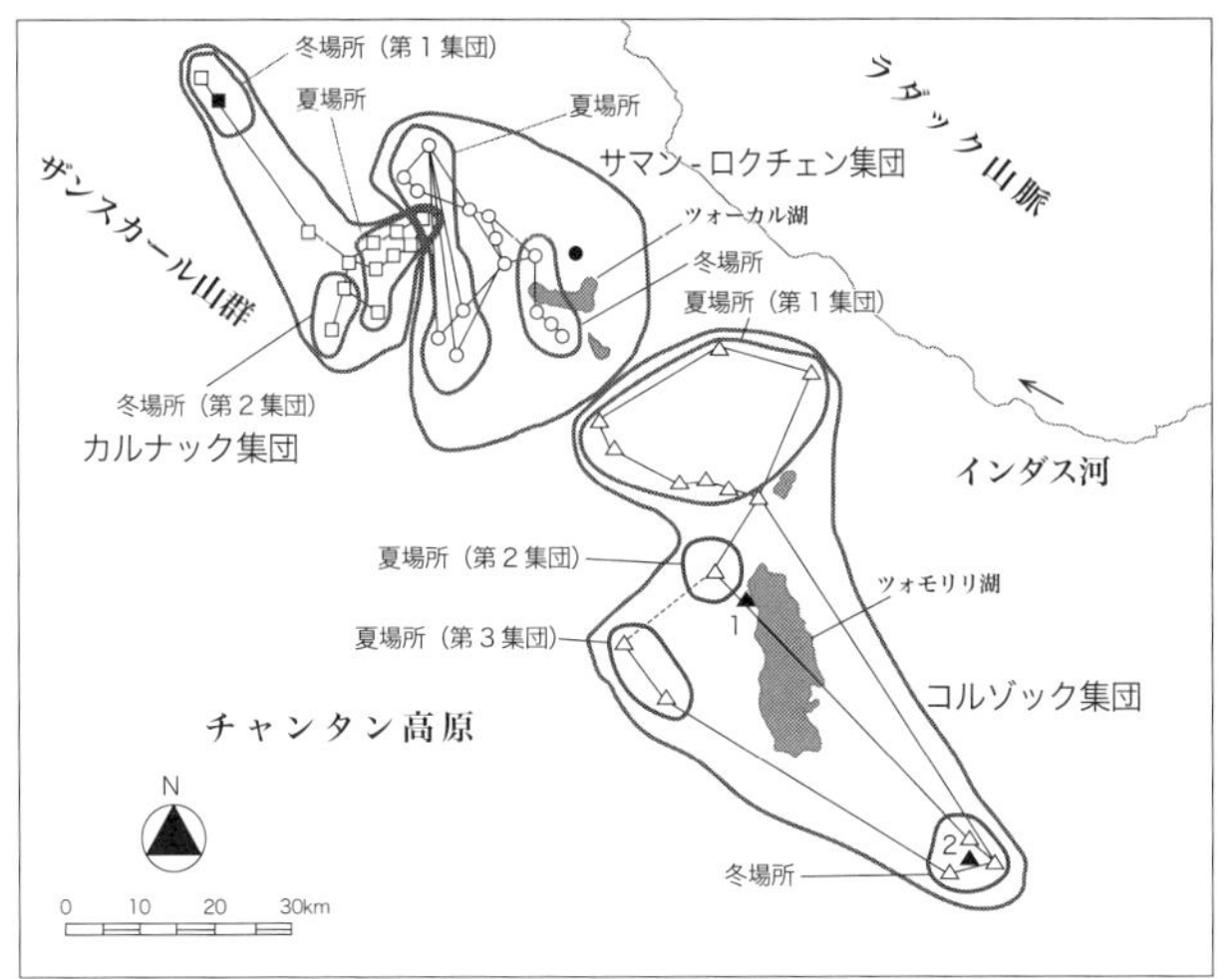

図 25-1　チャンタンにおける遊牧活動の年間利用空間
注：カルナック集団、サマン―ロクチェン集団、コルゾック集団の冬場所、夏場所と移動経路、年間の遊牧活動の利用空間を示す；●：トゥクジェ・ゴンパ；▲1：コルゾック・ゴンパ；▲2：ショチェン・ゴンパ；■：ダット・ゴンパ；…：コルゾック集団第3集団の一部経路。

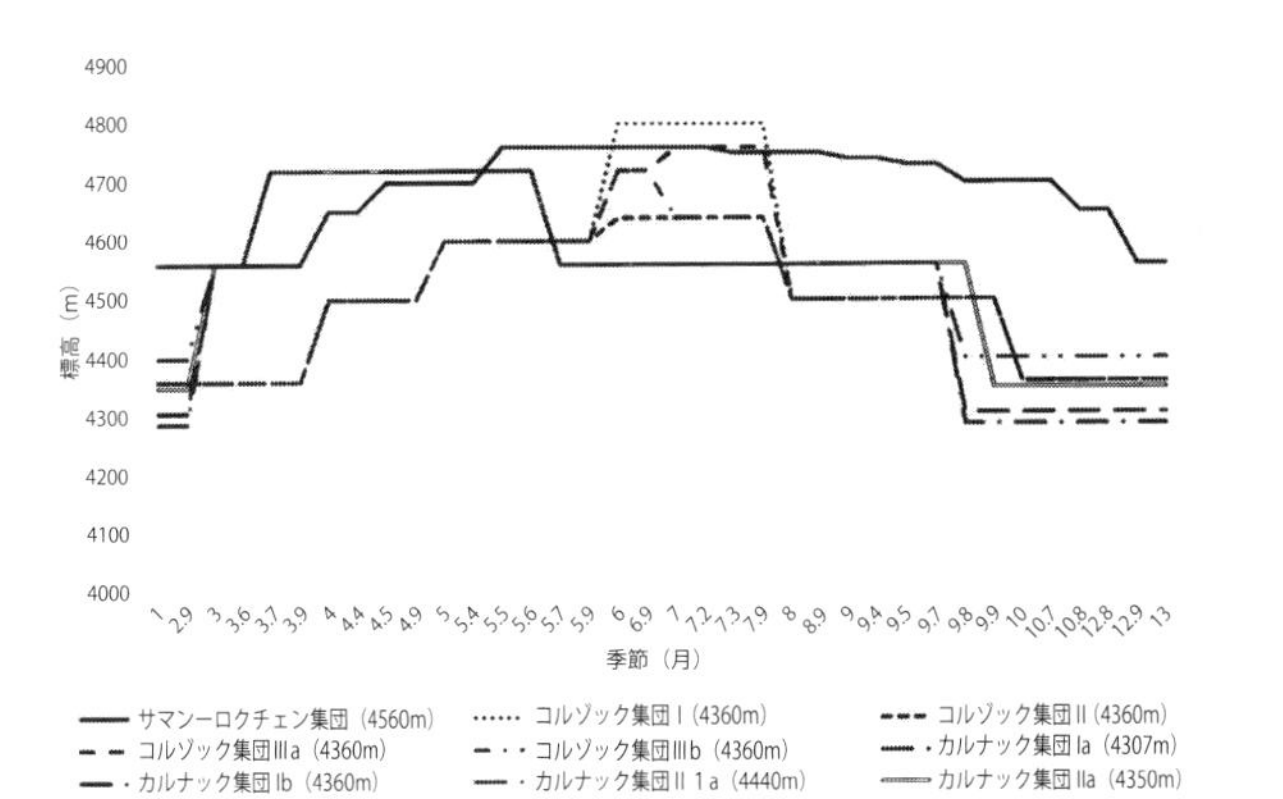

図 25-2　チャンタン遊牧民の年間季節移動と標高（1990～91 年）

カル湖東南部の高原、ツォモリリ湖西部の谷の最奥部、および山脈で隔てられたその南の谷を利用する。また、秋場所はほぼ共通している。

各季節場所間の直線距離を合計した年間移動距離は、第一集団で185・6㎞、第二集団で118・9㎞、第三集団で139・2㎞である。また、冬場所と夏場所の間の直線距離は、第一集団で75・4㎞、第二集団で52・2㎞、第三集団で56・5㎞、最大標高差は440（同490）mになる。また、年間の遊牧活動空間は2050㎢（同1900㎢）となる。冬場所と夏場所の近くのツォモリリ湖岸には僧院があり、「マルドゥクス」と呼ばれる年間を通した定住家族がいること、さらに僧院との貸借契約により山羊、羊の遊牧をおこなうコルパの存在は、コルゾック集団の特徴である。

カルナック地域は、ザンスカール川の支流であるカルナック川流域、およびツァラップ川の最上流域がチャンタン高原へと続くザンスカール山脈東端の地域である。カルナック集団は、冬場所の異なる、あるいは夏場所も異なる2集団を含む。各季節場所間の直線距離を合計した年間移動距離は、第一集団で89・9㎞、第二集団で46・4㎞である。冬場所と夏場所の間の直線距離は第一集団で34・8㎞、第二集団で20・3㎞、最大標高差は第一集団で432（同562）m、第二集団で370（同500）mである。また、年間の遊牧活動空間は650㎢となる。

冬場所には寺院をはじめ、石積みの固定家屋や畑があり、年間の季節移動の根拠地となっている。カルナックの遊牧民は、数か所に畑を持ち耕作もするが、同時に季節移動もおこなう。このような居住型はカルナック集団の特徴である。

（煎本　孝）

26

チャンタン遊牧民における家畜の認識

★家畜の分類と名称★

チャンパは、ヤク、山羊、羊など家畜の遊牧民である。基本的に農耕はおこなわないため、彼らの生活は全面的に家畜に依存している。彼らと家畜との結びつきは強く、観察、経験、分析、分類、命名に基づいた家畜への認識が発達している（表26―1）。

ヤクという名称は、性差、年齢差を含む一般名称である。3歳以上の去勢されていない雄ヤクはキョア、去勢された雄ヤクはポヤク、雌はディモと分類される。雄ヤクの角は太くて長く、後向きに曲がっているが、ディモの角は細くて長くない。また、雄ヤクの体は、ディモに比較してはるかに大きい。キョアとポヤクの体の大きさに差はないが、角はキョアの方が少し太くて長い。さらに、キョアの「ヨル」と呼ばれる体の側面の毛は、刈らずに残される。人びとがキョアを区別できるようにするためであり、また高山に一頭で放し飼いにされているキョアが、雪のなかや氷の上でも寝ることができるようにするためである。

ディモは通常、4歳以上で出産する。ディモが妊娠すれば、「ディモア　ペツェ　トプト（ディモが子どもを得た）」と言われる。また、子ヤクの誕生が近くなり、乳が大きくなると、「ディ

表 26-1　チャンタンにおける家畜の分類と名称

一般名称	性	年齢 (1)						
		0 − 1	1 − 2	2 − 3	3 − 4	4 − 8(2)	8 − 13	14 −
ヤク ヤク g.yag	雄 / 雌	ベツォ / ペツェ be tso/pe tse	ヤル ya ru	−	チュブチック / ロジパ bcu gcig/ lo bzhi pa	チュブ＋数詞 / ロ＋数詞 bcu ＋数詞 / lo ＋数詞＋ pa	同左	ヤルガン g.yag rgan
	雄	ポビ pho bi	ポヤル pho yar	スムドン gsum sgron	キョワ khyo ba			
	雌	モボ mo bo	モヤル mo yar	チョルモ cor mo	ディモ `bri mo（雌の寿命は 12 − 13 歳程）			
	去勢雄	−	−	−	ポヤク pho g.yag（雄の寿命は 14 歳程）			
山羊 ラ ra	雄 / 雌	リグ ri gu	スツィプ rtsid bu	−	チプチック chib gcig	チプ＋数詞 chib ＋数詞	ラルガン ra rgan	
	雄	ポレ pho re	ポツィト pho rtsid	ラトン ra krong	パラ pha ra（通常 5 歳以上で畜殺 / 売却）			
	雌	モレ mo re	モツィト mo rtsid	テモ te mo	ラマ ra ma			
	去勢雄	−	−	−	ラボ ra bo			
羊 ルック lug	雄 / 雌	ルグ lu gu	ラックブ lag bu	−	チプチック chib gcig	チプ＋数詞 chib ＋数詞	ルガン lug rgan	
	雄	ポルック pho lug	ポラック pho lag	トンパ tong pa	ロボ ro bo（通常 5 歳以上で畜殺 / 売却）			
	雌	モルック mo lug	モラック mo lag	シュグマ srug ma	マンモ ma mo			
	去勢雄	−	−	−	カルパ khal pa			

注：(1) 年齢と性別に基づいて詳細な分類が見られる（ヤク：35 種類、山羊：18 種類、羊：18 種類)。3 歳以上で去勢雄の分類が見られるのは、3 歳以降に去勢がおこなわれるからである。全体としては、3 歳までの各年齢による雄 / 雌を区別しない一般名称と雄と雌を区別する個別名称、3 歳から 7 歳まで（山羊 / 羊)、3 歳から 13 歳まで（ヤク）における年齢と雄、雌、去勢雄の区別に基づく名称があり、それ以上は高齢個体に対する名称が山羊、羊、ヤクにそれぞれ付けられる。

(2) 年齢による呼称については、ヤクは 4 − 5 歳：チュブニス / ロンガパ（bcu gnyis/lo lnga pa)、5 − 6 歳：チュブスム / ロトゥクパ（bcu gsum/lo drug pa)、6 − 7 歳:チュブジ / ロドゥンパ（bcu bzhi/lo bdun pa)、7 − 8 歳:チュブンガ / ロギャットパ（bcu lnga/lo brgyad pa）となる。また、山羊、羊については、4 − 5 歳：チプニス（chib gnyis)、5 − 6 歳:チプスム（chib gsum)、6 − 7 歳:チプジ（chib bzhi)、7 − 8 歳:チプンガ（chib lnga）となる。

モア　ペツェ　ティチェ　ドゥック（ディモに出産がある）」と言う。ペツェとは、胎児から1歳までの子どもを指す。また、誕生から1歳までの子どものヤクは、「ベツォ」と呼ばれ、ペツェと同義に用いられる。ベツォの雄は「ポビ」、雌は「モボ」と呼ばれる。1歳から2歳までの子ヤクは、「ヤル」と呼ばれ、雄は「ポヤル」、雌は「モヤル」と呼ばれる。ヤルからは、「クル」と呼ばれる内毛を採ることができる。2歳から3歳までの子ヤクは、雄では「スムドン」、雌では「チョルモ」と呼ばれる。なお、チョルモは出産することができるが、この場合、時が来ていないという意味の「マランツェ」と呼ばれる。出産は3歳以上になったディモがおこなうものと考えられているからである。

写真26-1　高山に放牧されている雄ヤク

3歳以上4歳までのヤクは、雌雄を問わず、大人になった3歳から数えはじめ「チュブチック」、4〜5歳のヤクは「チュブニス」、5〜6歳のヤクは「チュブスム」と数詞を後に付けて呼ばれる。なお、年齢の数え方として4歳のヤクは、ヤクに限らず4歳のものという意味の「ジパ」とも一般的に呼ばれる。雌雄を区別するためには、雄、あるいは雌の名称を付けて、ポヤクの年齢は4歳という意味の「ポヤクロジパ」、あるいはディモの年齢は4歳という意味の「ディモロジパ」と説明的に述べられる。雄ヤクは通常、14歳、雌は12〜13歳まで生きる。14歳以上のヤクは、年取ったヤクである「ヤクガン」と呼ばれ、畜殺されるか売られることになる。

山羊の一般名称は「ラ」である。3歳以上の去勢していない雄山羊は「パラ」、去勢された雄山羊は「ラボ」、雌山羊は「ラマ」と分類される。パラの角はラボと比較して大きくて太い。胎児を含む子宮は「プンノット」と呼ばれ、妊娠している山羊は「ラマ（リグ）スキェチェス（雌山羊は（子山羊を）出産する）」と言われる。誕生や出産を意味する「スキェチェス」は、同じ意味の「ティチェス」と言い換えてもよい。誕生から1歳までの子山羊は、「リグ」と呼ばれる。雄は「ポレ」、雌は「モレ」と呼ばれる。1歳から2歳までの子ヤギは、「スツィプ」と呼ばれ、雄は「ポルツィット」、雌は「モルツィット」と呼ばれる。

スツィプになると、人びとは内毛であるパシュミナ（ウルドゥー語、ラダック語ではレナ）、および外毛であるラルを採ることができる。また、リグの雄は遊びで背乗りをするが、スツィプの雄では交配のための背乗りができる。

2歳以上3歳までの雄の山羊は「ラトン」、雌の山羊は「テモ」と呼ばれ、出産が可能になる。これらは、2歳までの子山羊と体に違いはなく、内毛や外毛を生産する。また、3歳以上の雄山羊であるラボと雌山羊であるラマを比較すれば、ラボの方は体が大きく、角は長い。3歳以上4歳までの山羊は、雌雄を問わず、「チップチック」、4歳から5歳までの山羊は「チップニス」、5歳から6歳までの山羊は「チップスム」と、数詞を付けて呼ばれる。

5歳以上の山羊は、年を取り、いつ死ぬかも分からないので、売られるか畜殺される。7歳から8歳までの山羊である「チップンガ」以降の山羊は雄も雌も含んだ一般名称として年寄りの山羊である

「ラルガン」と呼ばれる。なお、チップンガ以降の山羊で歯が残っている山羊は「ラルギュットザンポ」、歯が無くなっている山羊は「ラルギュットンガンパ」と呼ばれる。

羊の一般名称はルックである。なお、ラルック、すなわち山羊と羊のすべてを指す。3歳以上の去勢されていない雄羊はロボ、去勢された雄羊はカルパ、雌羊はマンモと分類される。カルパはマンモと比較して、体が大きく、角は長くて太い。さらに、ロボとカルパを比較すれば、ロボの角は太くて非常に大きく、捻れている。また、妊娠して乳の大きくなった雌羊は「マンモ（ルグ）ティチェス　ドゥック（雌羊は（子羊）を出産する）」と言われる。羊は毎年出産することができ、ある羊は1年に2回出産する。

誕生から1年までの子羊は「ルグ」と呼ばれ、雄は「ポルック」、雌は「モルック」と呼ばれる。1歳から2歳までの子羊は「ラックブ」と呼ばれ、雄は「ポラック」、雌は「モラック」と呼ばれる。ポルックは遊びで背乗りをするが、ポラックは交配ができる。また、モラックは希に出産することができる。ラックブの時期に子羊が産まれると、その母羊は良い系統という意味のギュットザンと称される。

1歳までの子羊であるルグからは、「ユンブ」と呼ばれる羊毛が採れる。これは、柔らかいため、きめの細かな布を織ることができる。2歳までの子羊であるラックブになると、「バル」と呼ばれる羊毛が混じる。

2歳から3歳までの羊は、雄は「トンパ」、雌は「シュグマ」と呼ばれる。シュグマはすでに成熟しており、出産が可能である。また、トンパはシュグマと比較して、体の大きさや角の形は同じであるが、より太い角を持つ。3歳以降は、体は大きくはならず、60～70㎝の高さである。

3歳から4歳の羊は、雌雄を問わず、「チップチック」と呼ばれる。4～5歳の羊は「チップニス」、5～6歳の羊は「チップスム」と呼ばれ、以下同様に、数詞を後に付けて呼ばれる。7～8歳のチップンガに達すると、売られるか畜殺される。チップンガ以降の羊は、年寄りの羊という意味の、「ルガン」と呼ばれる。

チャンタン遊牧民の家畜の分類には、上手、下手ラダックのそれと比較すると、牛やゾー、ゾモは認められないが、ヤク、山羊、羊の名称数は格段に多い。また、これらは家畜の成長過程や生態と密接に関係している。認識に基づいた家畜の分類と名称は、チャンタン遊牧民の家畜管理に必要な知的生存戦略なのである。


（煎本　孝）

27

ヤクの管理と利用

★出産から離乳まで★

4月から5月初旬の春場所で、雌ヤクであるディモは出産する。出産直後、牧夫は火をおこし、煙を子牛の鼻に入れる。冷風が子牛の鼻に吸い込まれ、子牛が死ぬことがあるからである。これは、子牛の体が乾くまでおこなわれる。なお、ディモは2年毎に出産する。

ディモは、15～20日の間に出産する。出産後、ディモは子牛を舐める。死産の場合は人が手伝って取り出す。もし、同じ母ディモからの死産が続けば、僧に頼んで、そのディモのために「シュガ」と呼ばれるお守りを貰う。ときに、乳が出ないディモがいれば、病気や死に対する守りとして、「ドゥカルシュガ」と呼ばれるお守りを角に付ける。なお、ドゥカルは病気を克服する忿怒尊で、サンスクリット語で「シダタパウスニカ」と呼ばれ、ブッダの忿怒相とされる。お守りには、この尊格の真言が書かれた紙が折りたたまれて入れられている。

子牛の出産後、子牛は自身で母ディモから乳を飲む。人びとは、15日間、子牛に母ディモから乳を飲ませる。この期間、人びとはその母ディモから搾乳しないで子牛と一緒に連れ出して放牧する。50頭のディモの放牧には4人の牧夫が必要である。

彼らはヤクレスという集団を形成し、ディモの頭数に応じて交代で放牧をおこなう。15日〜1か月後には子牛に少しだけの乳を飲ませ、人びとは母ディモから搾乳する。

人びとは朝だけ搾乳し、夕方には搾乳しない。ディモと子牛が放牧地から戻ってくると、ディモと子牛は別々に繋がれる。したがって、子牛は夜には乳を飲めない。チャンタンでは、ザンスカールにみられるように、子牛を昼間人びとの所に置き朝夕の2回ディモから搾乳するという習慣はない。チャンタンでは子牛を丈夫にするため、人びとは子牛が日中、母ディモから乳を飲めるようにする。

さらに、チャンタンではザンスカールにおけるほど多くのバターを必要としない。もっとも、ディモと子牛を一緒に放牧するため、牧夫が付いていなければならない。さもなければ、ディモと子牛はキャンプに戻ってこないからである。

5月から6月まで、ディモと子牛は山に放牧され、人びとは面倒を見る必要はない。6月から9月までは、彼らは家畜を毎日キャンプに戻し、搾乳し、放牧に連れ出す。夏の間、彼らはすべてのヤクを山に放す。彼らは、雄ヤクとディモを片方に追い、去勢ヤクを反対側に追う。そこで、通常8月に繁殖行動がおこなわれ、ディモは妊娠する。

9月以降、彼らは家畜を放牧に連れ出すが、搾乳はしない。母ディモは乳が出ているが、子牛を丈夫にするために子牛に乳を飲ませるためである。秋の間、牧草が不足し、またオオカミが多くいるため、牧夫が付き添ってディモを放牧地に連れていく。これは、翌年の1月まで続く。

子牛は、2歳まで母ディモから乳を飲む。人びとは、冬期間子牛に牧草を与える。ときには、牧草が不足するためトゥッパを与える。子牛を繋いでおくためには、2本の棒を石積みに刺し込み、その間にヤクの毛で作った綱を渡し、子牛の首に付けたヤクや羊の毛で作った綱を回転軸の着いた鉄製の輪で結ぶ。こうしておくと、子牛が棒の間を自由に移動でき、しかも綱が絡まらない。

ヤクの去勢は、3歳以上のヤクについておこなう。彼らはヤクを横に倒し、四肢をきつく結ぶ。去勢の方法は、山羊や羊の場合と同様である。ただし、取り出されたヤクの睾丸を食べる習慣はなく、それらは捨てられる。この点は、山羊や羊の場合と異なる。

子牛が3歳になり、まだ乳を飲んでいるならば、「カル」と呼ばれる交差させた2本の木の棒が子牛の鼻に付けられる。これは顔の上と下の部分でそれぞれ首の後ろに回した紐で留められている。この道具によって、子牛は草を食べることはできるが、母ディモから乳を飲むことはできない。乳を飲もうとすると、尖った棒の先が母ディモの乳を突き、母ディモは逃げ出すからである。子牛にカルを1か月間ほど付けておくと、子牛は乳を飲むことを忘れ、離乳させることができる。

人びとは、ポンカナウにいる11～12月、さらには冬場所に移動した1月まで搾乳を続ける。そこで、いったん搾乳は中止するが、新年の春場所の4月初旬に再度、同じディモから搾乳を始める。搾乳は夏を通して、翌年の1月まで続けられる。

なお、冬場所のダサプックでは、放牧地がキャンプの近くにあるため、1～2月には、朝にディモをキャンプから追い、日中は面倒を見ることなく、夕方に連れ戻す。2月以降、ヤクレスは、前年からの子牛のいるディモや妊娠しているディモを朝に放牧地に連れていき、夕方に連れ戻す。これは5月まで続く。

ヤクには、「ツィトパ」と呼ばれる荒いが強い外毛と、「クル」と呼ばれる羊毛同様に柔らかく繊細

写真 27-1　ヤク、ゾー/ゾモの外毛を紡錘車（スクルブ）を使用して紡ぐ

な内毛との2種類がある。外毛は鋏で刈り取られ、内毛は櫛で梳いて採られる。これらは、木製十字型の錘である紡錘車に溝の刻まれた撚棒を通した道具（スクルブ）、あるいは一本の溝の刻まれた撚棒（ヨクシン）を用いて紡がれる。

撚棒の上部にある溝に糸をかけ、吊り下げて回転させることで、糸に撚りをかけながら毛から糸を紡ぐことができる。両者は原理的には同じであるが、ヨクシンが手作業で撚りをかけるのに対して、スクルブは器具の回転により糸に撚りをかけることができるので、より効率的に作業ができる。

クルやツィッパから紡がれた糸は「ラト」と呼ばれ、50cmほどの長さの太い糸である。そのままで使用する場合は、「パプ」と呼ばれる皮靴や絨毯を縫うことができる。さらに、この糸は長く繋いで「トブ（トグ）」と呼ばれる糸球にされる。この糸を使ってヤク毛製織布を作る。ヤク毛を織る方法は、縦糸を地面に張り渡し、人が地面に座って杼（ひ）を用いて横糸を織り込むサタックスと呼ばれる地機（じばた）である。

荒い外毛で作られた織布からは、「チャリ」と呼ばれる毛布、それを繋いで作られる「レボ」と呼ばれる遊牧民のヤク毛製の黒いテントが作られる。さらに、織布から袋が作られる。袋には穀粒を入れるためのパツァ、それよりも小さい穀物粉を入れるためのズゲモ（または、チャンズゲ）、羊の背中に振り分けにして乗せるための袋であるヌガル、旅行用の大麦粉を入れるための最も小さい袋であるズ

写真27-2　チャンタンにおけるヤク毛製テント

ギグなどがある。柔らかい内毛で作られた織布からは、「スタン（ダン）」と呼ばれる絨毯、毛布、袋などが作られる。これは非常に暖かく滑らかである。

ヤク毛の毛刈り、毛梳き、紡ぎ、織り、編みというヤク毛の利用に関する諸活動の特徴は、これらすべての活動が男によっておこなわれることである。彼らは外での作業の合間に、紡錘車を吊り下げて回転させ糸を紡ぐ。これは、羊毛を紡ぐのが女の活動であることと対照的である。

（煎本　孝）

28

パシュミナ山羊の管理と利用

★交易品であるパシュミナの生産★

冬場所の2月初旬、山羊は15日ほどの間に出産を迎える。出産後、人びとは子山羊の口を開けさせ、母山羊の乳首を入れて吸わせる。出産後1日は、子山羊は人びとのテントのなかに置かれ、籠を被せ、着物やヤク毛の毛布で覆う。

その後、子山羊は、夜間、子山羊の空洞という意味のリプルと呼ばれる地下の空洞のなかに入れられる。これは、人が地中に掘った直径1・5m、深さ1mの穴で、地面には小さな開口部が設けられ、石版が乗せられている。こうしておけば、子山羊は、地上に積雪があっても地下で暖かくしていることができる。さもなければ、子山羊は寒さで死んでしまう。出産後1か月まで、このような空洞を使う。

朝、彼らは子山羊に母山羊の乳を吸わせる。母山羊が山に放牧されている間、子山羊はキャンプの石囲いであるレに入れられる。人びとは、指にバターを付けて、子山羊に吸わせる。こうしなければ、子山羊は乳を吸うことを忘れてしまうからである。夕方、子山羊に再び母山羊の乳を吸わせる。

出産後1か月以上経つと、子山羊には歯が生えてくる。そうすれば、彼らは子山羊を母山羊とともに、山に放牧に連れてい

写真 28-1　子山羊に乳を飲ませる

く。これは、冬場所にいる3月末まで続けられる。4月はじめには、地下の空洞から出された子山羊は、任せる部屋という意味のチョルカンに入れられる。これはレの外側に付けられた石積みの壁で囲まれた四角い部屋で、屋根はなく内側に出入り口がある。

夏場所の5月、早朝、牧夫は子を除くすべての山羊、羊を放牧のため山に連れて行く。子山羊に乳はやらず、別の場所に放牧に連れ出す。午前10～11時、家畜はキャンプに連れ戻され、搾乳がおこなわれる。この時、子山羊は遠く離れた場所に置いておく。

母山羊たちが集まれば、交互に頭を向かい合わせに差し入れて、頭が一直線になるように綱で結ぶ。この繋ぎ方は、綱を結ぶという意味の「タルタック」と呼ばれる。そして、両側から搾乳がおこなわれる。その後、子山羊は放たれて母山羊の所へ行く。そして、再び家畜は放牧に連れて行かれる。この2度目の放牧では、母山羊と子山羊は一緒であり、子山羊は母山羊の乳を飲むことができる。したがって、人びとは朝だけ搾乳して、夕方には搾乳しない。

6月はじめ、離乳のために母山羊と子山羊が離される。ある家族の子山羊は別の家族の山羊の群れとともに放牧に連れて行かれる。2つの家族が子山羊を交換する場合は、交わるという意味の「デプステ」と呼ばれ、1つの家族だけが一方的に他のテントに子山羊を預ける場合は、任せるという意味の「チョルテ」と呼ばれる。母山羊は自分の子山羊以外の子山羊が乳を飲むことを許さない。同時に、子山羊も自分の母山羊からしか乳を飲まない。それで、子山羊は母山羊の乳を忘れてしまう。離乳は7月末までの2か月間かかる。

7月末以降、後半の夏場所では、子山羊は元の家族に戻される。子山羊はチョルカンには入れられず、山羊、羊と混ぜられる。人びとは、8月末まで搾乳することができる。早朝、人びとは搾乳し、山で家畜を放牧する。夕方に彼らは戻り、再び搾乳するのである。

なお、ある母山羊は自分の子山羊に授乳しない。これらの母山羊のために、彼らは母山羊の首を摑んで、手に持った木の棒で母山羊の体を叩きながら次のように歌う。

雌山羊に言います、
吸わせなさい、吸わせなさい
峠からオオカミが来ている、
吸わせなさい、吸わせなさい
子山羊が母の後をついて来ている、
吸わせなさい、吸わせなさい

8月に人びとは山羊に繁殖行動をさせる。2月初旬に出産させるための人為的調整である。このため、5月に雄山羊の陰茎に取り付けた父を覆うという意味の「パルカブ」と呼ばれる袋を外す。もし、

写真 28-2　チャンパのテントとパシュミナ山羊

5月に自然繁殖がおこなわれれば、出産は10月になり、厳しい寒さのため子山羊や母山羊は死んでしまうのである。

山羊でも羊でも雌の頭数の方が多い。もし、雄雌合わせて100頭いれば、1頭の雄だけを去勢せずに残す。人びとは、強壮で良い羊毛を持つ雄を選ぶ。繁殖行動のためには、50頭の雌に対して1頭の雄で十分である。去勢は、冬場所の1～2月の出産期が終わった3月、山羊、羊ともにおこなわれる。熟練者が「チャ（チョチェス）」と呼ばれる去勢をおこなう。彼はカタックを帽子に巻き付け、帽子には吉祥の印であるバターを付ける。容器に水が入れられ、少量の乳が加えられる。彼は睾丸を掴み、ナイフで皮膚を切り、睾丸とそれに繋がる管を一部が残らないように注意深く取り出す。そして、空になった陰嚢の皮膚を羊毛の糸で縫い合わせる。取り出した睾丸は容器のなかに入れ、煮て食べられる。

5月中旬から7月10日まで滞在する前半の夏場所では、はじめに毛の長いパシュミナ山羊から良質な内毛であるパシュミナを採る。なお、彼らが飼育する山羊は、すべてパシュミナ山羊である。ウルドゥー語のパシュミナはラダック語では「レナ」と呼ばれる。レナはラダック王国時代から交易品としてスリナガルに運ばれ、肩掛けなど高級衣装に加工され中央アジアに輸出されていた。今日でもその商品価値は変わらず、チャンタン遊牧民の主要な生産物となっている。

人びとは山羊を地面に倒して櫛で毛を梳く。300頭の山羊を持つ裕福な生産者では、レナは60バティ（1バティは約2キログラム）採れる。また、50頭の山羊しか持たない貧乏な生産者では5〜10バティ採れる。1バティのレナの価格は1300〜1400ルピーになる。その後、外側の長い毛であるラルが鋏で刈り取られる。この作業は各テントで5月末、あるいは6月15日まで続けられる。300頭の山羊を持つ生産者では、ラルは50バティ、50頭の山羊しか持たない生産者では3〜4バティ採れる。ラルは自家消費用である。

ラルは、「ヨクシン」と呼ばれる撚棒を用いて手作業で撚糸にする。これは「トゥグ」と呼ばれる糸球として巻き取られる。さらに、2つのトゥグから、糸を撚らずに巻き取り1つのトゥグにする。この二重の撚糸を用いて地面に縦糸を張り、これに横糸を織り込んでいく「サタックス（地機）」と呼ばれる織り方で、「スナンパ」と呼ばれる織布を作る。スナンパからは毛布、大袋、絨毯、鞍掛袋などが作られる。

なお、山羊の外毛を刈る際、内毛のレナが混じる。そこで、人びとは外毛からレナを分離する。草地の上に内毛と外毛の混じった「シユン」と呼ばれる塊を置き、2本の棒で叩き、レナのもつれを解く。これから、荒い太い「ポンツェ」と呼ばれる綱を作り、この先から細い糸を紡ぐ。これは羊毛から作られた細い撚糸と同じく「スクッパ」と呼ばれる。細い撚糸を意味するスクッパは、ヤク毛や山羊の外毛から作られる太い撚糸であるラトの対立名称になっているのである。

（煎本　孝）

29

羊の管理と利用

★羊毛織布であるスナンブの製作★

人びとは、繁殖行動をさせるため、5月に雄羊に取り付けたパルカブを7月に取り外す。山羊よりも1か月早く繁殖行動をおこなわせるのである。したがって、出産も山羊より1か月早い1月となる。出産後、子羊は乾かされる。そして、母羊のもとに行かせる。子羊は、子山羊の時のようにテントに入れることはなく、さらには地下の空洞に入れることもない。羊は山羊よりも耐寒性に優れているからである。通常、羊は1頭の子羊を産む。

朝、子羊は綱であるキェボで繋がれる。母羊が放牧に行っている間、子羊は石囲いであるレのなかに入れられる。夕方、母羊が戻る前に子羊は再びキェボで繋がれる。母羊が戻ると人びとは搾乳する。その後、子羊は放され、夜間、母羊の乳を飲む。出産後、15日〜1か月経つと、子羊は母羊とともに放牧に出され、夜間は母羊から離してチョルカンに入れられる。この期間、搾乳は朝だけおこなわれる。日中、子羊は母羊の乳を飲んでいるからである。

彼らは、子羊には子山羊でおこなったような乳離れのための交換をしない。山羊の場合、朝と夕方に搾乳するために交換し

写真29-1　羊（背中に袋を背負っているのは交易における塩や大麦粒の運搬のため）

たのである。夏場所の8月になると、子山羊は乳を飲むことを止める。この時には母乳も止まる。

夏場所での山羊のパシュミナとラルが採り終わる6月15日以降、羊毛が刈られる。毛刈りは、片方の後肢を両前肢の間に入れて括った羊の胸の片側から、鋏で刈り取る。

毛刈りは羊でも山羊でも男の仕事である。毛刈りには技能が必要である。彼らは、右手で羊毛を刈り、左手でこれを引き離す。もし、人員が不足していれば、協力して一方のテントの羊の毛を刈り、その後、他方のテントの羊の毛を刈る。親族間での協力もおこなわれる。このような協力活動は、一般的に友人が手助けするという意味の「ヤトーチョチェス」と呼ばれる。

羊の毛を刈った後、彼らは羊毛を捻って押し固め袋に入れる。羊毛の生産量は、裕福なテントでは、１２０頭の羊から１００バティ、貧乏なテントでは、50頭の羊から30バティである。

羊毛刈りは、10日間ほどで終わり、6月末には羊の群れを川に追い込み、脂を洗い落とさせる。夏の太陽に照らされて羊の体が熱くなるのを防ぐためである。この作業は、脂（を落とすために）追うという意味の「ツィギャパ」と呼ばれる。この作業のために、人びとは人数と羊の頭数を考慮しながら、4～5テントが協力して羊の群れを追う。

「バル」と呼ばれる羊毛は、刈り採った後、毛に付いている油を落とすために細かい土をかける。水のなかで洗うこともある。羊毛は一部を自家消費用に残し、他は交易品になる。

羊毛から糸を紡ぐためには、木製の紡錘車であるパンと、あんず油を絞った後の残渣から作った「パコル」と呼ばれる受け皿が用いられる。これは、スクルブのように吊り下げないで、受け皿の上でパンを回転させて糸を巻き取る。撚棒や紡錘車を用いてヤク毛や山羊の外毛から太い糸であるラトを紡ぐのが男だけの仕事であるのとは対照的に、パンを用いて羊毛から糸を紡ぐ作業は女のみがおこなう。これは、羊毛が非常に細く、作業が繊細さを要するからである。彼女たちは夜に家で座って糸を紡ぐ。これで作られた糸は、「スクッパ」と呼ばれる細い糸である。

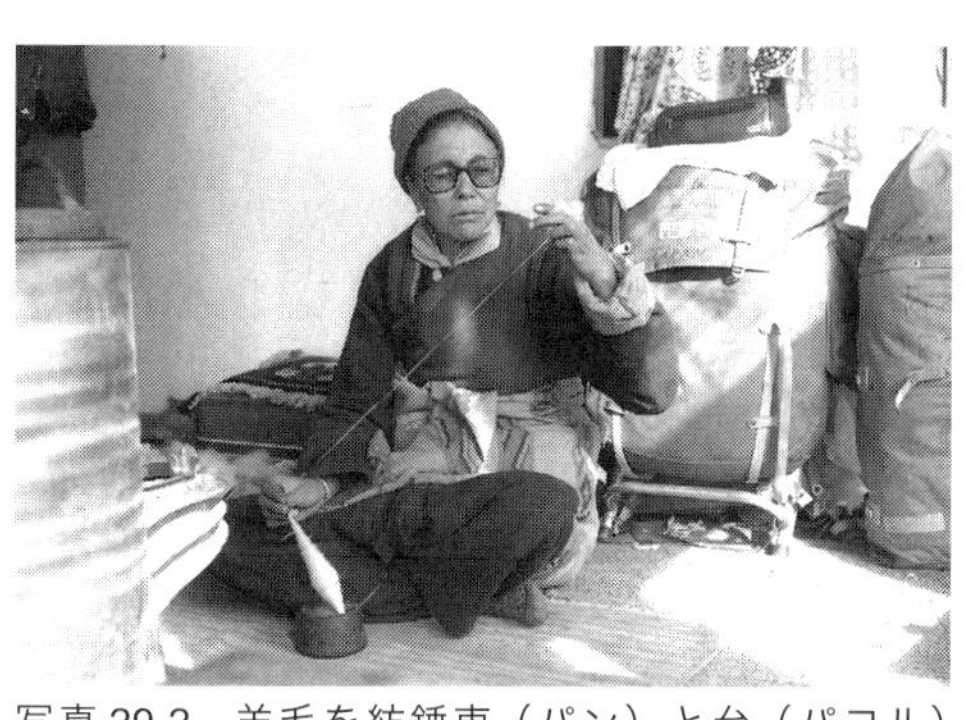

写真29-2　羊毛を紡錘車（パン）と台（パコル）を使用して紡ぐ

さらに、羊毛から紡いだ撚糸である2本のスクッパを撚って丈夫にするために、「ナムジュット」と呼ばれる横長の板に二組ずつの鈎が取り付けられた器具が用いられる。まず、2つのパンに巻き取られた別々の2本のスクッパを引き出し、手で巻き取って1つのパンにまとめる。ここから、引っ付いた状態の2本の糸を高い場所に設置したナムジュットの2つの鈎に引っ掛けて、片方に2本のスクッパを巻き取ったパン、もう片方に空のパンを吊り下げる。ここで、両方のパンを回転させると、それぞれの側の2本のスクッパは撚られる。そこで、2本のス

写真29-3　羊毛織布スナンブを織る

クッパを巻き取った方のパンを地面に差し、空の方のパンに撚られた糸を巻き取る。そうすると、撚られていない2本の糸が繰り出されて、はじめの状態になる。これを繰り返す。

こうして撚られた2本の撚糸は、「タクシャ（タクティ）」と呼ばれる高機（たかばた）を用いて、「スナンブ」と呼ばれる布に織られる。もっとも、この織機の操作には熟練を要するため、専門の職人が機械を持って村々を回る。ラダックの村々では、20～30家の内、5～6家が織機を持っている。ラダックでは一般的に織る活動は男だけがおこなうが、チャンタンでは男女ともにおこなう。スナンブは山羊毛で織られたスナンパに相当する。

この織布から、「ゴンチェ」と呼ばれる衣服、「ツァザル」と呼ばれる肩掛け、「スケラックス」と呼ばれる帯、「カンスナム」と呼ばれるズボン、靴の脚の部分（古くなったゴンチェの端切れ）などが作られる。これらの製作活動はラダックでは一般的に男によっておこなわれる。もっとも、黄色や赤色に絞り染めされる染色は女の仕事になる。ただし、チャンタンでは男女ともに衣服などの製作活動をおこなう。

また、スナンブを丈夫にするため、水のなかに入れて押しつける。それを乾かすと、草の茎を木片にたくさん差し込んだ「トゥクシャ」と呼ばれる器具で表面を掻き、水を振りかけて棒で叩く。そうすると、羊毛が表面から出てくるので、上の部分を鋏で切り揃える。このように加工されたスナンブは「スプラック」と呼ばれ、柔らかく滑らかで見栄えが良い。

彼らはスプラックを用いて衣服を作る。人びとは1年に一人当たり2着の衣服を作る。4月には「ヤルゴス」と呼ばれる夏用の衣服が作られ、8月には「グンゴス」と呼ばれる冬用の衣服が作られる。男も女も衣服を製作することができる。さらに、彼らは、「ツクトゥ」と呼ばれる柔らかい絨毯、「ツクダン」と呼ばれる敷物などを自家用に製作する

羊毛からは毛氈（フェルト）も作られる。最初に、羊毛は小枝で叩かれ、毛布の上に同じ厚さで敷かれる。その上に、チーズを取った後の残液と、大麦酒を取った後の残渣に水を加えて抽出した「バンチュ」と呼ばれる水溶液を振りかける。そして、敷かれた羊毛の上に毛布を掛け、これを太い棒に巻き付け綱で縛る。これを、「ヤンダンチック、ヤンダンニス（再び一、再び二）」と言いながら、「ヤンダンストン（再び千）」まで、千回転がす。そして、綱を解き、裏側にして同様に転がす。再び、同じことを両面で繰り返し、水のなかに入れ、草原の上で叩く。そして、「ティン、ティン」という音が聞こえれば、フェルトは完成である。

フェルト作りは、夏場所にいる8月におこなわれ、これから靴が作られる。チャンタンでは大きなフェルトが作られ、絨毯として使用される。フェルト作りは、作り方を知っている男の年配者がおこない、若者が作り方を学ぶのである。

（煎本　孝）

コラム5

ヤク、山羊、羊の毛皮の利用

煎本　孝

ラダックでは、家畜から得られる乳製品をはじめ、パシュミナや羊毛などの毛を利用するのみならず、家畜の毛皮も鞣して靴の底皮や防寒用の衣装として用いる。動物の毛皮の利用は、北方地域における狩猟民や遊牧民と共通する寒冷気候に対する文化的適応行動である。

ヤクの毛皮は、土と水のなかに浸けた後、毛を取り、靴底の形に切って、「ドクスパ」と呼ばれる底皮にする。パプと呼ばれる短靴を作るには、古くなったヤク毛の毛布や袋を靴底の形に切り、2~3枚重ねて縫い、その周りを太い糸で縫って高くし、先端を上に曲げ、甲の部分も糸で縫い閉じる。さらに、足首から上の部分に、羊毛で織った布であるスナンブを巻き付け、靴の底にはヤク皮製の底皮を縫い付ける。

これらすべての作業は、スナンブの染色以外、男の仕事である。このラダックの伝統的な靴は、冬／夏用、男／女用、右／左足用とも同じで差違はない。なお、「ラプル」と呼ばれる冬用の長靴の簡単な作り方としては、ヤク毛の靴底の周りと足首の上の脚部分にスナンブを取り付ける。

なお、ラダックでは伝統的に手袋は使用しない。寒い時には、通常折り曲げている羊毛製の衣服であるゴンチェの袖の部分を伸ばして手を入れることができるからである。また、「ティピ」と呼ばれる男女の伝統的な円筒形の帽子は、木型の周りに木綿布を巻き付け上部に円形の綿布を乗せて小麦粉の糊で止めて作る。内側には古くなった羊毛製のゴンチェの端切れを貼り付け、外側を刺繍のある美しい木綿布で飾る。

山羊の毛皮で作った「ロクパ」と呼ばれる肩

掛けは、伝統的にラダックのすべての女が常に背中に羽織るものである。これは、毛を内側にして肩から背中に掛け、前で留める。もし、これを着けていないと、「背中が裸」という意味の「ギャブジェン」と呼ばれ、懲らしめられる。ロクパを着けていないと、悪霊が災難を引き起こすと考えられているからである。じっさいに、ロクパは寒さから女の身体を守るためのラダックの防寒用衣装である。

写真コラム 5-1　伝統的なロクパを羽織ったラダックの女たち

　子どもが産まれた時には、必ず1枚の「ルンロック」と呼ばれる羊の毛皮で包まねばならない。これは、ラダックの重要な伝統で、1年以上赤ん坊を包むために使用される。赤ん坊は「ツェポ」と呼ばれる籠に入れて背負われるが、この時も底と周りに毛を内側にしてルンロックが敷かれる。さらに、このなかで赤ん坊は羊毛製のフェルトで作られた「ツァング」と呼ばれる袋の中に入れられる。ツァングの底には吸水のため粉末にした羊の糞が入れられている。これは、赤ん坊をラダックの厳しい寒さと乾燥から守るための伝統的な防寒用具である。

　さらに、チャンタンでは、普通、スナンブから作られる衣服であるゴンチェを、山羊、羊の毛皮でも作る。男用の衣服は「ラクパ」と呼ばれ、女用の衣服は「ロゴル」と呼ばれる。さらに、「シャンラック」と呼ばれる上着も作られる。これらは、毛を内側にして着られ、厳寒に耐え得る衣服となっている。

また、毛を取った山羊、羊の皮からは、「キャルパ」と呼ばれる袋、「キャルブ」と呼ばれる小袋が作られる。これらは、大麦、小麦のみならず、小袋はバターを入れるための「マルキャル」と呼ばれる袋として用いられる。

写真コラム 5-2　毛皮鞣し

毛皮を鞣すためには、乾かし、湿った土の中に入れ、また水を掛けたりした後、手と足で圧縮し、叩き、巻き、捻る。ときには、足で蹴る。これを1日中繰り返すと、皮は柔らかくなる。

また、毛を取る場合は、土の中に半日から1日入れて、少し腐ったところで、棒に毛皮を掛けてナイフで毛を抜き取る。これらすべての作業は大人の男の仕事である。

30

家畜の再生産と危機管理戦略

★たすけあうこころの制度的発動★

ヤクの再生産に関して、4～9人からなる裕福なテントでは、雄ヤク1頭、去勢ヤク14頭、ディモ10頭の合計25頭を所有している。年間4～7頭の出産があり、出産後すぐの子ヤクの死亡が0～3頭、1年以内の死亡が0～2頭あり、1年後に生き残るのは0～7頭であるが、通常5頭は生き残る。したがって、年間のヤクの再生産率は20％となる。

さらに、年間に自家消費の食肉用に畜殺されるヤクは去勢ヤク1頭、ディモ1頭の計2頭、売られるヤクは去勢ヤク1頭、ディモ2頭の計3頭である。したがって、この5頭を減ずれば、実質的にヤクの頭数の増減はなくなる。彼らは、ヤクを増やしたいが、十分な量の牧草はない。このため、ヤクの頭数は25頭までにする。なお、自給自足のために、テントでは3頭の去勢ヤク、4頭のディモの計7頭が必要である。

ヤクが年を取ると、彼らはヤクを畜殺する。この時、他のテントの人びとと肉を半分ずつ分け合う。この2者間による分配は、「ペトマ（チョス）」と呼ばれる。じっさい、ヤクそのものが、両者にとってペトマのこともある。なお、3者以上による分配は、「ズゴス」と呼ばれる。

山羊の場合、100頭の山羊がいれば、その内40頭は雌山羊である。2〜3頭は出産しないので、37〜38頭が出産する。暖冬であれば4〜5頭の子山羊が死産となるが、冬が寒ければ10頭が死産となる。出産後15日以内におおむね10頭の子山羊が死亡する。その結果、17〜24頭の子羊が毎年生まれることになる。出産時、および出産後15日以内に子山羊は子羊よりも多く死ぬ。子山羊には多くの毛がなく、耐寒性が低いためである。

15日以降、子山羊はそれほど多くは死なないが、1年以内には3〜4頭の子山羊がオオカミに殺される。したがって、山羊の年間の再生産率は13〜21%となる。

羊の場合、100頭の羊の内、40頭は雌羊である。毎年、出産しない1〜2頭を除いて、38〜39頭の子羊が産まれる。もし、暖冬であれば出産時に死亡する子羊はいないが、非常に寒い年であれ3〜4頭は死産となる。また、出産後15日間に、毎年4〜5頭の子羊が死ぬ。その結果、29〜35頭の子羊が毎年、生まれることになる。

15日以降はあまり死なないが、1年以内には3〜4頭の子羊が死亡する。これは、母羊が十分な乳を出さないこと、オオカミや鷲によって殺されること、迷子になって戻ってこないことが原因である。したがって、羊の年間の再生産率は25〜32%となる。この値は山羊の再生産率よりも10%ほど高い。

これらの山羊、羊の内、自家消費用に年間に畜殺する頭数は、山羊が3〜4頭、羊が4頭である。さらに、彼らは5頭の山羊、20頭の羊を売る。彼らは、200頭の山羊、羊がいれば、年間で20〜25頭増加させるべきだと考えている。しかし、300頭を超えると、牧草の量が限られるため、飼育することはできない。また、放牧するための人員不足にも直面することになる。したがって、300頭の山羊、羊が現実的に頭数の上限となる。

また、山羊、羊の頭数の下限は、かつては25～30頭であった。彼らは、この頭数で生活できるが、同時に裕福なテントの家畜の世話をするために使用人としてはたらき、食物を貰わねばならない。また、3～5人からなるテントでの自給自足のためには、20頭の山羊と30頭の羊の合計50頭が必要である。これは、自己の充足という意味の「ランボス」と呼ばれる。

もっとも、現在では、生活するためには、少なくとも100頭の山羊、羊が必要である。これだけの頭数があれば、十分余裕のある生活が可能である。今日では、家畜の値段が高くなっており、10頭の羊を売れば、1万ルピーが得られる。したがって、100頭の山羊、羊から、パシュミナ、羊毛、山羊、羊を売ることにより、2万5000～3万ルピーを稼ぐことができる。

今日では、政府は遊牧民に対して干し草を供与する。このため、遊牧民はより多くの家畜を飼うことができる。さらに、政府は家畜を購入するための融資をする。結果的に、彼らはさらに多くの家畜を飼うことができるようになった。

それにもかかわらず、テント間には貧富の差がある。裕福なテントの人は「チュポ」と呼ばれ、貧乏なテントの人は、地獄のような悲惨な者という意味の「ニャルバチェン」と呼ばれる。

裕福になるか、貧乏になるかは、自然条件によるところが大きい。豪雪は3年、ときには4年に一度、普通に起きる。最悪の年には、すべての子山羊、子羊は死に、100頭の山羊、羊の内、20頭の親しか生き残らない。300頭の山羊、羊であれば、50頭しか残らない。

家畜の頭数が非常に減少し、生活を維持することができなくなった時、家計の状況が良ければ、家

写真30-1　雪に覆われた冬期のチャンタン高原（写真右手後に少し見えているのはツォモリリ湖）

畜を購入する。しかし、貧乏な場合は、レーに出て労働者としてはたらく。かつては、他のテントに行き、そこの人びとのために使用人としてはたらいた。

サマン－ロクチェン遊牧民で現在65歳のST氏の父は、コルゾック集団の所に行き、残ったわずかの家畜を裕福なテントの家畜と一緒にして、食事を貰いながらそのテントのためにはたらいた。彼には4人の子どもがいたが、それぞれに独立したテントと毎年2頭の山羊、羊を与え、彼ら自身も毎年2頭の山羊、羊を買い足した。こうして、年ごとに家畜の頭数は増加していった。

そこで、彼は、人びとを招待して、乞う酒という意味の「ロンチャン」と呼ばれる援助を要請するための儀式をおこなった。その結果、それぞれのテントから、彼らの自由意思に基づいて、1頭ずつの山羊、あるいは羊が与えられ、彼は30頭の家畜を得た。これは、1年後には、60頭の山羊、羊となり、現在では、彼は300頭以上の山羊、羊を所有する。

ラダックでは、同様の慣習が、梁材の酒という意味の「ドゥンマチャン」と呼ばれる儀式に見られる。これは、ある人が家を建てる時に木材が不足していれば、十分な量の木材を持っている友人や親族を招待する。もし、彼らが木材を提供してもよいと考えれば、招待に応じる。木材を得るには何年もかかってポプラの樹を育てなければならない。したがって、彼らも次には逆の立場になるかも知れないのである。

遊牧民にとっては、誰もがいつでも家畜を失う可能性がある。ロンチャンは、他者が困っている時には他者を助け、自分が困っている時には他者に助けられるという時間差のある互恵性によって成り立っている。

したがって、家畜を請うロンチャン、あるいは木材を請うドゥンマチャンは、集団内の互恵性に基づいた相互扶助の制度である。この慣習は、集団の生存のための危機管理戦略の操作である。事実、ロンチャンをおこなうことは、恥ずべきことではないとされているのである。

（煎本　孝）

31

危機管理戦略と人口移動

★チャンタン遊牧民のレーへの移住★

チャンタン遊牧民は、定住農耕民は遊牧民と比較してより良い生活状況にあると考えている。その理由は、農耕民は家畜だけではなく、畑を持っているからである。遊牧民は家畜しか持っていないので、もし家畜が死ぬとすべてを失うことになる。

彼らは、家畜を失った時のために、子どもたちが生活できるように村の畑を購入し、保険としての資産を確保する。また、それまでの間、「シャス」と呼ばれる貸借契約により畑の資産運用をおこなう。さらに、冬期間レーに居住し、賃金労働や交易商人としてのビジネスに従事し、チャンタンに残した家畜については、「チョルツェ」と呼ばれる委託契約を結び管理を委託する。

レーへの移住は、遊牧活動の転換を意味する。しかし、厳しい生活環境における生存という観点から、この転換はいきるための柔軟な危機管理戦略と見ることができる。

チベット人の難民キャンプへの受け入れは、1959年以降、レー近郊のチョクラムサで進められた。その後、ラダックのチャンタン遊牧民の定住化への政府の支援は1980年代から本格化する。

レーへの定住化は、チャンタン高原における遊牧生活の不安定性と冬の厳しさ、そして子どもの教育を考えた結果である。さらに、それを可能にしたのは、政府の住宅支援に加え、ラダックの現代化に伴う賃金労働者の雇用機会の拡大である。

政府の集団居住地（ハウジング・コロニー）は、地方からレーに移住してはたらく人びとに住宅や住宅地を提供するのが目的であり、チャンパのみならずザンスカールなど遠隔地からの人びとを対象としている。また、ラダックの現代化とは、1980年代からの急激な観光産業の発展による社会基盤の整備、レーの都市化、経済活動の多様化と労働人口の移動を伴う社会経済的変化である。

写真31-1　レーを訪れたチャンパ

この結果、1970年代から1990〜91年までの約20年間で、サマン―ロクチェン集団の70テントの内20テントがレーに移住した。さらに、カルナック集団の70テントの内、半数はレーのチョクラムサに隣接する場所に「カルナックリン」と呼ばれる新たな居住地を作り、そこにまとまって移住した。

2011年におけるラダック、レー地区の都市部での世帯数は2627、寄宿者にいる者や家を持たない者を含めた総人口は1万4801人（男8891人、女5910人）、従来から住んでいる指定部族としてのラダック人の人口は5677人（男2800人、女2877人）であり、外部からの労働者、とりわけ男の人口が多くなっている。

チャンタン遊牧民のレーへの移住は、政府による住宅支援やラダックの現代化のなかでの都市部における雇用機会の可能性が、正の誘因となっている。レーでの住宅支援は、農村で家屋や畑を買うことと比較すれば、誰にも可能な絶好の機会である。さらに、子どもたちのことを考えれば、教育は将来への危機管理戦略としての投資となる。政府の住宅支援や教育支援は、彼らの危機管理戦略を後押しするものである。

しかし、すべての移住者がビジネスを成功させるという保証はない。逆に、最近では、カルナックからカルナックリン居住地への移住者が、世代を経て伝統を失い雇用もないという状況にあること、そこでは伝統的な織物を手工業として生活の活路とする努力が見られることが報告されている。

もっとも、政府は遊牧民の定住化を推進しているわけではない。１９８９年のインド政府による「憲法指定部族法令１９８９」によりチャンパも指定部族とされ、政府によるチャンタンでの食料や燃料の配給がなされるようになった。さらに最近の２０１５〜２０２０年には、政府はレーへの定住化の傾向とは逆に、チャンタンにおけるパシュミナ産業の発展をラダックの主要産業として支援し、同時にチャンタンでの遊牧民の子どもたちのための学校教育の充実を図ろうとしている。

新たに発足した連邦直轄領（ＵＴ）ラダックはチャンタンでのパシュミナ開発計画を推進する。パシュミナは伝統的にインド国内外の貿易品である高級ショールなどの原料である。しかし、チャンタン遊牧民のレーへの大規模な定住により、この生産体制の維持が危惧されることになる。そこで、連邦直轄領（ＵＴ）ラダックは総裁代理（副総裁）の主導のもと、冬期の家畜の餌のチャンタンへの投入、学校教育設備の拡充、越冬地における定住家屋の建設など、遊牧（半定住）生活のためのインフラ整備に乗り出す。

さらに、チャンタンの文化をラダックの観光産業に活用する目的で、UTラダック観光局との共催のもと、ラダック芸術文化言語アカデミー（LAACL）により、2021年、コルゾックにおいて「ラダック遊牧祭」が開始された。また、カルナックにおいても、ラダック文化アカデミーは2日間に渡る「民俗音楽の夕べ」を開催し、レーのカルナックリンから47定住家族の67名が参加した。この数十年間にカルナックからレーに定住した人びとは、チャンタンへの再移住を決意しており、この行事は若者たちが彼らの祖先の地を訪れ、大地と人びとの再結合を目的とするものとされる。

これらチャンタンにおけるインフラ整備、文化行事の開催、チャンタンへの再移住の動向は、UTラダック主導で進められる経済政策によるものである。パシュミナの生産と観光産業の開発がその目的であり、そのための人材の再配置である。もちろん、レーでの定住が経済的に困難であり、これを転換するためのUTラダックによる政策として解釈することも可能である。

じっさい、チャンタンへの再移住は、レーでの定住生活が上手くいっていない証拠でもある。UTラダックの経済政策の推進により、チャンタンでの生活の支援が得られれば、チャンタンへの再移住は彼らの選択肢となり得る。生活の支援は、彼らがチャンタンからレーに移住した時にも誘因となったものである。彼らは、生活の不安定性に対応する危機管理戦略を現在も柔軟に操作しているのである。

さらに、この政策のもう一つの隠された理由として、インド領ラダックとチベット自治区の間の国境地帯（管理ライン）における無人化を防ぐという目的があるかも知れない。そこが無人地帯になれば、

2020~2022年のアクサイチンの管理ライン上に位置するガルワン渓谷での中印武力衝突という最近の国境紛争状況から見て、容易に侵略を許すことが予想されるからである。

そもそも、ジャム・カシミール州がカシミールとラダックに分離され、それぞれがインド連邦直轄領となったのは、西部方面ではパキスタン、北部、東部方面では中国共産主義政権と対峙する必要があったからに他ならない。チャンタンにおける経済政策の推進は、この目的に沿ったものともなっているのである。したがって、チャンタンへの再移住は国家レベルでの危機管理戦略と呼べるかも知れない。

(煎本　孝)

コラム6

チャンタン遊牧民のカレンダー

煎本　孝

チャンタン遊牧民チャンパの伝統的カレンダーは、家畜の繁殖、出産、放牧、毛刈りといった家畜の生態と管理をはじめ、牧草の生育、寒さの到来という自然環境の変化、さらにはチベット暦1月15日、4月15日、6月10日というブッダの誕生日やパドマサムバヴァの誕生日に縁のある祝祭日、11月1日というラダックのローサル（新年）に関連づけて構成されている（表コラム6—1）。

1年を春夏秋冬の4季節に分け、それぞれに3か月を配置する。ただし、10月と12月には特定の月の名称はない。もっとも、11月には「チュウチックパ・サ・ガス：11月（は）・土地（に）・ひびが入る」との言い習わしがある。同様に、12月には「チュウニスパ・ト・ガス：12月（は）・石（に）・ひびが入る」との言い習わしもある。このように特定の時の名称がない場合には、例を挙げてこのような時が来たと表現し、お互いの意思疎通を図る。

彼らのカレンダーに沿って1年を辿ると、チベット暦1月に春が始まり、子羊が産まれる。1月15日はサマン—ロクチェン集団全員がポンカナウに集いラーへの奉納がおこなわれる。やがて、子山羊が産まれ（2月）、緑の草が生育する（3月）。4月は夏の始まりで、4月15日のブッダの誕生日にはラーへの奉納がおこなわれる。成長した子羊や子山羊などの家畜を朝の放牧に連れ出し（5月）、6月10日のパドマサムバヴァに縁のある祝祭日には夏場所でラーへの奉納と競馬がおこなわれ、また羊毛や山羊のパシュミナの毛刈りがおこなわれる（6月）。

7月は秋の始まりで、繁殖のため雄羊を放つ。

表コラム 6-1　チャンタン遊牧民のカレンダー

季節	チベット暦	ラダック語		
		発音仮名表記	ラダック語表記	意味
春		スピット	dpyid	春
	1月 (春の始まり)	スピルダグズックソン	dpyid zla 'go zug song	春・月・始まり・来る：春の月が始まる
	1月	ルグティチェソン	lu gu 'khrid byed song	子羊・導く（取り出す）・来る：子羊を取り出す（出産する）時
		タンペチョガタンチェスソン	dang pa'i bco lnga gtang byes song	1月・15日・与える・なった：1月15日を祝う時
	2月	リグティチェソン	ri gu 'khrid byed song	子山羊・導く（取り出す）・来る：子山羊を取り出す（出産する）時
		ゴルツェギョクパタントック	sngo rtswa mgyogs pa btang dog	緑の草・早く・育つ：緑の草が早く育つ
	3月	ゴルツェスタンチェソン	sngo rtswa'i tang byes song	緑の草・与える・来る：緑の草が育つ時
夏		ヤル	dbyar	夏
	4月 (夏の始まり)	ヤルダグズックソン	dbyar zla 'go zug song	夏・月・始まり・来る：夏の月が始まる
	4月	ジペチョガタンチェストゥスレップ	bzhi pa'i bco lnga gtang byes dus sleb	4月・15日・与える・時・到着した：4月15日を祝う時
	5月	トマピトソン	gro ma phing tho song	朝の放牧・連れ出す・なる：朝の放牧に連れ出す時
	6月	トゥペツェチュラン	drug pa'i tshes bcu ran	6月・10日・来る：6月10日の時
		バルレナタックトソン	bal re na brag tho song	羊毛・パシュミナ・刈る・時・来る：羊毛とパシュミナを刈る時
秋		ストン	ston	秋
	7月 (秋の始まり)	ストンダグズックソン	ston zla 'go zug song	秋・月・始まり・来る：秋の月が始まる
	7月	ヤンルプットソン	g.yang lug phud song	雄羊・放つ・来る：雄羊が放たれる時
	8月	ヤンラプットソン	g.yang ra phud song	雄山羊・放つ・来る：雄山羊が放たれる時
	9月	タンバプチェソン	grang 'bab byes song	寒さ・降りてくる・なる：寒くなる時
冬		グン	dgun	冬
	10月 (冬の始まり)	グンダグズックソン	dgun zla 'go zug song	冬・月・始まり・来る：冬の月が始まる
	10月	—	—	—
	11月	ローサルレップドゥック	lo gsar sleb 'dug	ローサル（新年）・来る・ある：ローサル（新年）が来る時
	12月	—	—	—

コラム6

チャンタン遊牧民のカレンダー

写真コラム6-1　チャンタン高原のツォモリリ湖

その1か月後には繁殖のため雄山羊を放つ（8月）。これらはそれぞれ翌年の1月と2月に出産を迎えるのである。やがて寒くなる（9月）。そして、10月は冬の始まりとなる。11月にはラダックのローサル（新年）が祝われ、寒さのため大地にひびが入る。12月にはさらなる寒さによって石にひびが入ると言い習わされる。こうして、1月になり再び春を迎えるのである。

彼らのカレンダーの特徴は、第一に、自然と家畜の生態の変化に基づいていることである。羊と山羊の繁殖と出産、放牧、毛刈り、草の生育と寒さに結び付けた時の設定は8件あり、1年の周期の始まりの祝祭日としてのローサル（新年）を起点として1年の生活が完結する。このことは、ユーラシア大陸東北部のトナカイ遊牧民コリヤークの自然と動物の生態の変化、そして1年の始まりの時に基づく伝統的カレンダーと共通する。

極北の高緯度にあるコリヤークでは1年の季節を春（6月（太陽暦）の1か月）、夏（7月の1か月）、秋（8〜9月の2か月）、冬（10〜5月の8か月）に分類し、夏が短く冬が長い。これとは対照的に、中緯度に位置するラダックでは1年の季節を3か月ずつ均等に配分し、それぞれの季節の始めにその季節が始まる月という名称で各季節を区分している。

チャンタン遊牧民のカレンダーの第二の特徴は、仏教による祝祭日が組み込まれていることである。コリヤークの伝統的カレンダーとはこの点で相違が見られる。コリヤークが自然の循環のなかで儀礼をおこなうのに対して、チャンパはラー、ツァン、ルーという地域固有の神々への奉納と伝統的な競馬という祭礼の日に関しても仏教の影響を受けているのである。

第3に、彼らが1年という時間をどのように認識しているかという視点からは、年間の季節変化をはじめ、春の家畜の出産、夏の放牧と毛刈り、秋の繁殖、そして冬の非活動期という家畜の生態と管理を、毎年繰りかえされる循環と見ていることがうかがえる。すなわち、家畜の生態と一体となった遊牧民の生活の循環がカレンダーの基軸をなしている。ここに、神々やブッダに関する儀礼や祭礼日が組み込まれ、チベット暦の月と対応させているのである。

VII

交易経済

32

短距離／中距離交易

★ともにいきるこころと共生関係★

ラダックには、標高2500mから4700mに至る標高差2000m以上に及ぶバルティスタン、下手ラダック、上手ラダック、ザンスカール、チャンタンなど異なる地域がある。これらの地域における生態と活動の多様性は生産物の地域差を生みだす。低標高地域における大麦や小麦などの農耕生産物、あんずなど果樹栽培による生産物と、高標高地域におけるバター、チーズなどの乳製品、羊毛やパシュミナなどの牧畜による生産物が、交易品として地域内の短距離交易、および地域間の中距離交易によって交換される。

カラツェ村は、ダーハヌ村との間の短距離交易、バルティスタンやザンスカールとの間の中距離交易に見られるように、カラツェ村に不足するバターなどを得るという自家消費のための交易おこなう。さらに、チャンタンで大麦、小麦と交換された羊毛や塩は、ザンスカール、下手ラダック、バルティスタンに運ばれ、生活必需品として消費される。すなわち、異なる地域の生産物を交換することにより、それぞれの地域の生活が相互に補完される。したがって、これらの地域は生態学的には共生関係を形成する。

同時に、スリナガル、バルティスタン、ラホール、ラダック、ザンスカール、チャンタンの地域間を結ぶ中距離交易では、カラツェをはじめ下手ラダックの村々は、二者間の直接的交換だけではなく、手に入れた交易品を他の地域との交易に再び利用するという中継交易をおこなう。また、物々交換だけではなく、貨幣による取引もおこなう。したがって、彼らは本格的な交易商人であり、交易は商業として成立している。交易の経済という視点からは、交易商品の価格や交換率が地域により異なり、この差額によって生じる利益が交易を商業として成り立たせていることになる。

たとえば、あんずの生産地は、カラツェ村など下手ラダックとバルティスタンである。とくに、ハルマンから得られる上質の干しあんずであるパティインの本場は、バルティスタンのカプル、シガール、スカルドなどの村々である。カラツェ村の人びとは、自分の村であんずを栽培、収穫、加工するのみならず、バルティスタンなどからパティインを交易によって得る。そして、これらのパティインをさらなる交易品としてチャンタンやザンスカールに持って行き、交易するのである。

カラツェ村で販売される干しあんずは、質の良いパティインは、1kg当たり40ルピー、質の劣るンガルモやカンテのリルティインで36ルピーである。チャンタンでのパティインの価格は、1キログラム当たり60ルピーになるため、その利益率は50％となる。

写真32-1　荷物運搬に使用されるヤク、ゾー

写真 32-2　バルティスタン、スカルドのバザール

写真 32-3　ラホール、マナリのバザール

　さらに、カラツェ村の人びとは、チャンタンでの交易により得た羊毛や塩を、バルティスタンや下手ラダックのハヌ村、カシミールのスリナガルでの交易に用いる。そして、バルティスタンで得たパティン、スリナガルで得た茶葉や衣服などの商品を、チャンタンやザンスカールに持って行き、交易品として用いる。

　また、羊毛の価格は、チャンタンでは１９９１年時点で１バティ当たり１２０ルピーである。これに対して、レーでの１９９１年の羊毛の価格は１バティ当たり１６０ルピーであり、チャンタンでの価格より高い。羊毛を生産地のチャンタンからレーに運ぶことにより、価格は上昇する。この際の利益率は33・3％になる。

　なお、チャンタンとレーでの羊毛と大麦、小麦、大麦粉の物々交換率はチャンタンよりもレーの方が良く、その利益率は、大麦で41・6％、小麦で35・7％、大麦粉で１００％となる。このように、羊毛の価値がチャンタンよりレーの方が高いため、チャンパは、チャンタンにやって来た交易商人との間で羊毛を取り引きするのみならず、自らが交易者となり、レーに行き羊毛を売るのである。

このように、ラダックでは、各地域を結ぶ交易網が形成され、それぞれの地域における独自の生産物が交易商品として用いられる。下手ラダックでは干しあんずのパティン、チャンタンでは羊毛、塩、食肉用家畜、ザンスカールではバターと干しチーズなどである。チャンタンで生産される山羊の内毛であるパシュミナは特別の交易商品であり、現金でのみ取引される。また、これは、カシミールやラホールの専業交易商人が買い付け、高価なショールなどに織られて輸出用商品とされる。

したがって、交易は地域間の共生関係の形成という生態学的役割のみならず、専業交易者が地域間を結ぶことによって成り立つ商業活動となる。また、各地域における独自の生産物は、商品経済のための交易商品としての意味を持つことになる。

交易という活動は、それが自家消費のための必要な生産物の交換であれ、専業交易者による商業活動であれ、地域内や地域間において、互恵性に基づく人びとの間の共生関係を形成する。この関係は、自利と利他、すなわち自分だけではなく他者とともにいきるこころによって支えられている。したがって、ともにいきるこころにより交易活動は成り立っており、同時に交易活動を通して人びとはこのこころを育てることになる。

たとえば、ザンスカール西部カルギル側、スル渓谷におけるジュルド村とその下流にあるパラカチック村の間では、牝牛、ヤク、ゾー、ゾモ、山羊、羊などの家畜と、大麦、小麦の交換がおこなわれている。ジュルド村の人びとは仏教徒であるのに対し、パラカチック村のバルティの人びとはムスリムである。

しかし、彼らは、お互いに仏教徒もムスリムも同じであるという。パラカチック村とジュルド村の人びとは相互に村を訪れ、茶を供され、また家に泊まることもある。また、彼らはお互いに、友人と呼び合う。ジュルド村の人びとは、ラダック（ザンスカール）語で友人を「ザホ」と呼び、パラカチック村の人びとは、バルティ語で友人を「シェスカン」と呼び合う。彼らは、友人の証しに、美しいスプーン、鍋、大きなスプーンなどの贈り物を交換する。

さらに、1980年、非常に貧乏なジュルド村の人びとは食物に不足したため、8〜9月にパラカチック村に来て、大麦、小麦を乞うた。そこで、パラカチック村の人びとは、彼らに大麦、小麦を無償で与えた。交易活動は、両村の間に共生関係を成立させ、人びととの間には宗教の違いはあっても、友人関係が形成されたのである。

（煎本　孝）

33

国家間長距離交易と輸出入関税

★ラダック王国の交易経済★

ラダック王国時代から1950年の東トルキスタンとの国境閉鎖、1959年のチベット蜂起とダライ・ラマ14世のインド亡命によるチベットとの国境閉鎖までは、スリナガルから首都のレーに至る交易、そこから中央アジアのコータンやヤルカンドを結ぶ交易、さらにレーからチベットの首都であるラサに至る交易がおこなわれていた。

スリナガルからレーを経てヤルカンドに至る全行程距離は1122・4km、全累積登攀高度は1万1459mとなる（図33—1）。カシミールからレーを経て中央アジアのヤルカンドに至るには2か月半を要した。また、レーからパンゴン湖東端のルトックを経てチベットの標高3650mのラサに至る交易路は距離2059kmである。これらの交易路は、ユーラシア大陸を東西に繋ぐいわゆるシルクロードから派生して南にインド、チベットを結ぶルートとなる。

カシミールにおいては、交易路の途中、峠に監視所が設けられ、同時に税関としての役割も果たし、「サウルキカス」と呼ばれる税関吏が輸入品、輸出品に対して課税をおこなった。カシミール王統史によれば、この輸出入関税は領主の重要な財源

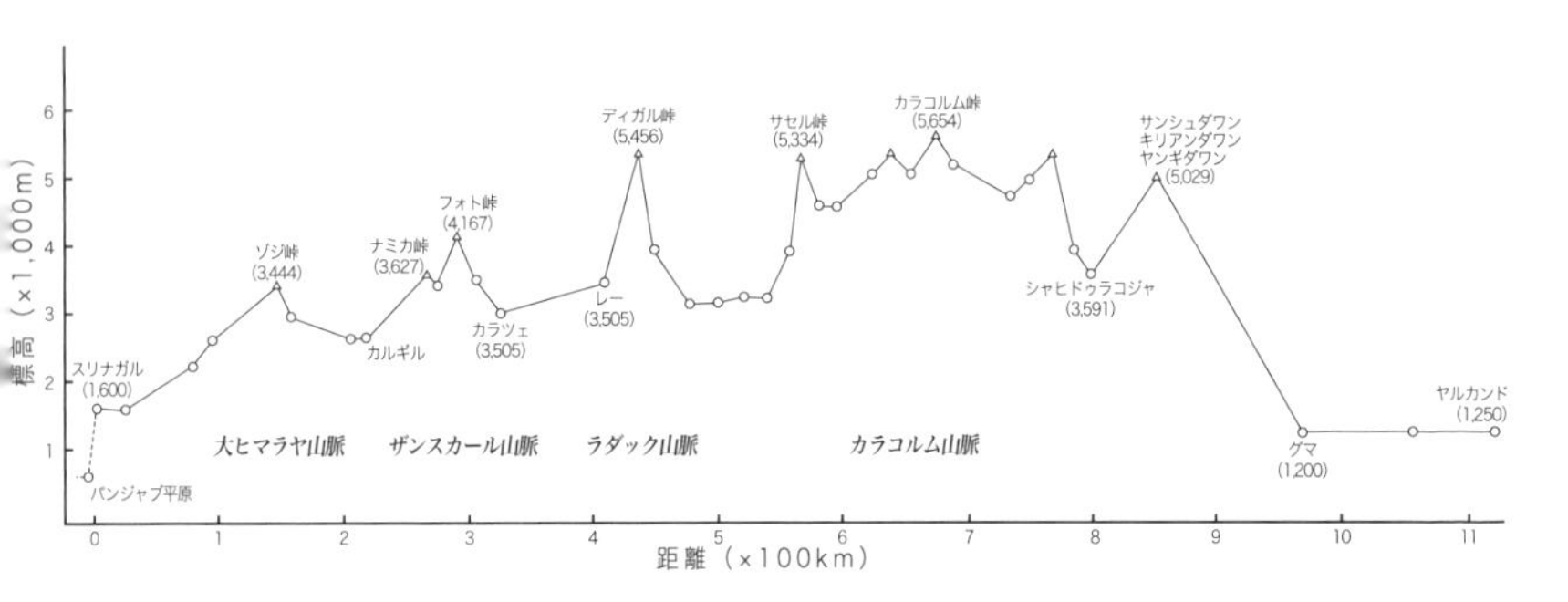

図 33-1　ラダック王国レー経由でスリナガルからヤルカンドに至る長距離交易路の垂直断面図
注：煎本 孝 1986「ラダック王国史の人類学的考察」『国立民族学博物館研究報告』11巻2号、403-455頁、図2（Government of India 1890 (*rep.* 1974) *Gazetteer of Kashmir and Ladakh*. The Superintendent of Government Printing の資料に準拠して作成）を改変

写真 33-1　カシミール、スリナガルの大通り

となっていた。
　また、ラダックのレーからチベットのラサへの交易路の途中にも、国境であるパンゴン湖東端に位置するルトックにチベットの前進基地があった。この交易路には25の宿場があり、幕舎、家屋は約200名の旅行者を収容することができた。これらの宿場は官吏の責任下に置かれ、郵便物などを運搬するためのヤクなどの家畜の供給の任を負っていた。
　交易路は険峻であり、通行には地理的困難の他、戦争、強盗などの危険が伴った。交易品の運搬には馬、ロバ、ラバが使用されたが、南西部においてはヒトコブラクダ、寒冷地においてはフタコブラクダ、さらに高標高においてはヤク、ヤクと牛の雑種が用いられた。

したがって、カシミールからラダック経由でチベットに至る交易は、「ラサに行った者は二度とは戻らず、もし戻ることがあれば、その者は永久に金持ちである」というカシミールの諺によって表現されるように、交易の困難さと同時にその利潤は大きかった。

ラダックにおける地域内の片道100km程度の近距離交易、地域間の片道200～400km程度の中距離交易と比較すれば、これらの交易は片道400～2000kmにも及ぶ大規模な国家間の長距離

写真33-2　ヤルカンドとの交易にはフタコブラクダも使用された（ヌブラ）（背景の山脈の彼方はカラコルム山脈を越え中央アジアのヤルカンドに続く、フタコブラクダの側に立つのは著者の山田）

写真33-3　チベット、ラサのトゥルナン（チョカン）寺（周囲には巡回路とバザールがある）

VII. 貴金属・宝石	1. 銀（棒、鋳塊） 2. 金 3. 金糸 4. 銀 5. 銀糸 6. トルコ石（ペルシャ由来） 7. ムンガ（サンゴ石）	1. 真珠
VIII. その他	1. 石鹸 2. ポニー	1. 藍（染料） 2. アオサギ羽毛飾り 3. 靴（ヌルプール産）

注：煎本孝 1986「ラダック王国史の人類学的考察」『国立民族学博物館研究報告』11(2)：420（Cunningham, Sir A. 1854 Ladakh, Physical, Statistical and Historical, with Notices of the Surrounding Countries. London: Wm. H. Allen and Co., p. 241-244. の資料に基づいて作成）。（括弧）は交易品の産地や内容、［原料］、［製品］は交易品における原料と製品の区別を示す。

交易ということができる。

S・A・カニンガムの統計資料によると、19世紀中頃のラダック全体の交易品の年間総額１０２万９３５０ルピーの内、国内交易の占める割合は０・７％にすぎず、国外交易の内、国内生産物の輸出は全体の７・８％、外国製品の輸入および輸出の割合はそれぞれ47・４％と44・１％で、その合計は91・５％に達する。すなわち、国外交易の内、国外生産物の輸出入が大きな割合になっており、ラダックの交易経済にとって最も重要な位置を占める。

この重要性は、製品価格総額の大きさによるものだけではなく、輸出入に関する関税に由来する。すなわち、中央アジアやチベットからラダックに輸入される品物は課税対象となるが、この同じ品物がラダックから国外に輸出される時に再び課税されることになるのである。

同様に、インドから中央アジアやチベットに運ばれる品物に対しても、中継地のラダックにおいて輸入税と輸出税が課される。国外輸出入生産品の総計94万１８５０ルピーに対して、輸入税は９７４１ルピー、輸出税は６７００ルピーで、その合計

第33章

国家間長距離交易と輸出入関税

表33-1　ラダックの国家間長距離交易における輸出入交易品

	中央アジア・チベット産インド向け輸入品	インド産中央アジア・チベット向け輸出品
I.　毛織	1. ショールウール（パシュム）（チャンタン・ルトック産山羊毛）［原料］ 2. フェルト［製品］ 3. スクラート（ラクダ織）［製品］ 4. カーペット（コータン産）［製品］	1. ショール（粗肩掛）［製品］ 2. ジャミワール（肩掛布）［製品］ 3. 錦布（粗）［製品］
II.　毛皮	1. ブルガー（ロシア産毛皮） 2. クンドゥズ（クロテン毛皮） 3. ガマ（黒皮） 4. キムサン（黄金色皮） 5. サグリ（緑皮）	1. ラキ（ヌルプール産赤染山羊皮） 2. カワウソ毛皮
III.　綿布	1. パルチャサムスン（粗木綿布）［製品］ 2. パルチャズック（粗木綿布）［製品］	1. 綿（開花）［原料］ 2. 綿（粗綿）［原料］ 3. 綿（薄綿）［原料］ 4. チンツェ（更紗）［製品］ 5. ターバン（かぶりもの）［製品］
IV.　絹織	1. ビロード（粗、繊細）［製品］ 2. マシュル（イリチ・コータン産粗絹織）［製品］ 3. シリン（繊細絹羊毛織）［製品］ 4. 絹（生糸、絹織）［原料］［製品］	1. ルンギ（ムルタン産腰布）［製品］
V.　麻布	1. ラカ（大麻布）［製品］	
VI.　嗜好品・薬用品	1. 砂糖飴［製品］ 2. チャラス（大麻抽出物） 3. 茶（緑茶、紅茶） 4. リワンドチニ（大黄根・薬用） 5. チョブチニ（中国根・薬用） 6. ブルイダルチニ 7. ムシュカナファ（麝香） 8. 煙草 9. 葡萄 10. ピスタチオの実（香料・薬用） 11. バディアンキタイ（中国あんずの実） 12. マミラ（黄色根・目薬用） 13. ガラパター（腫れた首の治療薬用） 14. ムルハティ（甘草根・薬用） 15. ゼダーリ（ネパール産植物根茎・薬用） 16. 塩（チャンタン産）	1. グル（粗砂糖）［原料］ 2. 阿片 3. ウコン（染料・香辛料） 4. ショウズク（香味料・薬用） 5. 生姜（香辛料・薬用） 6. チョウジ（香料・薬用） 7. 黒胡椒（香辛料） 8. 蜂蜜 9. タマリンド（料理用・薬用） 10. レモン（果汁飲料） 11. アシ根（香料・薬用） 12. トゥルバット（サンシキヒルガオ根・薬用） 13. ハビリスタン 14. タルマ（ナツメヤシの実・食用） 15. 塩

は1万6441ルピーとなる。このことから、ラダックの交易経済は中継交易の特徴を持つことが分かる。

この中継交易品の内、毛織原料は「パシュム（パシュミナ）」と呼ばれるチャンタン、ルトック産の山羊毛であり、ラダック経由でカシミールに輸出される。カシミールにおいて、これら原料は肩掛け、錦織などの加工製品となり、再びラダック経由でヤルカンドに輸出される。パシュムおよび肩掛けは、量、価格においてラダックの交易経済における主要交易品である（表33－1）。

また、綿の原料はインドからラダック経由でヤルカンドに輸出されるが、加工製品の綿布はヤルカンドから再度ラダック経由でインドへと輸出される。

ヤルカンドおよびカシミールという商業、手工業都市には、カーペット、絹、製紙など中央アジア諸都市に共通する手工業が見られる。とくにカシミールにおける手工業は、15世紀、カシミール王ザインウルアビディーン（1420～1470年）がサマルカンドのティムール宮廷における工芸に学んだものである。これらはムガール帝国時代、およびアフガン統治時代にカシミールの主要な手工業となる。

もっとも、それ以前からカシミールにおいては交易と商業が盛んであった。とくにマウリア朝のアショカ王（紀元前268～232年）、さらにはクシャナ朝のカニシカ王（紀元後129～152年）の時代、カシミールは大帝国の一部となり、インドと中央アジアを結ぶ隊商基地となっていた。当時のカシミールの交易に用いられる国内製品としては、羊毛製品、サフラン（薬用、染料、香味料）、クス（香料、薬用）、少量の絹があった。また、ショールなどの毛織手工業はムガール帝国時代およびアフガン統治時代に全盛期をむかえるが、その製品はインドをはじめあらゆる地域に送られた。

カシミールは中央アジアとインドの他地域との間の中継交易経済を基盤に持ち、さらに手工業が発達した。同様に、シルクロードのオアシス都市であるヤルカンドについても、中継交易と手工業がその経済基盤となっていた。

ラダック王国の交易経済の特徴は、第一に、中央アジアとインドにおける異なる生産品の交換、第二に、山羊毛や綿の交易に関して原料輸出とその加工製品の再輸入、第三に、輸出入関税の徴収を伴う中継交易、そして第四に、中央アジアのヤルカンド、およびインドのカシミールという手工業都市の存在、それに加えてチベット高原に位置するチベットの首都ラサの存在である。

ラダックはヒマラヤ山脈北方の中央アジアと南方のインド、東方のチベットとの間において独自の生態的地位を占める。ラダック王国はこれら生態的、文化的に異なる地域の国家間を結ぶ交易路を確保することにより、交易活動を王国の経済基盤に成し得たのである。

（煎本　孝）

交易経済

34

交易商人とアルゴン

★現在に続く異民族とともにいきるこころ★

交易活動に従事する商人は多様であった。スリナガルやレーのバザールではトルコ人、チベット人、インド人、ネパール人の交易商人たちが、彼らの宿泊所、倉庫を建てていた。

とくに、カシミールの交易商人は活動が盛んで、中央アジア、チベットとの交易のため、ヤルカンド、カシュガル、チベットに商店を確立していた。18世紀初頭、カシミール交易商人は多数の代理人をラダックに置き、年間を通して羊毛を集めさせ、5月から8月になると幾千人もの男たちがカシミールからレーに向かい、この羊毛を持ち帰った。

スウェン・ヘディンによると、ドグラ戦争後、チベットとの間の政府交易はハッジ・ナゼールシャーたち一族の配下にあるカシミール交易商人にまかされた。彼の一族は約３００名を数え、ラサ、シガツェ、ガントック、ヤルカンド、スリナガルの出張店舗はすべて彼の息子たち、あるいはそのまた息子たちのもとにあった。年間の純収益は2万５０００ルピーにのぼり、彼の名前は内陸アジアの全域に知られ尊敬を集めていた。

ラダックにおいては、「アルゴン」と呼ばれる特異な交易商人の集団が認められる。彼らは東トルキスタンからの交易商人とラダック人の女との間の婚姻による子孫であり、レーと中央アジアとを結ぶ交易活動に係わる専業集団を形成していた。

もっとも、アルゴンにはカシミール人とラダック人との混血もあり、ラダックのレー、チュショットのみならず、中央アジアのカシュガル、ヤルカンド、アクス、コータンにおいてもその集団が見出され、その名称はトルコ語のアルグン（金髪、白い膚）に由来するものと考えられている。

2017年のラダック調査によれば、自身がアルゴンであるAGS氏の祖父はカシミールから来た交易商人で、レー経由でチベットからパシュミナをスリナガルに運んでいた。祖父はレーでラダック人の女と結婚し、その子孫がアルゴンとなった。アルゴンは一般的にスンニ派のムスリムである。元来、父がカシミールの交易商人だからである。

なぜ、ムスリム交易者と仏教徒であるラダックの女が結婚したのかという理由について、AGS氏は、男だけが交易者としてやって来たこと、ラダックでは一妻多夫婚により多くの女が未婚のまま取り残されていたからだという。また、女の両親は娘を結婚させたかったという。じっさい、ある家族では一妻多夫婚のもとで、本来、土地を分割できなかったにもかかわらず、結婚する娘にわずかな耕作地や財産を与えることもあった。彼らの子孫であるアルゴンは、ラダックの文化、衣服、食事などの慣習に従い、言語を母から取り入れた。また、子どもの誕生儀式などには、宗教にかかわらず相互に家を訪問する。もっとも、イスラームという宗教だけは父から相続し、それは現在でも継承している。

現在、アルゴンは、ラダックに10000〜15000人いる。1950年代に中央アジアやチベットとの交易が停止するまで、ラダック人は交易を続けていた。ラダックの60人の仏教徒の交易者と12

人のアルゴンは、チベットと直接的な交易をおこない、チベットに商品を持って行き、パシュミナや羊毛を持ち帰った。しかし、１９６２年にレーとスリナガルの間に自動車道路が開通すると、商品は車で運ばれるようになり、ラダックの交易者は小さな商店を営むことになった。

ラダックのアルゴンは、19世紀末には、中央アジアに進出を図る帝政ロシアや鎖国状態にあったチベットの動向を探るため、大英帝国インドの探検隊の隊商リーダー、通訳、案内人、馬方として活躍する。たとえば、ラッセル・ガルワンはヤングハズバンド陸軍大佐やダンモア伯爵の探検に同行し、アクサイチンに至る新ルートを発見し、ガルワン渓谷と命名されるなど高く評価された。

さらに、ラダックのクワジャ一族はアルゴンを含み、ティンスガンの交易協定に基づき、ラダック王とチベット政府との間でおこなわれる「ロチャック」と呼ばれる儀礼的交易に携わり、ラダックでは高い地位を得ていた。彼らはラサ、シガツェに土地を与えられ、ルトックにも家を持っていた。彼らの内、４名は英国政府からカーンバハドゥルの称号を受け、政府の仕事をおこなっていた。また、その内の2名はチベットに居住し、ダライ・ラマ13世と親しく、チベットのムスリム社会における争議を解決するための5人委員会の長を務めていた。彼らの子孫も歴代ダライ・ラマと親しく、現在のダライ・ラマ14世も彼らにラサの土地を提供した。しかし、１９５９年以降、彼らはラサを離れ、カシミールに移住することになった。このように、アルゴンは、交易商人としての資質と才覚により、国際的仲介者として、地域や年代を超えて活躍の場を広げてきたのである。

ラダック王国という国家の特徴は、内部完結性という閉鎖性ではなく、政治的境界および宗教的境界を越えて文化、経済交流を可能にする透過性にある。経済、文化交流の担い手はカシミール商人であり、さらに「アルゴン」と呼ばれる交易専業集団である。

彼らムスリムと仏教徒ラダック人との間には宗教的境界が存在し、両者のアイデンティティを分離する。しかし、経済活動を通して両者は共生関係にある。ムスリムであるアルゴンは、その宗教ゆえに、カシミールやヤルカンドを自由に往来し、またラダックにおいても姻戚関係と文化的共通項により活動の場を確保している。

国際的な長距離交易は、相互補完という生態的な共生関係を越えて、異民族との経済的、社会的な共生関係を形成する。このこころのはたらきは、異民族とともにいきるこころと呼ぶことができる。

ラダック王国のセンゲナムギャル王が、ムスリム交易商人の隊商にキャン

写真34-1　レー王宮下の最古のスンニ派モスク（16〜17世紀、ラダック王国センゲナムギャル王は、王宮の建つ丘の西側の麓にあるツァスソマと呼ばれる王の庭を交易者の隊商のキャンプ地として提供し、モスク（礼拝所）を建てることを許可した）

写真34-2　王宮下のスンニ派モスク内部

プ地を提供し、モスクを建てることを許可したのは、宗教の違いよりも経済活動に重きを置いたからである。また、チベット政府のダライ・ラマがカシミールのムスリム交易商人をラサで優遇したのも同様の理由からであろう。

レーやラサのみならず、中央アジアのシルクロードを結ぶオアシス都市が多民族、多宗教の人びとで溢れていたのは、交易経済に伴う異民族との共生関係が形成されていたからに他ならない。異民族とともにいきるこころが、交易商人を通した南北、東西の文化、経済交流というラダック王国の透過性を可能としているのである。

さらに、近年のスリナガルからの出稼ぎ労働者であるムスリムとラダックの仏教徒との対立においても、ラダック在住のバルティやアルゴンなどはムスリムであっても仏教徒から敵対視されなかった。彼らはラダックの歴史を共有しており、敵ではないからである。異民族とともにいきるこころは現在も続いているのである。

（煎本　孝）

35

交易経済から観光経済への転換

★新たな経済発展への戦略★

インドの独立以前、カシミールと中央アジアとの間には、主に４つの交易ルートがあった。第一はスリナガルからカブール渓谷を通って中央アジアに向かう西方ルート、第二はスリナガルからフンザ、ミンタカ峠、カラコラム山脈のクンジュラブ峠を越えて、カシュガルに向かう北方ルート、第三はバルティスタンのスカルドからバルトロ氷河を抜け、カラコラム山脈のアジル・デプサン峠を越え、ヤルカンドに向かうルート、第四がレーを通って、ヤルカンド、ホータンを結ぶルートである。ラダックの経済はカシミールと中央アジアを結ぶ第四のルートによる国際交易およびチベットとの交易の中継地として支えられていた。

しかし、独立後のインドはパキスタン、中国それぞれとの国境紛争を抱え、現在も管理ラインが両国間の事実上の国境となり、中央アジア、チベットとの往来は閉ざされてきた。中継交易の中心地として繁栄し、換金経済として重要な地位を占めていた交易活動は途絶えた。これを補うように、ラダック人の男性にはインド・チベット国境警備隊（ＩＴＢＰ）への雇用による現金収入への道が開かれ、自給自足経済から貨幣／商品経済

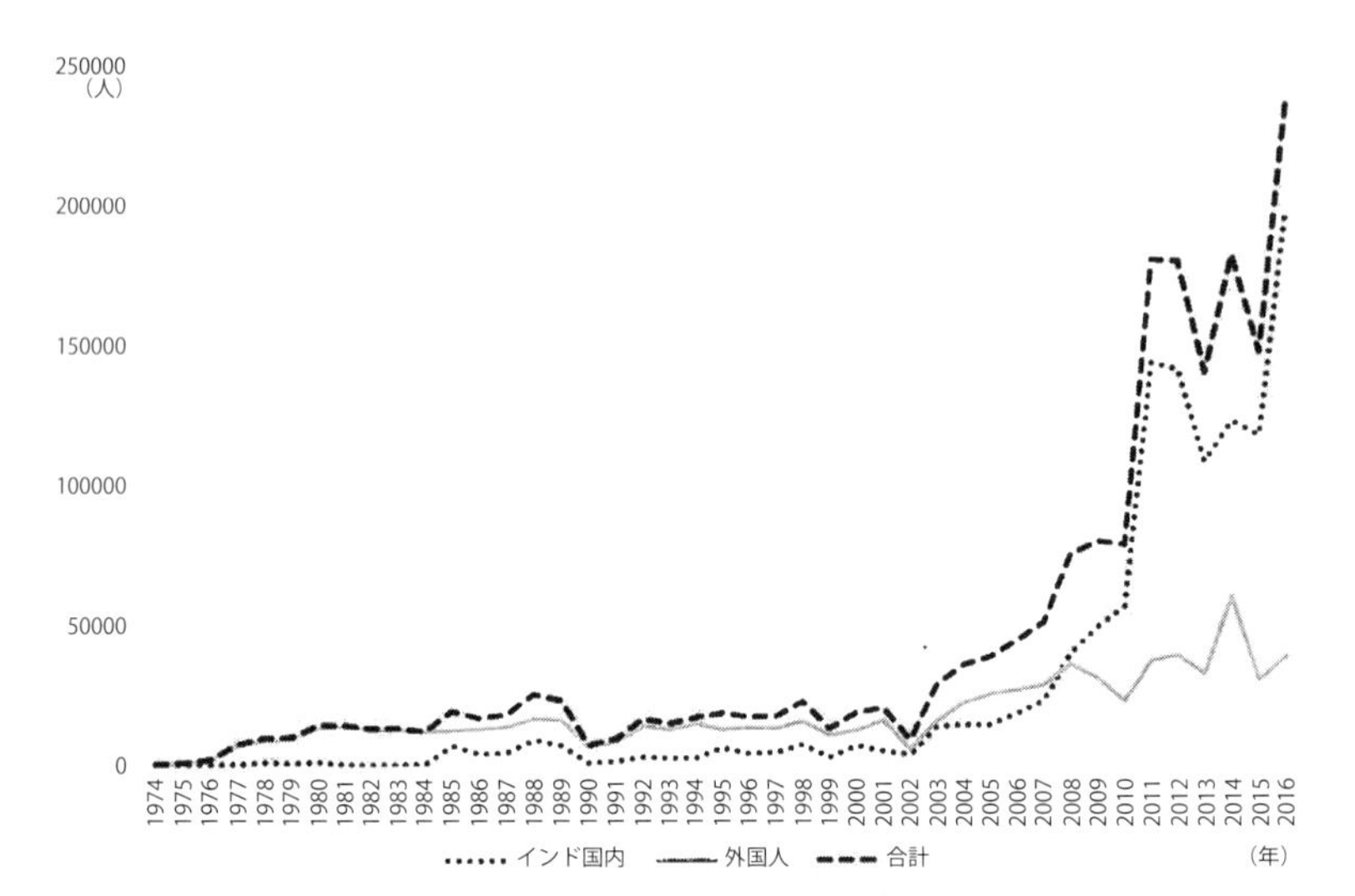

図 35-1　国内観光客・外国人観光客数の推移　1974 〜 2016
注：①ジャム・カシミール州レー観光局統計、②統計ハンドブック 2016-2017（ジャム・カシミール州、ラダック自治山麓開発評議会・レー）より筆者作成

への移行が進んできた。

１９７４年の外国人観光客への限定的開放は、レー〜スルナガル間の道路整備に合わせて、１９７５年以降盛んな商品経済の流通とともに、観光客の到来をもたらし、ラダックは外部世界からの影響を次第に受けるようになってきた。調査に着手した１９８０年代の初めはラダックの観光化がある程度進みだした時期に相当し、１９８９年後半にはレー〜マナリ間の道路も開通し、１９９０年にはレー近郊ではテレビが一般の家庭に普及していた。１９９１年には実質的に道路整備が完了し、それ以降はさらなる観光客の増大がもたらされてきた。

観光客の増加に伴い、観光客を目当てのムスリム・カシミーリの季節的移住も増加してきた。図35―1が示すように、１９７５年当時、５００人程度の観光客のほとんどは外国人であったが、外国人観光客が１９７７年には急増して７０００人を超え、１９９１年には８０００人超となる。ラダックの人口そのものも1961年の人口に対し、1991年には約2倍に増加し、レー市だけの人口をみると3倍に急増していた。

観光客増加の最初のピークは1980~81年にある。その後1988年頃までほぼ停滞し、1989~92年には一時減少するが、1993年には1986年のレベルに戻り、1万2400人ほどの外国人観光客が訪れている。図35―1をみると、2003年頃からインド国内からの観光客が増加してきたことが読み取れる。しかも2003年には1万3千人ほどであったが、2016年までには約19万7700人と約15倍に急増したことが分かる。

写真 35-1　レー、バザールの土産物店、2017 年

これに伴い、ラダックの経済は、交易経済から観光経済へと産業構造の大きな転換を果たしてきたのである。観光地化により、土産物店、観光ガイドをはじめとして、ゲストハウス、ホテルなど何らかの観光産業に携わる人びとが村落部や他州からレーの町へ移住するなど、レー市への人口流入が急激に進んでいる。とくにレー市を中心としてゲストハウスやホテルが出現し、1989年には22件のホテル、41軒のゲストハウスであったのが、2002年にはラダック地方全体で73軒のホテル、109軒のゲストハウスが観光協会に登録されていた。2011年から2016年の宿泊施設数などの動態を見ても（図35―2）、増減しながらもゲストハウス、ホテルの建設は続き、2016年にはゲストハウスは

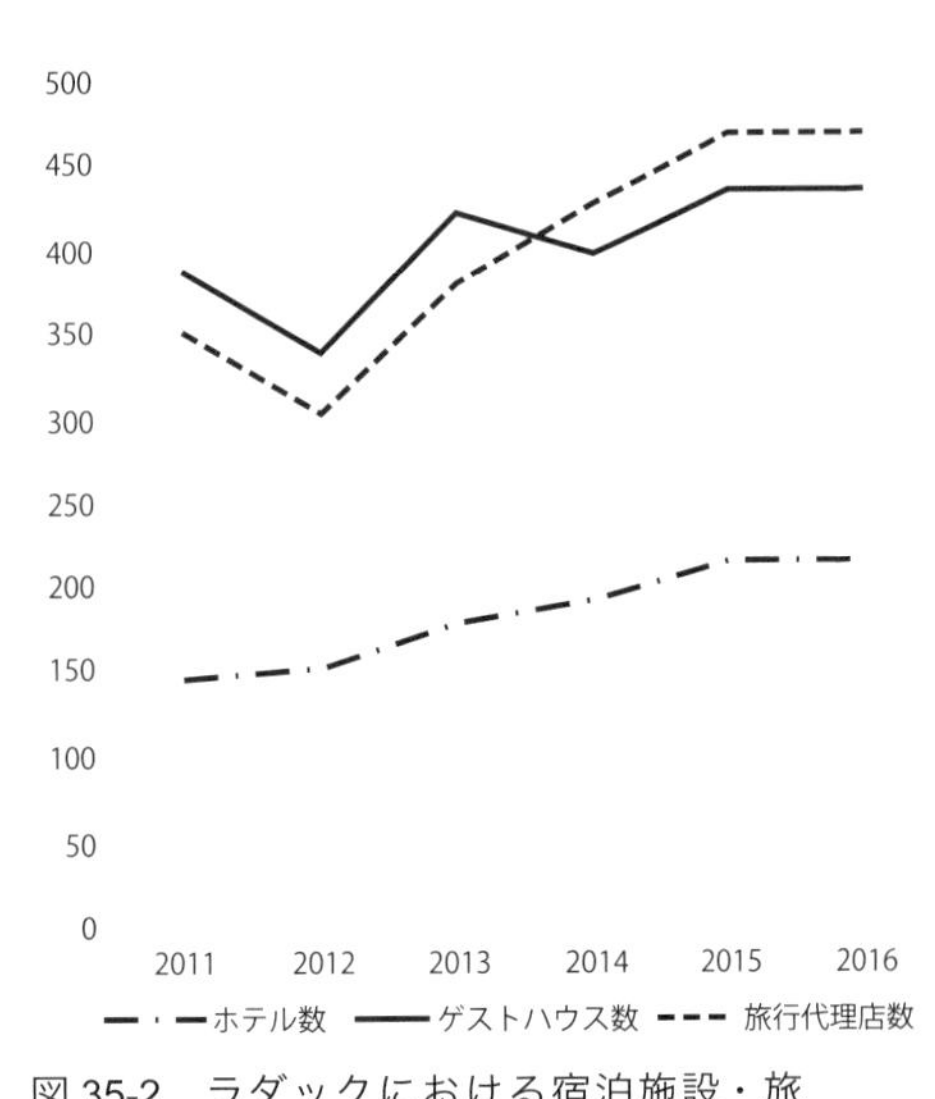

図 35-2　ラダックにおける宿泊施設・旅行代理店の推移（2011-2016 年）
出典：ジャム・カシミール州、ラダック自治山麓開発評議会（レー）統計ハンドブック 2016-2017 より筆者作成

４３３軒、ホテルは２１３軒、旅行代理店は４６８軒となっている。

観光産業への転換は、従来の自給自足的農耕・牧畜からの転換を意味する。独立後、農業の発展のために化学肥料や駆虫剤使用の奨励、新しい作物の導入、そして、野菜や換金作物を軍隊やレーの市場に売ることが奨励されてきたが、このような観光客の急増は消費文化の流入をもたらすとともに、換金作物の栽培をますます促し、スリナガルからのコメや小麦粉への依存も進んでいった。

現金収入源の増加や貨幣経済の浸透は、核家族化や家族構成員の出稼ぎなどと、収穫期における働き手不足をもたらし、伝統的な労働交換という家族を超えた相互扶助システムは労働交換を現金で肩代わりさせ、ネパールなどからの日雇い労働者に頼る状況になっている。また、農産物増産のための化学肥料や駆虫剤の使用は、飲料水の汚染など新たな環境汚染問題をレーを中心として起こしてきた。観光地化は、自給自足の生計から現金収入源を積極的に求める生活へという生計戦略の転換をラダック人に可能にさせるとともに、伝統的な農耕・牧畜そのものの変容をもたらしてきたのである。

独立後の重要な社会制度改革の一つとして、第12章で述べているように学校教育の充実が進められてきており、大学への進学を果たすなど高学歴の青年たちも産み出されてきた。彼らの受け皿となる職場の確保が新たな社会問題ともなってきたが、ラダック人青年たちのなかには、たとえば１９９９年にガイドブックの出版やウェブ・ニュースをとおしてラダックに関する情報を提供するリーチ・ラダック（Reach Ladakh）を立ち上げるなど、自ら積極的に観光産業に関与する人たちも現われてきた。また近年には、本物のラダック体験をめざすおしゃれなデザインのホテル「ドルカル・ラダック（Dolkhar Ladakh）」やレストラン「ツァス・ラダック（Tsas Ladakh）」を立ち上げるなど、伝統文化の維持と環境にやさしい持続可能な発展となる新しい観光のあり方をめざして起業する青年たちも現われている。

写真35-2　美化整備が完了し、歩行者で賑わうバザールの中央通り、レー、2017年

ラダックの観光地としての持続可能な発展は、ラダック自治山麓開発評議会と連邦直轄領政府にとっても重要課題となっている。２０１４年には、ダライ・ラマによる「第33回カーラチャクラ灌頂」の開催に合わせたレー市街のバザール地区の整備計画が立てられていた。整備計画の完了はカーラチャクラ開催には間に合わなかったが、２０１７年に訪れたときには、バザールを貫く道路は車の進入ができない遊歩道として整備され、町の趣が一変しているのを見ることができた。

連邦直轄領政府が公開する「ラダックの２０５０年ヴィジョン（Vision 2050 for Ladakh）」が示すように、連邦直轄領となった現在、ラダック人は政府と一丸となって新しい将来ビジョンをうち立て、観光経済の一層の推進を図っている。そのなかで、若い世代が積極的にあたらしい角度からラダックの観光化に関わるようになっている。

（山田孝子）

ラダック祭と観光誘致

コラム7　煎本　孝

ラダック祭はレー地区長官のラダック人である観光行政官と副長官により1980／81年に始められた。

目的は、第一にラダック文化の保存である。当時、外国人旅行者の増加によりラダックの文物が失われ、ラダックの文化自体も忘れられようとしていた。このため、ラダック文化の復興が必要と考えられた。

第二に観光シーズンの延長である。例年、8月末には観光客が減少するため、1週間観光シーズンを後に延ばそうという考えから、ラダック祭を9月1〜8日に設定した。この効果は大きかったため、2011年には9月1〜15日に、さらに2013年からは9月20〜26日とした。また、2012年には、レーのみならず、ヌブラ、チャンタン、カラツェなどにおいてもラダック祭の行事を開催した。しかし、これら遠隔地は観光客にとって不便であったため、2013年からはレー周辺に行事を集中させた。

また、1984年以降は、ジャム―カシミール州観光局がスポンサーとなった。地区行政機関に資金がなかったためである。もっとも、州政府観光局はラダック祭の内容には全く係わらず、資金だけを提供する。

2015年のラダック祭初日は、参加チームのバザール大通りの行進とポロ競技場での開会式に続いて、歌と踊り、手工芸展示会がおこなわれた。以後、ゴンパソマでの仮面舞踊、食べ物祭り、アーチェリー、夜の歌と踊り、ポロ競技などが連日開催された。

参加チームの行進の先頭は、ラダック祭の旗、新年（ローサル）に登場する長寿の吉兆印

コラム 7

ラダック祭と観光誘致

写真コラム 7-1　ラダック祭開会式入場のためのバザール大通りでの行進（2011 年）

であるアビ、メメ、縦笛と太鼓を演奏する5人の楽士である。これに続き、レーのラダック芸術文化グループ、レーの私立上級中等学校（高校）の男女生徒、スンニ派のイスラミア公立学校の女生徒、ヌブラのパナミック村文化グループ、レーのモラヴィアン・ミッション学校の男女生徒、政府単科大学の男女生徒、ラダック公立学校の男女生徒、チャンタンのムッド村文化グループ、シーア派のイマミア公立学校の男女生徒、ツェチュー・ラモ文化グループ、政府男子上級中等学校の生徒、レーのジャムヤン公立学校のダルドの男女生徒、ダルドのダー・ベマ村文化グループ、レーのチベット難民ＳＯＳ－ＴＣＶ（チベット子供村）の男女生徒、チョクラムサのマハボディ寄宿学校の男女生徒、政府女子上級中等学校の生徒、レーの公立リグラム・モデル学校の男女生徒、マトー村文化グループ、ディグン・カーギュ派シャチュクル僧院の僧、レーのポロ競技者と馬である。

　ポロ競技場では、司会者が観光収入はこの地のＧＤＰの60％を占めるとその重要性を紹介した後、主来賓のジャム－カシミール州観光局長がラダック独自の生活様式の展示というラダック祭の意義を述べる。そして、音楽の演奏が始まり、ニャオパの結婚式の踊り、ヌブラの女の花の踊り、チベット難民の楽器演奏とチベットの踊り、王に酒を捧げる宮廷の踊り、ラダックの女の踊りが続く。そして、最後の踊りに男が加わり、さらにダルドや観客までが加わって一緒に踊りの輪を作る。

手工芸展示会では、障害者による日用品の手工芸、レーの女性自立グループ織機部によるショール、綿織布、ジャム—カシミール州政府レー手工芸グループによるセーター、土産物用

写真コラム7-2　ラダック祭におけるペラック（トルコ石を散りばめた頭被り）を着けた伝統衣装での女たちの踊り（2015年）

仮面、土製灯明台、木彫、さらに、個人のグループによる卓、土器、帽子、セーター、僧によるタンカ（仏画）などが展示される。

また、仮面舞踊は毎年、各学派の僧院が回り持ちでレーの新僧院でおこなわれる。2015年におけるディグン・カーギュ派では、ゴンボ（マハーカーラ）を中心に、チャ（鳥）、シンドンマ（獅子面）、シャワ（鹿）、マへ（牛）による仮面舞踊がおこなわれた。

また、食べ物祭りでは、野菜餃子、トゥクパ（汁物）、バター茶などが販売され、村人たちによるアーチェリー競技がおこなわれる。夜の歌と踊りでは、チャンタンの男女の踊り、女による歌と踊り、王に酒を捧げる宮廷の踊り、チベットの踊りがおこなわれる。さらに、ポロ競技では王宮下の競技場でトーナメント戦が数日間にわたりおこなわれる。

ラダック祭はラダック文化の保存と観光誘致

写真コラム7-3　ラダック祭での王宮下ポログラウンドにおけるポロ競技（2011年）

という当初の目的を達成している。さらに、多民族、多宗教を背景とする多様な伝統文化が一堂に会することで、ラダック人として同一の帰属性を形成するという効果をもたらす。

じっさい、1997年に始められたシンドゥ・ダルシャン祭は、インダス河に象徴される共同体の調和とインドの統一を目的とし、ラダック祭の効果と共通する部分がある。また、これは6月に開催されるため、観光シーズンの前への延長を可能とする。

さらに、2021年8月のチャンタンにおけるラダック遊牧祭、6月の下手ラダック、カルギル、ヌブラにおけるアプリコット花祭りの開始は、地方への観光誘致を目的とする。

また、2011年のラダック祭の入場行進は大人の文化グループが主であったのに対し、2015年には学校の生徒たちのグループが加わった。これは次世代への文化の継承を目的とするものである。

ラダックにおける観光用祭は、文化の保存と継承、観光誘致、帰属性の形成を効果的に推進しているのである。

社会と協力

36

ラダックの家族と家制度

★隠居制家族★

ラダックでは、家族と家屋が一体となった抽象的概念は「ドンパ」と呼ばれる。これがラダックにおける基本的な生計単位である。日本語では家、もしくは家族に相当する。ドンは家屋、パは人を意味する。もっとも、人びとはドンのみでは決して用いない。常に、ドンパという一つの単語として用いる。なお、一つの家から多くの家が別れてできている時に、もとの家を大きな家という意味の「ドンチェン（ドンパ・チェンモ）」と呼ぶ。

これと対になって用いられる言葉にカウンパがある。カラツェや上手ラダックで用いられるカウンパという言葉は、スクルブチェン村で用いられる小さな家屋に住む人という意味のカンブパに由来する。カウンパは、ドンパから年をとった両親が生前、息子夫妻に財産分与した後、独立して営む世帯である。カウンパは日本語では隠居に相当する。したがって、カウンパは生計の単位ではあるが、再生産の機能は持たない。さらに、ドンパは村の仕事に対して義務を負うが、カウンパは義務を負わない。

生計単位であるドンパは3世代、ときには4世代からなる家族によって構成される。家族は父母と結婚した長男夫妻とその子どもたち（孫）、未婚の息子と娘たちからなる。家主である父が死亡した時には、畑や家屋を含むすべての財産は長男が相続する。さらに、長男と長女だけが結婚することができる。結婚後、夫方居住婚の制度により長男夫妻は家に留まり、長女は相手の夫の家に婚出する。

カンパ（カンバ）という言葉は、人を含まない物理的な建物を意味する。ここでの「パ」という言葉は「人」という意味ではなく、カンパ全体で一つの単語となっている。日本語では家屋に相当する。さらに、隠居世帯であるカウンパの建物だけを意味する名称としてカウン（カンブ）が用いられる。したがって、母屋である家屋を意味するカンパ（カンバ）と、隠居のための家屋であるカウン（カンブ）は対になって用いられる。また、母屋を大きな家屋という意味の「カンチェン（カンパ・チェンモ）」、隠居を小さな家屋という意味の「カンチュン（カンパ・チュンツェ）」とも呼ぶ。なお、ラダック王国時代の貴族の家屋は、寝る（敬語）家という意味の「ジムスカン」と敬称で呼ばれる。

写真36-1　ラダックのカンバ（家屋）（写真の貴族の家はジムスカン（寝る家）と敬称で呼ばれる）

各家にはカンパ名がある。これは家族の個人名とは異なり、代々変わらず継承される家屋名である。日本語では屋号に相当する。カンパ名は貴族の家などに付けられた吉祥名、アムチ（チベット医師）やモン（楽士）という職業名、あるいは先祖の名前が用いられる。

さらに、家族を意味する言葉としてナンツァンがある。これは家の内に一緒に住んでいるという意味で、家族の成員のみを示し、建物は含まない。ドンパが家族の成員と建物との一体としての意味であることと対照的である。したがって、ドンパはナンツァンにより構成されているということができる。なお、ナンツァンはキムツァンということもできる。キムはカンパ、あるいはナンと同様に家屋、もしくはその内部を意味する。とくに、チベット人はこの言葉を用いる。

家督の譲渡は「バンスタデ（母座・与えられた）」と呼ばれ、「息子の妻と息子は母座を与えられた（本家の当主となった）（ナマブッァ　バンスタデ）」と表現される。なお、母座（バン）とは、台所にある竈の向かって左側の母が座る場所のことである。

両親は息子の妻の父、母方のおじであるアジャン、あるいは兄の内から息子の妻側の代表者として1人、両親の家の近いパスプンから1人、近い親族と友人から2～3人を招待する。両親は、彼らに吉兆の印であるバターを付けた大麦酒を注ぎ、「私たちは年を取り、はたらくことができなくなった。そこで、私たちは離れて暮らし、財産を私たちの息子と義理の娘に与えたい」と述べる。

これに対して、息子の妻の実家側からの代表者は「そのようなことを言わないで下さい。どうか、息子と私たちの娘と一緒に住んで下さい。もし、私たちの娘に何か落ち度があれば、私たちは彼女に『両親に従い、両親に優しく接し、おまえはこの家に居るのだから両親から多くのことを学ぶように』と忠告すべきです」と言う。

もし、息子と妻が両親をその家に留めておきたい時には、彼らは大麦酒を注ぎ、私たちはあなた方に従うのでこの家に留まってくれるようにと頼む。もし、息子と妻も家を分離したい時には、彼らは立たないで大麦酒を注がない。それで、他の人びとは、両者は別居したいことを知る。そして、酒を飲み、噂話をして、そのまま財産分与がおこなわれる。

すでに一部屋が取ってあり、ここに分配される品物が置かれる。分配の割合は両親に3分の1（チクチャ、一部分）、息子夫婦に3分の2（ニスチャ、二部分）である。また、ニャオパのための特別な衣装、馬具、仏間の物品、仏間の机、仏間の絨毯などはカンブには不要なので、息子夫妻に与える。

家畜の分配も、3分の1が両親、3分の2が息子夫婦に分配される。畑は、父の分の畑としてパスカル（父・配分）、母の分の畑としてマスカル（母・配分）が与えられる。これらは、普通広い畑であり、すでに畑にそのような名称が付けられ代々継承されている。さらに、金銭も3分の1が両親、3分の2が息子夫婦に分配される。かつては、当主がすべての金を持っていたので、これを分配することになる。

カウンが形成されるのは、両親が家督を譲り隠居する時のみである。兄弟が別れてカウンを作ることはない。しかし、じっさいには、兄弟がカンバとカウンに別れて住んでいる例がある。これは、両親がカウンに移る時に年少の息子を連れて行き、両親が生きている時、もしくは死後、この息子がカウンで結婚し新たな夫婦と子どもを作った結果である。

もっとも、伝統的には、両親が死ぬと、彼らの畑であるパスカルとマスカルは、たとえ息子を連れて来ていたとしても、本家であるカンバに戻される。しかし、年少の息子（本家の兄の弟）がここに住みたいと言うときには、「トジン（食料・畑）」と呼ばれるカウンに住む者の食料のための畑が、当主である兄の裁量により与えられる。

なお、今日では、印度の法律により、弟も親の財産を兄と均等に相続することができるため、パスカルとマスカルを返す必要はない。さらに、父が妻の死後、第二妻を伴ってカウンに移る事例も見られる。こうして、両親と子どもからなる家族ができれば、このカウンは元に戻らなくなる。これらは、名称はカウンであるが、すでにカンバから独立した生産と再生産の単位となっている。

このようにして、現実には新しいカンバが形成される。彼らは、これを「カンバとカウンはもはや結び付かない」と表現する。

（煎本　孝）

37

婚姻規制と婚姻制度

★一妻多夫婚から一夫一妻婚への変化★

ラダックにおける婚姻規制の第一は、パスプン内婚の禁忌である。「パスプン（父・兄弟）」とは、理念的な一人の父を祖先とし、共通の「パラー（パスラー、パスプンギラー）」と呼ばれる守護神を持つ疑似的父系出自集団である。疑似的という理由は、パスプンの生成過程において血縁関係のない家が加わることがあるからである。彼らは、成員の誕生、結婚、死亡に係わる人生儀礼を協同でおこなう互助集団である。

分家した場合には、本家と分家は、近いパスプン（パスプンニェモ）となる。分家から再分家すると、両者は近いパスプンになるが、本家と再分家とは単なるパスプンの関係になる。また、新婦は結婚の際、実家のパラーを離れ、新郎の家のパスプンのパラーのもとに属すことになる。これは、「ラーヨガジュクセ（ラー・下・なかに・入る）」と呼ばれる。

カラツェ村では、同じパスプン内での結婚は禁忌となっている。下手ラダックのスクルブチェン村やヘミシュッパチェン村でも同様である。ただし、ティミスガン村ではパスプン内婚も認められている。これは、親族関係を辿ることのできない多くの家を含むパスプンがあるためである。

写真 37-1　結婚式における新婦と新郎（サブ村）

パスプン内婚が禁忌となる理由は、パスプンは本来兄弟関係であるという前提条件に基づいているからである。じっさい、同じパスプン内の人びとは、「肉（骨、父系）と血（母系）が同じである（シャタック　チックチック）」、あるいは、「系統（家系）が同じである（ギュット　チックチック）」といわれる。

婚姻規制の第二は、親族内婚の禁忌である。結婚した世代を0世代とすると、両家の子どもたちの第一世代は近い親族（スニェンニェモ）、孫たちの第二世代は親族（スニェン）、ひ孫たちの第三世代は遠い親族（スニェンターリン）となる。結婚においては、第三世代までの親族が禁忌となる。第四世代になると、もはや親族ではなくなるので結婚することができる。第三世代までの禁忌ということは、結婚する当人同士から見れば、共通の曾祖父母を持っていれば結婚できないことを意味する。

結婚における親族関係の優先は見られない。ただし、ムスリムのバルティ社会においては、いとこ婚の優先が見られる。なお、「バクズデップ（新婦・交換）」と呼ばれる姉妹交換婚は好まれる。これは、両家が親族ではないこと、そして両家にそれぞれ息子と娘がいることが条件になる。

ラダックにおける婚姻規制は、パスプンや親族の外縁を明確にし、集団の帰属性を確立し、さらに近親婚を避けるための社会的戦略である。

ラダックでは、伝統的に長男と長女だけが結婚した。したがって、長男の弟たちは結婚しない。しかし、彼らは長男の妻と関係を持つことが伝統的に認められている。これがチベットやラダックに広く見られる一妻多夫婚、より正確には一妻兄弟多夫婚である。この婚姻制度は、限られた耕地面積と生産量という生態的条件のもとで人びとが生存するための、土地の分割抑止と人口抑制のための社会生態的戦略である。

一妻多夫婚は、じっさいには一人の女が複数の兄弟と結婚するという意味ではない。結婚するのは、あくまでも長男一人とであり、他の弟たちは長男の妻との関係は認められてはいるが、これも優先権はあくまでも長男一人にある。結婚式も長男の結婚式のみがおこなわれる。

長男の妻を弟のプンツォックが共有している場合、「プンツォック　アチェナマ　ナタンニャムポドゥクセヨット（プンツォックは兄の妻と一緒に住んでいる）」と表現されるのみであり、人類学の用語である一妻多夫婚という言葉はない。なお、一妻多夫婚により生まれた子どもを人びとは、「トゥンドゥプ　ニスケトゥグ　インノック（トゥンドゥプは（兄弟）二人の子どもだ）」と表現し、兄弟共通の子どもとして見ている。

なお、家に息子がいない時は、長女、あるいは次女が婿であるマクパを貰い、家の権利を継承する。この時、婿は妻の妹たちと関係を持たない。すなわち、バクマ（嫁）とマクパ（婿）では婚入する男女の性が逆転しているが、バクマで一妻多夫婚が認められるのに対し、マクパでは一夫多妻婚は認められない。

ただし、長女に子どもができない時には、マクパは妹と関係を持つことができる。この時は、結果的に一夫姉妹多妻婚となる。これは、長男が嫁を貰い、子どもができない時も同じである。あるいは、マクパで子どもができない時に、最初のマクパの弟を入れて、一人の妻に二人のマクパということもある。ここでは結果的に、一妻兄弟多夫婚の形態が形成されることになる。

人類学では、チベットの一妻多夫婚が特別な制度のように取り上げられることがあるが、一夫多妻婚もあり、じっさいに多数を占めているのは、一夫一妻（一夫一婦）婚である。カラツェ村においても、6家の5～7世代（過去80～120年間）、計44件の婚姻形態の内、一夫一妻婚が半数以上（59％）を占め、一妻多夫婚は三分の一（30％）を占める。また、一夫多妻婚はわずか（5％）であり、僧や尼僧による未婚（各2パーセント）も少ない（図37―1）。

さらに、世代ごとの婚姻形態の変化の傾向を分析すると、全体として世代と一妻多夫婚の間には負の相関（r=-0.36651）、世代と一夫一妻婚の間には正の相関（r=0.660163）が認められる。とくに、一妻多夫婚は1990年時点での当主の前の世代である-1世代から当主の0世代、子どもたちの1世代と連続して減少している。すなわち、-1世代では一妻多夫婚5件（多妻多夫婚を含めると6件）に対して一夫一妻婚3件であったのが、当主の世代で一夫一妻婚と同数（各5件）となり、その後の1世代では一夫一妻婚が急激に増加し、両者の差が最大（一妻多夫婚2件に対して一夫一妻婚10件）となる。したがって、現在の当主が結婚した1960～70年前後に一妻多夫婚と一夫一妻婚の件数が逆転し、彼らの子どもたちの1世代が結婚した1980～90年前後では一夫一妻婚が一妻多夫婚よりも多数となる（図37―2）。

かつては一妻多夫婚の割合はすべての平均値である三分の一よりも大きく、兄弟がいる場合にはほぼこの慣習に従ったと考えられる。また、一妻多夫婚から一夫一妻婚への変化は、ラダックの現代化により農業に依存しないで現金収入を得ることのできる多様な職業の選択が可能になったためである。

その結果、兄弟姉妹は自立して生活することができ、結婚して新たな家族を作ることができるようになったのである。

ラダックにおける婚姻制度は、従来考えられていたような一妻多夫婚制という固定的な制度というよりは、状況により柔軟に適用される多様な婚姻形態からなる。したがって、この婚姻制度は、より一般的に、生計基盤と人口動態との平衡を保ち集団を存続させるための柔軟な社会生態的戦略と再定義することができる。

（煎本　孝）

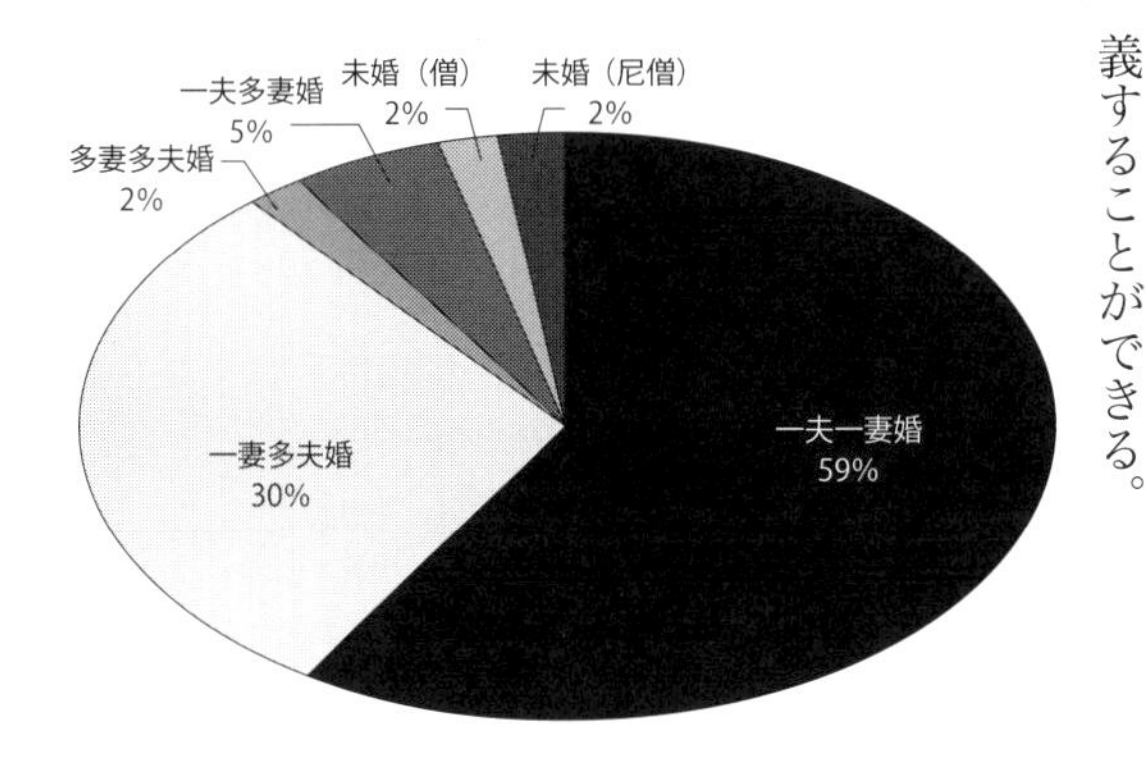

図37-1　カラツェ村6家の5-7世代（過去80-120年間）の婚姻形態と比率（1870-1970年）（n=44）

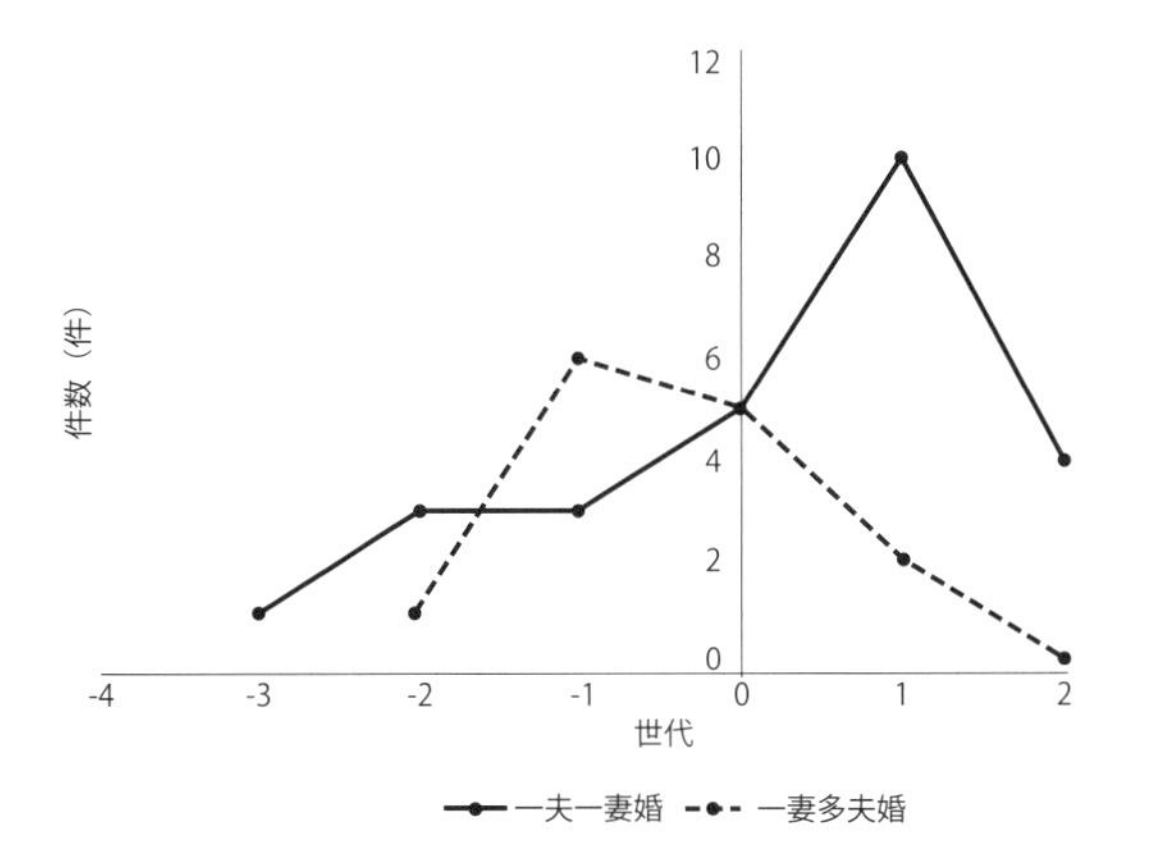

図37-2　カラツェ村6家の5-7世代の婚姻形態の変化（1870-1970年）（n=40）

38

ラダックの結婚式

★スクセキョンセとバクストン★

結婚式は、一般的に新婦の饗宴という意味の「バクストン」と呼ばれる。より丁寧には、新婦を連れて来る饗宴という意味で「バクマキョンセバクストン」と呼ぶことができる。なお、家に息子がいないため婿を取る場合には、「マクパキョンセバクストン」と呼ばれる。すなわち、結婚式は新婦を連れて来るという意味のバクマキョンセと新婦の饗宴という意味のバクストンの二つからなっていることが分かる。したがって、後者のバクストンは饗宴という意味のストンに重点が置かれ、いわば披露宴としての性格を持つ。さらに、このバクストンと分離して前者だけをおこなう場合は、結婚の事実はあるが盗んで連れて来たという意味の「スクセキョンセ」と呼ばれる。このため、スクセキョンセはバクストンの前段階と捉えられている。

スクセキョンセがおこなわれる第一の理由は、占星術師に占ってもらう結婚式の日取りの年が9年に一度回ってくる黒い年に当たり、特別な行事をおこなうことができないため、その前年にスクセキョンセをおこなう場合である。第二の理由は新郎側の準備が調わない場合である。第三の理由は新婦側の家族が結婚に反対している、あるいは準備が調わない場合である。

ここでの準備とは、饗宴に必要な大量の大麦や新郎側が用意する結納、あるいは新婦側が用意する持参財を意味する。ラダックには「三人の娘は家を壊し、三頭のゾモは家を建て直す（ボモスメナンシックゾモスメナンツックス）」という諺がある。これは娘の結婚式には多大な費用が掛かり、ゾモは多くのバターを生産するという意味である。結婚式には莫大な費用がかかり、そのための準備が必要になるのである。

スクセキョンセは、一見すると略奪婚のように見えるかもしれないが、事前に両家族は結婚に合意しており、正式な結婚式の準備のためには時間がかかるため、いわば前倒しで実質的な結婚生活を始めるための慣例的演出である。また、できるだけ早期に新婦を連れて来るためのより現実的な理由として、第一に、新郎の家での仕事に新婦が必要であること、第二に、この結婚に関して中傷する者が出てくることへの対策、第三に、新婦を別の者に取られるかも知れないことへの対策が挙げられる。

結婚そのものに必要なことは、婚約と結納のためのティチャン（依頼・大麦酒）（スクルブチェン村では、「スニェンチャン（親族・大麦酒）」と呼ばれる）とバクストン（新婦・饗宴）である。しかし、バクストンの準備が大変なので、とりあえずティチャンだけを済ませて新婦をスクセキョンセするようになった。すなわち、もともと一つの結婚式であったものが、バクストンの饗宴が肥大化する過程で、スクセキョンセとバクストンが嫁入りと披露宴という異なる目的に従って二極分化したものと考えられる。通常、ティチャンが終わってからバクストンまでの準備期間は1～6か月であるが、数年あっても良い。

また、スクセキョンセはティチャンの前後、同時でもよい。しかし、スクセキョンセをして、ティチャンをしないということはない。すなわち、ティチャンは結婚には必須ということになる。なお、スク

写真 38-1　結婚式でタシスパが新婦の頭にゴラスを付けて新婦の家を出る（ストック村）

セキョンセをしないで、バクストンの時に新婦を初めて連れて来ることもできる。この時は、スクセキョンセとは言わないで「バクマキョンセバクストン」と呼ばれる。

饗宴を伴う正式な結婚式であるバクストンは、結婚の準備と婚約に始まり、新郎側から新婦の家に出かけ新婦を連れて来る儀式、そして新郎と新婦のための新郎側の家での儀式からなる。これらは、新郎、新婦の両家のみならず、パスプン、親族、そして村人たち全員が係わる儀式と饗宴である。

バクストンには、新郎側にとっては大量の大麦と2～3000ルピーの現金、新婦側にとっても大量の大麦と持参財の準備が必要になる。ラダックでは当主は一生に二度の結婚式をしなければならないと言われる。長男と長女のための結婚式である。長女だけが母からトルコ石の付いた頭飾りであるペラックを譲り受ける権利を持つため、長女以外が結婚したとしても大きなバクストンはおこなわれない。

さらに、長男のためのバンリ（誕生祭）を加えれば、一生に三度の行事をおこなう必要がある。これらは当主が必ずしなければならない最も大切な儀式である。

バクストンをおこなうことは、他の人びとに対する返済のためでもある。この返済は「ザスカラン（食物・口・返済する）」と呼ばれる。「自分たちは他の家から食べたので、他の家に食物を与えなければならない」との考え方である。これは、村全体を対象とした一般交換である。

さらに、彼らは親族や友人を問わず、他の家でバクストンやバンリの行事がある時に、大麦酒や肉を持っていく。これらは、「チャンピンセ（大麦酒・そこ（外）に置く）」、「シャピンセ（肉・そこ（外）に置く）」と呼ばれ、貸与、あるいは預金のようなものである。貰った人は与えてくれた人の名前とともに物品とその量を書き留めておく。そして、今度は与えてくれた人が行事をおこなう際には、同じ物を同じ量だけ返す。これは「チャンツァプス（大麦酒・返す）」、「シャツァプス（肉・返す）」と呼ばれる。なお、一般的ではないが、返すという意味のツァプスの代わりに、交換という意味のズデッパを用いることもできる。

したがって、それまでに10軒の家のバクストンに大麦酒や肉を貸与しておけば、自分の家のバクストンの時には10軒の家からそれらが返ってくることになる。この慣習は家を単位とした二者間での限定交換である。この貸借の慣習がなければ、1軒の家でバクストンの時の大量の物品の調達は不可能である。

すなわち、バクストンは返済として当主がやらなければならない行事であるが、そのためには大量の大麦、物品、現金が必要となる。これを賄うためには、貸借という相互扶助の慣習が必要になる。それにもかかわらず、バクストンをおこなうには数年間に及ぶ準備期間を必要とする。このため、バクストンの前段階として、早急に新婦を連れて来るスクセキョンセがおこなわれ、実質的な結婚生活が始められるのである。

このように、バクストンの挙行は、親族や村人たちを含む人びとの間での村全体を対象とした一般交換、および家を単位とした二者間での限定交換という互恵性に基づくたすけあいのこころによって成り立っている。バクストンにおける「ザスカラン」と呼ばれる返済と、「ピンセ」と「ツァプス」と呼ばれる貸借の慣習は、集団の生存のための社会生態的戦略と見ることができる。

（煎本　孝）

39

結納と持参財

★アジャンの役割★

婚約成立のしるしである結納はラダックでは「リントー（値段、費用）」と呼ばれる。また、これとは逆に、新婦が持参する金や品物などの持参財は、装身具と衣服と容器という意味の「タルバックス」、あるいは容器と衣服という意味の「ヘチャックゴンラック」と呼ばれる。これらは「ゾンギック」と呼ばれる持参財一覧として紙に記録される。

結納の額は伝統的には200ルピーと大麦25カル程度であり、今日では最高で1000ルピーと大麦100カルという例もある。結納の額は持参財の額に比較すれば、衣服1着分、すなわち500ルピーにしかすぎないといわれる。

持参財は40着の衣服と40個の食器などが含まれ、その額は結納の額よりはるかに大きい。じっさい、ペラックを含めれば、持参財の総額は3万〜4万ルピー（1990年時点の為替レートを1ルピー＝8・2円として、24万6千〜32万8千円）となり、結納の60〜80倍となる。また、今日では、親族や新婦の兄弟は持参財として2000〜3000ルピーに上る金を提供することもある。

持参財の額はその家の経済力による。人びとは、持参財は多ければ多いほど良いと考えている。家の人が多くの持参財を娘に与えれば与えるほど、人びとは彼らを賞賛する。これは伝統であり、より良い家に娘を嫁がせるための親の娘に対するおもいやりでもある。親は娘が子どもの頃から彼女に持参財を与えるために節約してきた。親は、多くの衣服を娘に与えれば、娘はそれを一生着ていけるだろうと考えるのである。

新郎側のカラツェ村DK家の結婚式における新婦側のスクルブチェン村DS家からの持参財一覧を見ると、173個のトルコ石の付いた頭被りであるペラックをはじめとする高価な装身具、コンロ、さまざまな調理器具、収納容器、食器などの容器、さらに羊毛製衣服、絹錦織製衣服、ビロード製衣服、ショールなど高価な衣装からなる（表39―1）。

これらは新婦の実家であるDS家からのみならず、父母の兄弟姉妹（おじ、おば）、さらには祖母、いとこ、パスプンから贈られたものである。容器については計35個の内、親族から提供されたものが5個であるが、衣装については計45着の内、親族から提供されたものは25着を占めている。さらに、圧力鍋1個も親族からの提供である。彼らの親族は、王族や貴族の家系なので、それだけ持参財も高価なものとなっているのである。

持参財一覧（ゾンギック）は、三宝への賛辞に始まり、この持参財が諸尊、神々、親族により守護されることが記される。さらに、結婚式の年月日と場所、当事者たちの村、家名、氏名などとともに、新郎側の父、アジャン、仲人、本家、ニョルポン、両家の立会人の署名が記され、持参財一覧の記載が続く。

最後に、「畑や家屋がたとえ手の平ほどの広さの土地、サイコロほどの大きさの石であっても、新

表 39-1　持参財一覧：カラツェ村 DK 家結婚式におけるスクルブチェン村 DS 家からの持参財一覧

種類	番号	品目	贈与者(1)
ペラック	1	ペラック（頭被り：173 個のトルコ石・銀製カウ）	DS 家
ペラック	2	ペラック付随品（銀製細片 1 対・銀製護符 2 対）	DS 家
首飾り	3	カウ（装身具：2 トラ 6 アナの重さの金と 6 列の真珠）1 個	DS 家
耳飾り	4	ポンポン（耳飾り：真珠の耳飾り）1 対	DS 家
コンロ	5	チャクスギィッドジタブ（鉄製 4 口コンロ）1 脚	DS 家
容器	6	銅製ディック（大麦酒醸造のため大麦を煮る容器）3 個	DS 家
容器	7	蓋付きラクザンス（真鍮製容器）1 個	DS 家
容器	8	銅製パンディル（大麦酒用水差し）2 個	DS 家
容器	9	銅製タリ（皿）10 枚	DS 家
容器	10	銅製ゴルモ（コラックを作るための椀）9 個	DS 家
容器	11	真鍮製カトラ（大麦練り粉調理用大皿）1 枚	DS 家
箱	12	鉄製ズガム（箱）1 個	DS 家
容器	13	木製ペーポル（大麦粉用容器）1 個	DS 家
食卓	14	ツィチョック（食卓）1 脚	DS 家
容器	15	真鍮製トゥム（大麦酒を注ぐための大匙）2 本	DS 家
容器	16	銀製ドンスキョクス（茶、大麦酒用杯）1 個	DS 家
絨毯	17	ジュクスダン（絨毯）1 枚	DS 家
衣装	18	ロクパ（山羊皮肩掛け）1 枚	DS 家
毛布	19	カムバル（毛布）1 枚	DS 家
衣装	20	スナムブイゴス（羊毛製衣服）5 着	DS 家
衣装	21	ティレン（シャツ）4 枚	DS 家
衣装	22	スケラックス（帯）2 本	DS 家
衣装	23	サルワール（シャルワール）2 着	DS 家
衣装	24	スロッゴル（羊皮製肩掛け）1 着とゴス（衣服）5 種類	DS 家
容器	25	蓋付きザンブ（容器）1 個	S 家　アジャン CM（MB）
衣装	26	ティレン(シャツ) 1 枚とスナムゴス（羊毛製衣服）1 着	アネ CT（FZ）
衣装	27	スナムゴス（羊毛製衣服）1 着	アネ NB（FZ）
衣装	28	スナムゴス（羊毛製衣服）1 着、ティレン（シャツ）1 枚	アネ DK（FZ）
衣装	29	キリス（フェルト用羊毛布）製衣服 1 着	アパ DJ（FB）
衣装	30	ポリスタル（ポリエステル繊維）製衣服 1 着	アチェ YR（ceZ）
衣装 / 靴	31	ゴスチェン（絹錦織）製衣服 1 着、チャクテン（シャルワール）1 着、ティレン（シャツ）1 枚、ブッド（靴）1 足	アネ SY（MBW）
衣装	32	シャル（ショール）1 枚	L 家　アビ YP（gM）
衣装	33	ティレン（シャツ）1 枚、サクラット（羊毛編み）製衣服 1 着	アビ DS（gM）
容器	34	ゴルモ（椀）1 個	R 家　TS
衣装	35	サクラット（羊毛編み）製衣服 1 着	レー G 家　SD
衣装	36	マクマル（ビロード）製衣服 1 着、ティレン 1 枚	レー S 区　SP（MeZ）
容器	37	タリ（皿）1 枚、ゴルモ（椀）1 個	アパ教師 DN（FyB）
衣装	38	ゴスチェンギィゴス（絹錦織製衣服）1 着	L 家　PW（MBD）
衣装	39	マクマル（ビロード）製衣服 1 着	N 村 Z 家　アネ YW（MeZ）
容器	40	タリ（皿）1 枚	S 村 P 家　TW（パスプン）
衣装	41	スケラックス(帯)1本、ティレン(シャツ)1枚、サルワール(シャルワール）1 着	レー K 家　医師 YC
衣装	42	ポリスタル（ポリエステル繊維）製衣服 1 着	S 村王宮　ST
衣装	43	ポリスタル（ポリエステル繊維）製衣服 1 着	C 家　マチュン LM（McyZ）
衣装	44	ポリスタル（ポリエステル繊維）製衣服 1 着	レー S 地区　S 家（M 実家）
衣装	45	シャル（ショール）1 枚	レー Y 地区 G 家　KZ
圧力鍋	46	ペレシャル（圧力鍋）1 台	M 村 Z 家　RW（MyZ）

注：(1)アチェ：ceZ：いとこ姉（アチェは eZ、およびいとこ姉（父母の兄弟姉妹の娘で自己よりも年長者）に対する呼称）アビ：g M：祖母（アビは FM、MM）、マチェン：McyZ：母のいとこ妹（本来マチュンは MyZ FyBW)、S：シェマ（貴族婦人)、G 家：ゴバ（村長の家系)、Z 家：ジムスカン（貴族の家)。

写真39-1　結婚式での持参財一覧の読み上げ（ティミスガン村）

郎と新婦の息子の家系に永遠に存続されねばならない」との願いが表明される。

したがって、持参財一覧は新婦側の家により作成され、新郎側の家によって承認された結婚証明書であり、持参財の記録の確認書である。これは、新婦の実家において人びとの前で読み上げられ、また新郎の家に着いた時にも持参財の確認がおこなわれる。新婦の地位はこれにより保証されることになる。

さらに、実家だけではなく親族や友人も新婦のために持参財を提供する。ここには、親族、友人たちの新婦への隠されたおもいやりのこころ、さらには新郎、新婦とその息子たちの永遠に続くしあわせを願うこころが込められている。

結婚式（バクストン）における新郎側と新婦側の支出は、結納と持参財だけではない。大麦の支出量を見ると、新郎側の大麦酒相当大麦・大麦量の支出合計が24・5カルに対し、新婦側の大麦酒相当大麦・大麦量の支出合計は50カルとなる。また、新郎側の結納による支出は、新婦側の収入となることから、新婦側の大麦酒相当大麦・大麦量の支出合計は、実質的には結納分の9・5カルを減じた40・5カルとなる。

さらに、新郎側では村人たちが結婚式前日の会合であるラプチャン（討論・大麦酒）のために各家から1ブレ（0・05カル）の大麦粉を提供したので、これを収入として支出から減じると、50家分からの

2・5カルを減じた大麦酒相当大麦・大麦量の支出合計は22カル（297kg）となる。また、新婦側でもバクストンの時に村人たちから大麦酒、大麦粉、バターを提供されており、各家から1ブレの大麦粉で100家分からの5カルを減じて、支出合計は35・5カル（479kg）となる。

したがって、新婦側の方が新郎側の1・6倍の量の大麦を支出していることになる。これは、スクルブチェン村の方がカラツェ村の2倍の家数があり新婦側の親族も多く住んでいるため、その分だけ大規模な饗宴がおこなわれたことによるものである。

また、新婦の実家では饗宴のために大麦に加えて、4頭の山羊や羊、600ルピー相当の米、小麦粉を購入した。これらの支出はすべて新婦の父が準備したものである。同様に、新郎側の支出は新郎の父が準備したものである。

アジャン（母方のおじ）の役割に関して、両家の現金支出額を見ると、新郎側では255ルピーの結納と3925ルピーの合計4180ルピー（3万4276円）の現金支出額があり、新婦側では、3500ルピーから収入である結納の255ルピーを減じた合計3245ルピー（2万6609円）の現金支出額となっている。したがって、新郎側の現金支出額は新婦側の現金支出額の1・2倍となる。

新郎側の現金支出の内訳は、結婚式1日目のスクルブチェン村でのヤトーパ（新婦側の女友達）や村人たちのカルチョルに対する返礼、新婦を連れて来ることへのさまざまな妨害行為を和解させるための支払いからなる。これには、新婦の母、新婦の家の竈、新婦側の親族、新婦のヤトーパ、道端でのカルチョルへの支払いが含まれる。

また、結婚式2日目においても、移動の際の妨害行為を和解させるための支払い、移動時とカラツェ村到着後のカルチョルに対する支払いに加え、村総代のカルチョルへの支払いが含まれる。また、儀軌をおこなう僧、音楽を演奏する楽士、仲人への謝礼が支払われる。これらの現金支出は、新郎の父とアジャンの折半による。

新婦側の支出内訳は、結婚式1日目に新郎側のニャオパや親族を接待し、バター茶と砂糖入りの紅茶、さらに肉など豪華な食事を提供するために3000ルピー、60人いるヤトーパへの500ルピーの支払いからなる。なお、カラツェ村やティミスガン村であれば、この新婦の家での接待は新郎側のアジャンがおこなうという慣習がある。しかし、今回はスクルブチェン村の慣習に従い、新婦側のアジャンがおこなった。

新郎側、新婦側ともに母方のおじであるアジャンは、姉妹の子どもである甥や姪の結婚に関して、交渉に始まる結婚式の全過程に権限と責任を持つのである。

（煎本　孝）

40

ラダックの結婚歌

★問答歌とひとつになるこころ★

結婚式においては、新郎側のタシスパ（栄光ある人、先導者）とニャオパ（立会人、歌手）たち一行の出発に始まり、新婦を連れての帰還に至るまで、それぞれの場面で伝統的な歌が歌われる（表40―1）。

特徴的なのは、新婦の家の戸口で新婦側の歌手と新郎側の歌手とが「戸の歌（ズゴルー）」と呼ばれる問答形式の歌の掛け合いをおこなうことである。ここでは、新婦側の歌手であるナンニョー（内・ニャオパ）が問い歌を歌い、これに対する返歌が新郎側の歌手であるニャオパによってなされる。新郎側の歌手が答えられなければ、彼らは新婦の家のなかに入れてもらえない。したがって、ここでは双方の歌手の力量が問われることになる。

新婦の家のなかでは、絨毯の製作過程を問う「絨毯の歌（絨毯の歩み）」という問答歌、新婦側の歌手によるニャオパたちに食事を供する「大麦粉の歌」、ニャオパによる「奉納」の歌、ナンニョーによる新婦の家を賞賛する「座列絨毯の歌」が歌われ、ニャオパたちも酒蔵に入り大麦酒を飲み「酒蔵の歌」を歌う。そして、ニャオパたちにより「結婚式の歌」が歌われる。

さらに、1日目の夜遅く、2日目の夜明けに始まる「大麦酒

19		tashi	バクメゴラシルー	bag ma'i mgo ras kyi glu	新婦のゴラスの歌
20		tashi	スキッドルーリンモ	skyid glu ring mo	幸せの長歌
21		nya/ mon	バクメゾンリックチェシルー	bag ma'i rdzong 'grig byas kyi glu	新婦の持参財を準備する歌
			（ナムランスケワットタンポ）	(gnam langs skya 'od dang po)	（最初の夜明けの光）
22		nya	ニャオペルー	gnya'a bo pa'i glu	ニャオパの歌
23		nya	ステンデリルー	rten 'brel gyi glu	吉兆の歌
			（バンブルチュプギャット）	(bang bu bcu brgyad)	（バンブル家十八）
24		nya	ラムルー	lam glu	道の歌
25		nya	ラムルー	lam glu	道の歌
26		nya	バンリルー	bang ri'i glu	誕生祝いの歌
			（セルジャンスペブンパ）	(gser bzhangs pa'i bum pa)	（金の壺）
27		nya/ other	ニャオペルー	gnya'a bo pa'i glu	ニャオパの歌
			（ニャオペシャワセルー）	(gnya'a bo pa'i sha bas se glu)	（ニャオパの立派になされた歌）

注：⑴歌は問答歌を含めて40歌を記録採集（1988－89年；歌手はカラツェ村PP家TT氏62歳；彼は歌をDK家DT老から学んだ；DT老はKN家にあった筆記された歌詞帳から学んだが、歌詞帳はその後、紛失したという。筆記された歌詞は2世代、約80年前のものであるとすれば、歌は少なくとも80年前以前の伝統を持ち、歌詞帳は少なくとも1908年には存在していたことになる。また、これ以外にもBD家のSG氏（SC氏56歳の父）は歌詞帳を有していたが、そのなかにはザンスカールのNR村GP家から得たもの(no.24)もあったという。SG氏は1979年61歳で死亡しているので、彼自身が集めたのであれば歌詞帳は少なくとも1938年頃には存在していたことになる。もっとも、それがBD家に代々伝えられたものであればそれ以前から存在していたことになる。
⑵歌手のnan：ナンニョー（新婦側歌手）、nya：ニャオパ（新郎側歌手）、tashi：タシスパ、mon：楽士、other：その他の人びと。

の歌（チャンルー）」と呼ばれる問答形式の歌がある。ここでは、「戸の歌」の時とは逆に、新郎側の歌手であるニャオパが問い歌を歌い、これに対して新婦側の歌手であるナンニョーが返歌をおこなう。

その後、2日目の朝には、タシスパにより「新婦のゴラスの歌」が歌われて、新婦の頭にゴラス（吉兆の印として頭に付ける白布）が着けられる。これで新郎側のタシスパは新婦を獲得したことになる。この後、新郎側のニャオパたちは大胆に振るまい、泣く新婦を慰める「幸せの長歌」、新婦の両親に持参財を要求する「新婦が持参財を準備する歌」、新婦を獲得した「ニャオパの歌」が歌われる。そして、「吉兆の歌」とともに、ヤンクー儀軌（幸運を招くための儀軌）がおこなわれ、持参財が運び出される。新婦の家から新郎の家まで新婦は馬に乗り、その

表40-1 ラダックの結婚歌

番号(1) no.	内番号	歌手(3)	歌名称		
			日本語	ラダック（チベット）語	意味
1		nya	ニャオペルー	gnya'a bo pa'i glu	ニャオパの歌
2	2(1)	nan	ズゴルー（ギンツォ）	sgo glu('gying tsho)	戸の歌（多くの姿勢）（問）
	2(2)	nya	ズゴルー（ギンツェラン）	sgo glu('gying tsho'i lan)	戸の歌（多くの姿勢の返歌）（答）
3	3(1)	nan	ズゴルー（ポグラップス）	sgo glu(phog rabs)	戸の歌（煙の歩み）（問）
	3(2)	nya	ズゴルー（ポグラップセラン）	sgo glu(phog rabs si lan)	戸の歌（煙の歩みの返歌）（答）
4	4(1)	nan	ズゴルー（スキョグラブス）	sgo glu(skyogs rabs)	戸の歌（匙の歩み）（問）
	4(2)	nya	ズゴルー（スキョグラブセラン）	sgo glu(skyogs rabs si lan)	戸の歌（匙の歩みの返歌）（答）
5	5(1)	nan	スタニルー（ダンラップス）	stan gyi glu(gdan rabs)	絨毯の歌（絨毯の歩み）（問）
	5(2)	nya	スタニルー（ダンラップス）	stan gyi glu(gdan rabs)	絨毯の歌（絨毯の歩み）（答）
6		nan	ズィブルー（ズィブラブス）	zhib glu(zhib rabs)	大麦粉の歌（大麦粉の歩み）
7		nya	ソルチョット	gsol mchod	奉納
8		nan	ダルダンニルー	gral gdan gyi glu	座列絨毯の歌
9		nya	バクストニルー（ヤブストンパ）	bag ston gyi glu(yab ston pa)	結婚式の歌（父ストンパ）
10		nya	チャンカンラルー	chang khang la glu	酒蔵の歌
			（チャンカンラタンチェスキルー）	(chang khang la btang byes kyi glu)	（酒蔵で歌う歌）
11		nan	チャンルー	chang glu	大麦酒の歌
			（ナムランセチャンルー）	(gnam langs se chang glu)	（夜明けの大麦酒の歌）
12	12(1)	nya	チャンルー	chang glu	大麦酒の歌（問）
	12(2)	nan	ドゥトゥンラブス	`bru 'khrungs rabs	大麦粒生育の歩み（答）
	12(3)	nan	チャンツォラブス	chang btso rabs	大麦酒造りの歩み（答）
	12(4)	nan	スキョクスドレンラブス	skyogs 'dren rabs	匙で供する歩み（答）
13	13(1)	nya	チャンルー	chang glu	大麦酒の歌（問）
	13(2)	nan	チャンルー	chang glu	大麦酒の歌（答）
14	14(1)	nya	チャンルー	chang glu	大麦酒の歌（問）
	14(2)	nan	チャンルー	chang glu	大麦酒の歌（答）
15	15(1)	nya	チャンルー	chang glu	大麦酒の歌（問）
	15(2)	nan	チャンルー	chang glu	大麦酒の歌（答）
16	16(1)	nya	チャンルー	chang glu	大麦酒の歌（問）
	16(2)	nan	チャンルー	chang glu	大麦酒の歌（答）
17	17(1)	nya	チャンルー	chang glu	大麦酒の歌（問）
	17(2)	nan	チャンルー	chang glu	大麦酒の歌（答）
18	18(1)	nya	チャンルー	chang glu	大麦酒の歌（問）
	18(2)	nan	チャンルー	chang glu	大麦酒の歌（答）

写真40-1　結婚式で新婦の家の前でヤトーパに阻止される新郎側タシスパ一行（ティミスガン村）

道中で「ラムルー」と呼ばれる「道の歌」が歌われる。新郎の家に到着し、踊り場で祝い歌が歌われ、ニャオパたちが務めを立派に果たし飲食を得るべきであるという最後の歌が歌われて、結婚式は終了となる。

ところで、結婚式では問答歌が重要になる。たとえば、新婦の家の前に到着したタシスパ一行に、新婦側の歌手は次のような「戸の歌（多くの姿勢）」（no.2(1)）で問いかける。

オム、吉兆あれ、卓越した幸福と吉兆あれ、耳でお聞き下さい
高い空の天空は、天空のような高さになる、その天空は青いもの、天空のような高さになる
太陽と月を除いては、誰もこのような動きをすることはできない、動く星の群れを除いては、誰も見せびらかすことはできない
上方の高い氷は、天空のような高さになる、高い氷の飾りは、天空のような高さになる
白い雪獅子を除いては、誰もこのような動きをすることはできない、青いトルコ石のたてがみを除いては、誰も見せびらかすことはできない
上方の高い岩は、天空のような高さになる、高い岩の飾りは、天空のような高さになる

年取った大きなスキンを除いては、誰もこのような動きをすることはできない、若いシャの群れを除いては、誰も見せびらかすことはできない

さらに、この歌は、上方の高い湖の動きは、金の眼をした雌の魚、若い魚の群れを除いてはできない。放牧地の動きは、若い野生のヤク、若い多くの野生のヤクを除いてはできない。王宮の動きは、王、貴族と平民たちを除いてはできない。本家の動きは、父母である両親、近い親族の人びとを除いてはできないと続く。なお、ここでの動き（ギン）とは姿勢や舞踊の時の体の動きを意味する。

これに対してニャオパは、返歌「戸の歌（多くの姿勢）」（no.2(2)）で次のように答える。

オム、吉兆あれ、卓越した幸福と吉兆あれ、耳でお聞き下さい
高い空の天空は、喜びの村、その青い天空は、幸福の場所
太陽と月の両者は、親愛なる親族のごとし、集まって動く星は、喜びの貴族のごとし
親愛なる親族を見ると、自身のこころは幸せになる、喜びの貴族を見ると、自身のこころは幸せになる
高い氷の飾りは、喜びの村、上方の高い氷は、幸せの場所
白い雪獅子は、親愛なる親族のごとし、青いトルコ石のたてがみは、喜びの貴族のごとし
親愛なる親族を見たら、自身のこころは幸せになる、喜びの貴族を見たら、自身のこころは幸せになる

さらに、この歌は、上方の高い岩、高い湖、放牧地、王宮、本家は喜びの村、幸せの場所であり、年取った大きなアイベックスと若いアイベックスの群れ、金の眼をした雌の魚と若い魚の群れ、若い野生のヤクと若い多くの野生のヤク、王と貴族と平民たち、父母である両親と近い親族の人びとは親愛なる親族のごとし、喜びの貴族のごとしと続き、最後に親愛なる親族を見ると自身のこころは幸せになる、と終わる。すなわち、この返歌では、家のなかにいるあなたの両親は私たちの親族であり、会えて嬉しいということを表現している。

また、新郎の家の踊り場では、「誕生祝いの歌（金の壺）」（no.26）がニャオパによって歌われる。ここでは、自然の吉兆の象徴が垂直的、遠近的世界観に沿って、天空から氷河、岩、湖、牧草地、王宮、僧院、踊り場、本家へと、そして同時に、雪獅子、アイベックス、金色の目をした魚、野生のヤク、王、僧、ニャオパ、新婦の付き添いと友人、両親と近い親族へと順次挙げられ、自己へと収斂する。

そして、それぞれが金の大麦酒の壺であり、そのなかの宝石、あるいは吉兆の印としてのふちの白い装飾を賛美する。ここでは、大麦酒の壺そのものが、この結婚式の象徴となり、大麦酒の壺を自然の吉兆の象徴と結びつけることにより、結婚式そのものを吉兆とする。そして、大麦酒を偉大な王であるケーサルが楽しむと歌うことにより、この結婚式は祝福される。

父系原理により、結婚後は婿入りを除いては、夫方居住規則となる。したがって、新婦は実家から新郎の家に嫁入りする。すなわち、新郎側の集団が人員を獲得することは、新婦側の集団にとっては人員を奪われることを意味する。このため、新婦を連れ去ろうとやって来た新郎側と、それを阻止し

写真40-2　結婚式における新郎側での宴会と踊り（カラツェ村）

ようと待ち構える新婦側との間に衝突が起こる。
結婚式は、この衝突を新婦側のヤトーパ（女友達）と新郎側のニャオパとの間の物品の争奪戦、新婦側の歌手であるナンニョーと新郎側のニャオパとの間の問答歌の掛け合い、結婚式の進行を遅らせようとする新婦側と早く進めようとする新郎側の交渉、持参財に付いている幸運を呼び戻そうとする新婦側と持ち去ろうとする新郎側の競争として演出する。そして、最終的には新婦を連れて来ることで決着する。
したがって、結婚式は集団間の衝突と和解の儀礼的演出である。結婚式はこの演出を通して人びとがひとつになるこころを生起するための社会的戦略の操作なのである。

（煎本　孝）

41

灌漑と協力

★ひとつになるこころと帰属性★

上手ラダック、シェー村は、首都レーの東16kmに位置するラダック王国第一次王朝の古都である。インダス河はここで流れを緩め、川幅は広くなり、河の両岸には氾濫原が形成されている。ここを畑と牧草地に利用して、シェー村は成立している。したがって、シェー村では他のラダックの村々に見られるように村の背後にある山脈の積雪を水源とするのではなく、インダス河本流から直接的に運河（灌漑用大水路）により水を畑に取り入れている。このことは、シェー村の対岸にあるチュショット村においても同様である。

シェー村は上下の2つの区域からなっている。運河は上シェー村に2本、下シェー村に2本の合計4本ある。これらの運河から分岐した支水路により畑まで水が運ばれる。シェー村では、畑の灌漑はきわめて容易である。誰もが、何時でも水を得ることができる。春に少しの困難はあっても、その他の季節において水不足の問題はない。

灌漑に関しては、伝統的な慣習がある。冬の間、運河は使われないので、損傷を受ける。そこで、春に村びとたち全員が集まり水路を修理する。彼らは修理に良い日を占星術で占っても

第41章

灌漑と協力

写真41-1　シェー村の運河、牧草地、王宮

らい、主水路を修理する。オンポもそこへ行き、楽士は音楽を演奏する。

村びとたちは寺院に行き、ドルジェ・チェンモ（大金剛女）に祈りを捧げる。ドルジェ・チェンモはラダック王国第二次王朝のジャムヤンナムギャル王が16世紀頃に招来した王宮とシェー村の守護尊である。そして、彼らは水路に最初に水を通すのに良い日を再び占ってもらう。

上シェー村では、最初の水がドルジェ・チェンモに奉納される。彼らは水を寺院に持って行き、ドルジェ・チェンモに奉納し、初穂儀礼であるシュブラが祝われる場所に水をまき散らす。この奉納がおこなわれた後、彼らははじめて自分たちの畑の灌漑をおこなう。

下シェー村で灌漑が始まるのは、上シェー村より1～2日後である。ここでは、運河の修理の後、水を最初に水路に入れる時、儀礼がおこなわれる。両親が健在な2人の少年が「マクマ」と呼ばれる特別な帽子をかぶり、半ズボンをはいて、僧から「トゥス」と呼ばれる浄化儀礼を受けた後、水に入る。また、「ラボン」と呼ばれる供物が用意される。2人は水に入り、「ジョンパ」と呼ばれる木製の器に水を入れ、やかんに移す。そして、これを王宮の寺院に持って行き、ブッダに捧げる。

これ以降、それぞれの家族は10日間、寺院に参らねばならない。また、最初の水をブッダに捧げた後、人びとは自分たちの畑の灌漑をおこなうことができる。

インダス河から運河に水を取り入れる導入部は、水路の頭という意味の「ユルゴ」と呼ばれる。ここで水路は二手に分かれ、一方は畑への支水路へと続き、他方は再び本流へと戻る。本流へ戻る水路には、石で作った土手が設けられ、普段は塞がれている。しかし、水量が増えるとこの土手は自動的に壊れ、水は本流へと流れ去るので、大量の水が畑に流れ込むことを防いでいる。これは、畑の冠水を防ぐための安全装置である。

じっさいのところ、洪水はきわめて稀である。シェー村では、1975年頃、洪水があったが、これは過去200年間ではじめてのことだといわれている。この際、川岸の土手に近い一部の畑は冠水し、土手に植えられていた木は折られたという。しかし、家畜のための「スパン」と呼ばれる自然の牧草地は、たとえ泥水をかぶっても人工的な大麦畑とは異なり損なわれることはなかった。

インダス河本流から直接灌漑することは、広い氾濫原の利用と同時に、水不足の問題を解消し、安定した小麦、大麦の収穫を可能とする。しかし、同時に洪水による冠水は生活の危機をはらんでいる。インダス河中流、下流域に繁栄したインダス文明が崩壊したのは、アーリア人の侵入以外にも、河川の水位の上昇による畑や家屋の浸水、また森林の消滅による木材の枯渇など、人為的、環境的原因が考えられている。

小麦、大麦の栽培など、インダス文明の影響が見られるラダックの農耕においても、水不足と水過多、さらには標高による生育期間の相違により、人びとは小麦、大麦、そばの栽培を組み合わせ、灌漑技術と協力により自然環境を最大限に利用しようとしているのである。

ラダックの多くの村々のように山脈からの雪解け水を利用した限られた水量による灌漑と、シェー村のようにインダス河本流からの取水による灌漑には、生態的条件に応じた戦略の違いが見られる。限られた水量の利用には、水の配分規則が必要になり、これとは対照的にインダス河本流からの水の利用においては、誰もが、何時でも水を得ることができるため水の配分規則は必要ない。逆に、水量が多すぎることによる畑の冠水を防ぐための調節が必要になる。

これらの違いにもかかわらず、共通性も認められる。灌漑に先立って村びと全員が運河を修理すること、畑に水を入れるのに良い日を占星術師に占ってもらうこと、種まきや最初の水を通す時に、ラーやブッダへの奉納がおこなわれることである。

さらに、初穂儀礼であるシュブラにおいてもラーに奉納がなされる。種まきや灌漑や収穫という農耕活動の節目に際して、ラーへの儀礼がおこなわれることは、生計活動と超自然とが密接に結びついていること、および村全体として活動の時間調整がおこなわれていることを示す。村びとたちはラーへの信仰を頂点にして結び付けられている。

村における農耕活動の時間調整がラーと関連することは、ひとつになるこころの発動ということができるかも知れない。農耕や灌漑は、村という集団における人びとの協力の上に成り立っている。協力なくしては、これらの活動は個人間の競争になってしまい、結局は崩壊することになる。このため、人びとは伝統と呼ばれるさまざまな社会的、生態的機構を用いて、わかちあいのこころ、たすけあいのこころ、きそいあうこころを発動し、協力活動をおこなってきた。

しかし、協力活動を支えるさまざまなこころのはたらきの基盤は、ひとつになるこころである。自己と他者とが本来はひとつであるという初原的同一性の感覚が、さまざまなこころのはたらきと協力活動を可能としている。集団としての統合と人びとの帰属性（アイデンティティ）の形成が、協力活動という生存戦略の操作のために必須なのである。

ラーという霊性を頂点に置き、そのもとに社会に帰属する人びとを位置づけることで、人びとのこころはひとつになり、この生存戦略を実現しているのである。

（煎本　孝）

42

家族の協力

★人間活動系とたすけあいのこころ★

人びとは家族を中心に、さまざまな役割分担と協力の体系を構築する。そこでは、親族関係をはじめ、性／年齢による個人差に基づいて、人員を村と村から離れた山地に形成された夏の間の居住地であるブロックに配置し、さまざまな活動を時間的、空間的に配分する。

個人差による仕事の役割分担は、次のようにして家族の協力の体系として構築される。

第一に、長男夫妻は次世代の家を担う人物であり、生計活動においても責任のある役割を果たす。長男は才覚があれば賃金労働に従事する。かつては農耕以外に交易活動という商業にたずさわっていたが、現在は政府や軍隊などの公務員としてはたらく。さらに、長男の妻の役割は重要である。彼女は生活の基盤である農耕や牧畜にたずさわる。

長男が結婚すると、2～3年後にブロックに送られる。ブロックは村の付加的施設であるが、夏の間の牧畜に不可欠である。父母が村の家の管理をおこなうのに対して、長男夫妻はブロックの管理を任される。彼らはブロックでの仕事のみならず、村に戻ってきた時には家の内外の仕事や村の伝統を学ぶ。

第二に、家に残っている未婚の息子や娘は重要なはたらき手としての役割を持つ。さらに、小麦の収穫期とあんずの収穫期が重なる繁忙期には、他の村ではたらいている兄弟とその家族、他の村で教師として勤務する娘、さらには他の村に婚出した娘も家に戻ってきて仕事を手伝う。また、僧は村の寺院の管理や家々での必要な儀礼をおこなうかたわら、自分の家の作業を手伝う。

写真42-1　父母と娘は協力して風で脱穀する

じっさい、8月中旬、8月下旬、9月中旬におけるカラツェ村GT家の農耕、果樹栽培活動時間を集計してみると、小麦の収穫が終わった8月中旬ではあんずの収穫と果肉と種との分離作業という果樹栽培活動時間が多く、8月下旬になるとあんずの採集と加工という果樹栽培活動時間とともに、小麦の脱穀という農耕活動時間が見られる。この際、両活動は並行しておこなわれるため、同一個人による活動の時間的配分、個人差に基づく異なる種類の活動の配分、村とブロックという異なる場所での活動の空間的配分が見られる。さらに、9月中旬にはこれが再び逆転し、農耕活動時間の減少とともにあんずの加工という果樹栽培活動時間が増加する（図42―1）。

第三に、父、あるいは祖父は経を唱えるなどの宗教活動をおこなう。人びとは高齢の祖父の仕事は毎日の祈りだという。さらに、当主である父は、畑への水の配分や放牧している家畜を集めるなど村の共同作業に関する話し合いを通して、村のなかでの当家の権利と義務を遂行する。父が村における家の当主としての権限と責任を持つことに対して、母は家のなかにおいて実質的な采配を振る。大麦、小麦の農耕や果樹栽培についての状況を把握し、必要な活動を各個人に配分するのは彼女の役割である。

第四は、個人差による活動の配分と空間利用の関係である。遠隔地では大人の男、根拠地となる家では男女の若者／子ども、女の年寄り／大人／若者／子ども、中間の村とブロックでは男女による諸活動がおこなわれる。家では料理／家事／子守／介護が主として女によりおこなわれ、子守／介護は他の活動との重積がなされる。活動の時間―空間利用を重ね合わせることで異なる活動を同時並行的におこなうことができるのである。

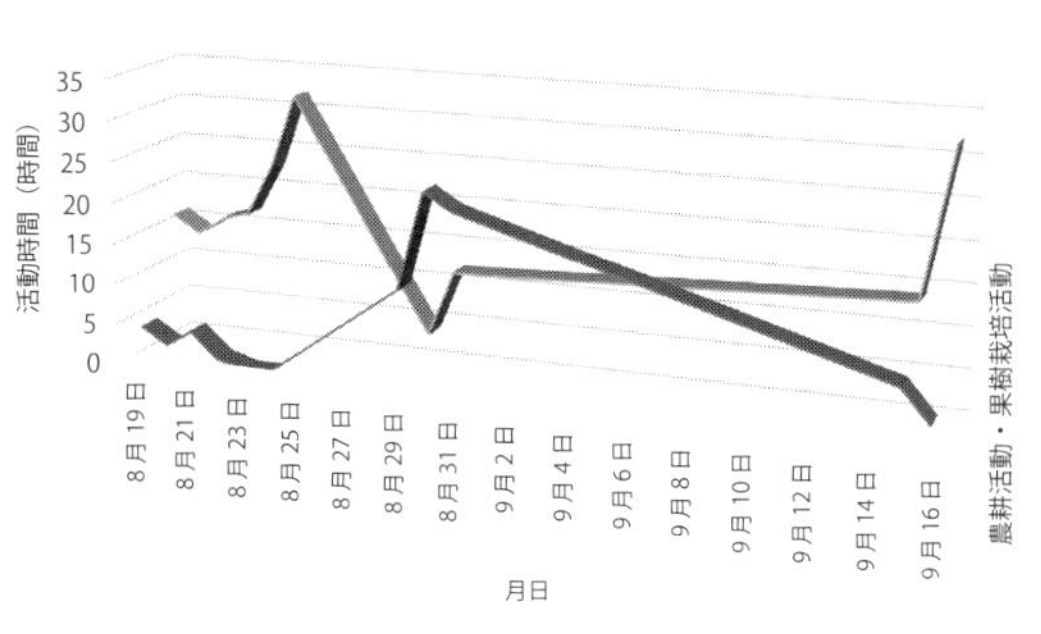

図42-1　農耕、果樹栽培活動時間の変化（1988年8月19日―9月16日：カラツェ村GT家）

写真42-2　孫はあんずの核の殻と仁を選り分ける

したがって、家族の諸活動の体系である人間活動系は、ラダックで人びとがいきるための協力の体系として捉えることができる。家族が協力するのは、親族関係を通した生存戦略によるものである。本来は母の子に対するおもいやりのこころが、3世代、時には4世代にわたる父系出自、夫方居住規則からなる家族にまで拡大し、家族におけるたすけあいのこころへと展開したのである。

たとえば、ＧＴ家の20歳の娘の祖母への介護活動は、このたすけあいのこころによって支えられている。私が初めてカラツェ村ＧＴ家を訪れた時、二階の玄関に昇る外階段の踊り場に老婆がぼろ布をまとったような姿でしゃがみ込み、手すりの上を歩く鶏が老婆の頭の上に飛び乗っても自分ではどうすることもできず、家人が手で払いのけていた。私がその光景に驚き、この人は病人ではないのかと心配したところ、彼女はこの家の祖母で日向ぼっこのために屋外に座っているのだという。

やがて、私がこの家に同居し始めて分かったことは、彼女は当主の母であり、高齢のため自立はできず家のなかの廊下の隅にある物置のような小部屋で寝たきりの生活を送っている。しかし、彼女の孫に当たる娘が食事を与え、身体を拭き、日中は日向ぼっこのために屋外に連れ出して座らせている。この娘は祖母を抱きかかえ、優しい言葉を掛けながら介護していたのである。自分自身も農耕作業や果樹の採集で疲れ切っているなかで、日焼けした顔に人を気遣う優しい表情を浮かべ祖母の世話に当たっていた。

そこには、役割分担としての仕事をするというのではなく、困っている人を助けようという自発的なおもいやりのこころのはたらきが感じられた。家族のなかでの介護活動の慣習化は、このおもいやりのこころが社会的条件のもとで、たすけあいのこころとして展開したものである。

さらに、ブロックで1歳の娘の子守をするのは、息子の妻だけではなく手伝いの尼や少年である。

第42章
家族の協力

彼らは他の仕事をしながら同時に子守をするという活動の重積を用いながら、息子の妻を助けるために協力している。ここでは、親族ではない人びとの間においても、生計単位としての家／家族の枠内において、たすけあいのこころの発動が認められる。

人びとの間のたすけあいのこころなくしては、協力の体系は成り立たない。別の村にいる家族が実家に戻って来て繁忙期の仕事を自発的に手助けするのは、彼らが父母やブロックではたらいている兄嫁のことを心配するからに他ならない。

活動の配分とは、誰かが強制的に各個人に仕事を割り当てるのではなく、各個人が状況を把握し、それぞれの個人差に応じて活動を選択することである。これは生態学的には、必要な活動に応じて限られた人的資源を個人差に基づいて最も有効に配置するための生存戦略である。同時に、個人の側から見れば、個人差に応じて必要な活動を選択し、他者とたすけあうことを意味する。

協力の体系は客観的には活動の配分として現れる生態学的な生存戦略であるが、これを動作させている主体は人びとのこころである。たすけあいのこころが、個人差による活動の配分を通して、ラダックの人間活動系と呼ぶことのできる活動の体系を作り上げているのである。

（煎本　孝）

ラダックの親族名称

コラム8 煎本 孝

親族名称は、結婚の可否を判断するための指標となるばかりではなく、親族関係の認識を通して社会活動を営むための手引きとなる。ここでは、上手ラダックのレー周辺、およびカラツェ村をはじめとする下手ラダックにおける親族名称について記す。

ラダックの親族名称において、自己と同世代の兄弟姉妹の名称が、いとこ、はとこにまで拡張されることは、第3世代までの親族の婚姻禁忌と合致する。彼らは兄弟姉妹の名称で呼ばれ、兄弟姉妹は婚姻禁忌となっているからである。

また、1世代上の名称で、父の弟が中央・上手ラダックでは「アグ（小さな父）」と呼ばれ、下手ラダックにおいては父と同じく「アバ（父）」と呼ばれること、さらに1世代下の名称で自己（男）の兄弟の子どもが自己の子どもと同じ「ポモ（娘）」、「プツァ（息子）」と呼ばれることは、慣習的な兄弟逆縁婚（夫の死後、夫の兄弟と再婚）を含む一妻兄弟多夫婚制と適合している。

同様に、1世代上の名称で、母の妹が上手ラダックでは「マチュン（小さな母）」と呼ばれ、下手ラダックにおいては母と同じく「アマ（母）」と呼ばれること、さらに1世代下の名称で自己（女）の姉妹の子どもが自己の子どもと同じ「ポモ（娘）」、「プツァ（息子）」と呼ばれることは、事例は多くはないが、姉妹逆縁婚（妻の死後、妻の姉妹と再婚）を含む一夫姉妹多妻婚制と適合している。

さらに、1世代下の名称で、自己（男）の姉妹の子どもに対しては、自己の子どもとは区別して2世代下の名称であるツァモ（孫娘）、ツァオ（孫息子）が用いられる。また、自己（女）

の兄弟の子どもに対しても同様である。この時、呼ばれる側から見れば、呼んでいる自己（男）は母の兄弟であるアジャン（母方のおじ）、また呼んでいる自己（女）は父の姉妹であるアネ（父方のおば）となる。

写真コラム 8-1　ラダックの親族と人びと

この親族名称から、アジャンは姉妹の子どもに対して孫の名称を用い、またアネも兄弟の子どもに対して孫の名称を用いることが分かる。とりわけ、アジャンには、姉妹の子どもの結婚に関して、自分の子どもの父としての役割とは異なるより客観的、親愛的で責任ある役割が与えられており、アジャンという親族名称は特別な意味を持つものとなっている。同様に、父の姉妹であるアネには結婚式において新婦の付き添いという責任ある役割が与えられている。

親族名称と社会構造の間には、必ずしも因果関係があるわけではない。それにもかかわらず、ラダックの親族名称と婚姻規制、さらには一妻兄弟多夫婚や一夫姉妹多妻婚という婚姻制度との間には一定の適合関係が成立している。

Ⅸ

食文化

43

大麦の食事

★主食としてのコラックとパパ★

ラダックの食事は、農耕活動から得られる大麦、小麦、そば、粟、および野菜栽培によるかぶ、じゃがいもをはじめとする野菜、また果樹栽培によるあんずやくるみの油、さらには牧畜活動の生産物であるヨーグルト、バター、チーズ、肉などが食材になる。これらがさまざまな料理法により、日常生活、祭礼、儀礼の場面に応じて、多様な種類の料理となる。

料理することは一般的に「ツォワ」と呼ばれる。より限定的には、煮る（スコルワ）、炒める／揚げる（スンゴワ）、直火で焼く（シャクパ）と呼ばれる。また、作るという意味のチョワを用いることもある。たとえば、大麦粉を煮てパパを作り大きな塊にして皿に盛るのであれば、パパチョワ（パパを作る）、もしくはパパシュクパ（パパをかき混ぜる）ということができる。さらに、鉄板の上でタキを焼く場合はシャクパ（焼く）といってもよいが、通常、人びとはタキチョワ（タキを作る）という。また、コラックを手で捏ねるのはコラックブルワ（コラックを掘り起こす）と呼ばれる。

料理活動は、肉の解体、調理を除いて、一般的に女の大人や若者がおこなう。もっとも、男の大人や若者も独居や旅行の場

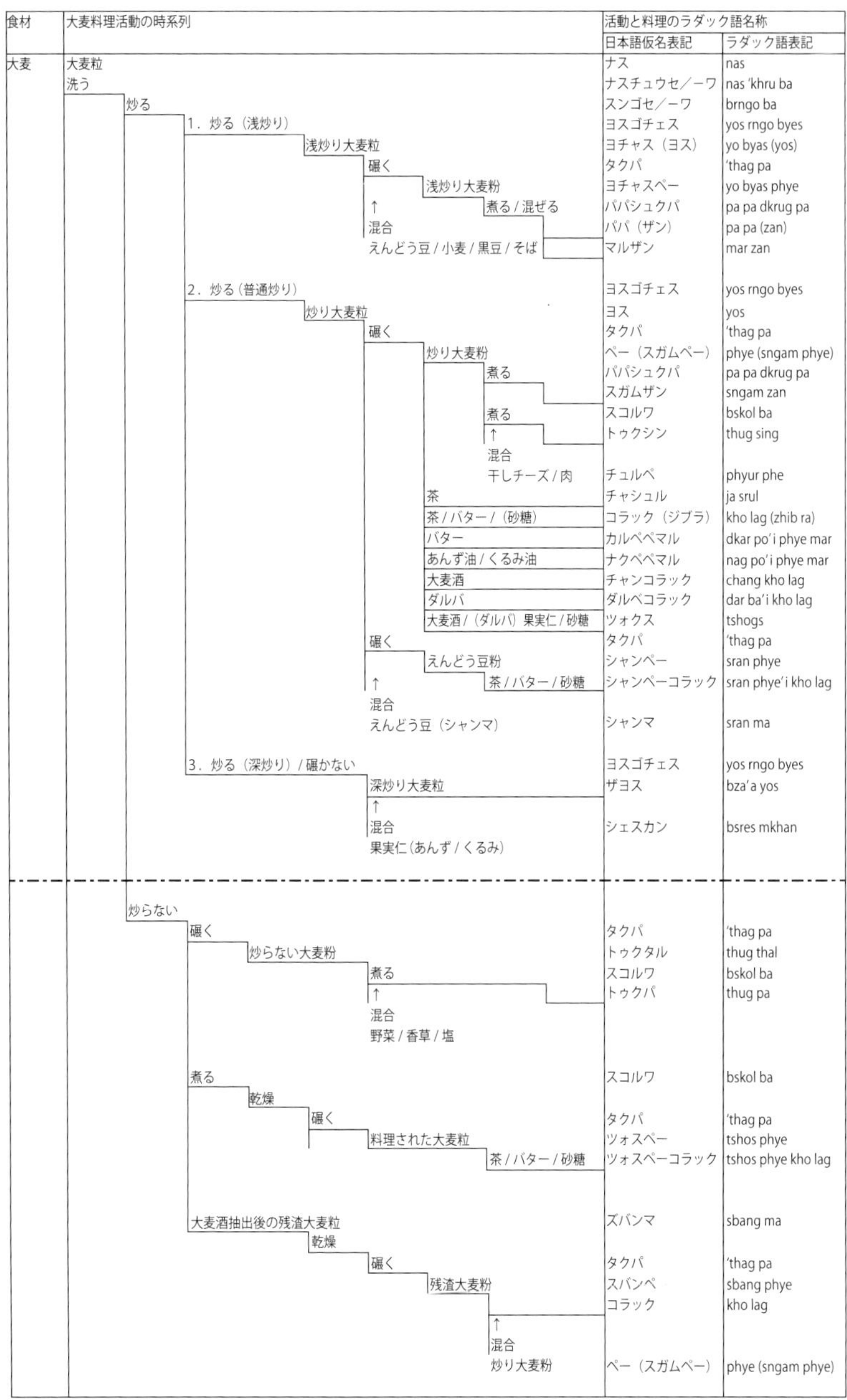

図 43-1　大麦の料理活動の時系列と名称

写真43-1　穀物を碾くための水車の石臼

写真43-2　パパとあんず油からなるマルザン（ローサルにおける祖先への供物）

写真43-3　コラックを作るための炒り大麦粉とバター茶

合には料理をおこなう。また、僧院では若者や子どもの僧が料理を作り、大人の料理長が指導、監督をおこなう。

大麦粒は水で洗われ、くずわらや砂が取り除かれる。その後、大麦粒は大きな浅い鉄鍋に入れられ、焚き火で炒られる。この時、これから作る料理の種類により3種類の炒り方がある（図43―1）。

第一は、「少し（半分程）炒る」で、これによって得られた浅炒り大麦粒は「ヨス」、もしくは「ヨチャス」と呼ばれる。ヨスはすでに調理されたという意味であり、ヨチャスはこれから調理されるという意味である。水車の石臼で碾かれてできた浅炒り大麦粉は「ヨチャスペー」と呼ばれる。これからはパパ（敬語はザン）という料理が作られる。沸騰させた湯に塩を加え、浅炒り大麦粉を入れて数分煮て、大きな匙でかき混ぜ、塊を皿に盛る。また、これを円錐形にして上部に窪みを作り、ここにあんず油やくるみ油を入れたものは「マルザン（油・パパ）」と呼ばれ、結婚式などの祝いの席での料理や祖先供養のための食物となる。パパはラダック独自の料理でチベットにはないという。温かい料理で果実の油を付けて食べると大変美味しい。

パパを食べる時には、副食として汁物であるトゥクパが添えられる。これは、生の大麦粉であるトゥクタルを野菜、香草、塩とともに煮て作られる。パパに添えられるもう一つのつけ汁はダントゥルである。ダントゥルはヨーグルトからバターを抽出した残液であるダルバに、スコツェなどの香草、塩を加えて作った冷つけ汁である。手でちぎったパパの先に窪みを作り、少し酸っぱい独特な香草の香りの汁を付けて食べる。

写真43-4　炒り大麦粉をバター茶のなかに入れ練りコラックができる

第二の炒り方は、「十分炒る」である。得られた炒り大麦粒はすでに調理されたという意味の「ヨス」と呼ばれる。これを碾いたものは「ペー」、あるいは「スガムペー」と呼ばれる炒り大麦粉である。これは、チベットでは「ツァムパ」と呼ばれ、日本でははったい粉（麦こがし）と呼ばれる。

炒り大麦粉をそのまま食べるのには、加えるものによりさまざまに異なる料理が作られる。茶（塩茶）のなかに少しペーを入れた飲料は「チャシュル」と呼ばれ、朝一番に飲まれる。バター茶にペーを入れて、練って作られるのはコラック（敬語はジブラ）である。これは、チベットでは「パック」と呼ばれる。また、バターを添えたペーは「ペマル（炒り大麦粉・バター）」と呼ばれ、結婚式などの祝いの席に出される。人びとは、これでコラックを作って食べる。なお、あんず油やくるみ油を添えたペーも「ペマル（炒り大麦粉・油）」

と呼ばれる。

炒り大麦粉を煮て作られた料理は「スガムザン」と呼ばれる。これは、スガムペーで作ったパパということになる。同様に、炒り大麦粉に干しチーズや干し肉を加え、煮た汁は「トゥクシン」と呼ばれる。これは、スガムペーの薄い汁であり、栄養もあり、消化にも良いので、病人に与えられる。

第三の炒り方は、「余分に炒る」である。これにより得られた深炒り大麦粒は、「ザヨス（食べる・すでに調理された大麦粒）」と呼ばれ、あんずやくるみの仁と一緒に茶菓子のように食べられる。

さらに、大麦酒を醸造し抽出した後の残渣大麦粒を乾燥させ碾いたものは「スバンペー（残渣大麦粉）」と呼ばれ、これに炒り大麦粉を混合してコラックを作ることもできる。

大麦の料理方法を体系的に見ると、最初に炒るか炒らないかを大分類する2料理方法がある。炒る場合には、浅炒り、普通炒り、深入りと中分類される3方法がある。浅炒りの場合には、碾いてから煮るが、普通炒りの場合には、碾いてから煮るか、碾いてから煮ないかを小分類する2方法がある。深炒りの場合には、碾かずに煮ないでそのまま食べる。

また、大分類による炒らない場合には、碾いてから煮る、煮て乾燥させてから煮る、さらには大麦酒を抽出後の残渣大麦では乾燥させてから碾くに中分類される3方法がある。

最初の浅炒りで碾いて煮る料理方法によりパパが作られ、普通炒りで碾いて煮る料理方法によりスカルザン、トゥクシンが作られる。また、普通炒りで碾いて煮ない料理方法からは、各種のコラックが作られ、深炒りで碾かずに煮ない料理方法ではザヨスができる。そして、炒らないで碾いて煮る料理方法からはトゥクパができ、炒らないで煮て乾燥させて碾く料理方法でツォスペーコラックが作られる。最後に、残渣大麦を炒らないで乾燥させて碾く料理方法からはスバンペーコラックができる。

これらの内、最も日常的に作られる料理は、主食としてのパパとコラックである。また、トゥクパもパパの副食として作られる。なお、大麦のトゥクパは小麦粉で作られたうどんのような形はなく、大麦粉を溶かした汁となっている。大麦の種子貯蔵たんぱく質が小麦のような粘性のあるグルテンではなく、粘性のないホルデインからなるためである。

もっとも、大麦は吸水性があるため、煮ると麦飯同様ふっくらと仕上がる。したがって、煮るという過程を入れた大麦を炒って煮て作られたパパ、大麦を炒らないで煮て作られたトゥクパは大麦の料理方法として適したものである。

また、炒って煮ない料理方法で作られたコラックは、すでに炒った大麦粉を用いるので、基本的に万能、即席、携帯食である。このため、日常生活における食事はもとより、旅行時の携帯食や山に放牧に行く時の弁当、あるいは結婚式の席での祝い食、儀軌における供物、人の家を訪問する際の土産として広く用いられる。なお、茶で作ったコラックは冷たくなると味が落ちるため、携帯食としては大麦酒で作ったチャンコラックが好まれる。

このように、大麦の料理は炒ると碾くと煮る、さらには浅炒り、普通炒り、深炒りという料理方法を組み合わせることにより、それぞれの目的に応じた多様な料理を生み出しているのである。

（煎本　孝）

44

小麦の食事

★主食と副食による献立の変異★

小麦粒を碾いて得られる小麦粉は「バクペー」と呼ばれる。小麦を使った料理は、すべてこの小麦粉を水で練った練り粉（生地）をさまざまな形にして、それを焼く、発酵させてから焼く、揚げる、煮る、蒸すという方法により作られる（図44―1）。

焼く料理にはタキがある。これは、練り粉を両方の手の平を使って円盤状に薄く広げ、鉄板の上で焼いて作られる。これは、小麦の無発酵平焼きパンである。印度では「チャパティ」と呼ばれる一般的な食べ物である。

また、練り粉にダルバ、あるいは大麦酒を加えて一晩発酵させ、それを厚めの円盤状にして炉の火のなかに入れて焼いたものが「タキトゥクモ（タキ・厚い）」と呼ばれる小麦の発酵厚焼きパンである。これは敬語で「ドンキル」とも呼ばれ、結婚式などの祭礼における祝いの食物となる。これは「タキスキュルチュク（タキ・酸っぱい・入れる）」、「スキュルチュクセタキ（酸っぱい・入れる・の・タキ）」、「カンビール」などとも呼ばれる。

薄い円盤状にした練り粉をそのまま揚げたものは、「マルクル」、あるいは「マルタキ」と呼ばれる小麦の無発酵揚げパンになる。印度では「プリ」と呼ばれる一般的な食べ物である。

第44章
小麦の食事

食材	小麦料理活動の時系列	活動と料理のラダック語名称 日本語仮名表記	 ラダック語表記
小麦	小麦粒	トー	gro
	洗う	トーチュウセ/ーワ	gro 'khru ba
	碾く	タクパ	'thag pa
	小麦粉	バクペー	bag phye
	練る/薄い円盤		
	焼く（鉄板）	タキチョワ	ta ki byo ba
	小麦の無発酵平焼きパン	タキ/タキスラブモ	ta ki/ta ki srab mo
	揚げる	スンゴワ	brngo ba
	小麦の無発酵揚げパン	マルクル/マルタキ	mar khur/mar taki
	棒状		
	揚げる		
	小麦の無発酵揚げ菓子	カプツェ	gab rtse
	発酵		
	厚い円盤		
	焼く（炉の火）		
	小麦の発酵厚焼きパン	タキトゥクモ	ta ki mthug mo/ ta ki 'thug mo
	両手を擦り合わせて紐状にする		
	煮る	スコルワ	bskol ba
	両手で擦る汁物	トゥクパ/ ティミストゥク	thug pa/ grims thug
	平たく伸ばして親指で千切る		
	煮る		
	親指で千切る汁物	トゥクパ/ テプチャット	thug pa/ mtheb bcad
	棒状にしたものを手で千切る		
	煮る		
	落とす汁物	トゥクパ/ ブルトゥク	thug pa/ 'brul thug
	↑ 混合 水/野菜/肉/干しチーズ/塩/スコツェ/たまねぎ		
	延ばした厚い皮を折り曲げる		
	煮る	スコルワ	bskol ba
	汁なし煮物	スキュー	skyu
	薄い皮を折りロバ耳の形にする		
	煮る		
	汁なし煮物	チュータギ/ チュータキ	chu'i ta ki
	↑ 混合 水/肉/塩/香辛料（タマリンド/にんにく/生姜）		
	皮のなかに具を入れて包む		
	蒸す		
	蒸し餃子	モモ	mog mog
	揚げる		
	揚げ餃子	コテ	ko the
	↑ 混合 肉/脂/たまねぎ/塩/香辛料（タマリンド/にんにく/生姜）		

図44-1　小麦の料理活動の時系列と名称

写真 44-1　タキ（チャパティ）、副食の肉煮込み、つけ汁のダルバの料理

写真 44-2　ドンキルを焼く（葬儀の接待用に大量のドンキルを準備する）

また、練り粉を小さな棒状、あるいは捩った形にして揚げたものは、「カプツェ」と呼ばれる小麦の無発酵揚げ菓子である。これは、ローサル（新年）や結婚式などにおける祝い菓子となる。

タキと一緒にさまざまな種類の野菜が副食として食される。野菜を炒めて水を加え煮たツォトメスパックス（野菜・副食）、レンズ豆のダリスパックス（レンズ豆（ダル）・副食）、じゃがいものアリスパックス（ジャガイモ・副食）、えんどう豆のシャングメスパックス（えんどう豆・副食）などがある。また、あんず油、肉、茶、バターなどが添えられることもある。タキは薄いので手で千切り、それで副食の野菜を包んで食べる。

次に、練り粉を煮て汁物にしたものは「トゥクパ（汁物）」と呼ばれる。これには、練り粉で作る形により3種類がある。1番目は、紐状のもので「ティミストゥク（両手で擦る・トゥクパ）」と呼ばれる。手で紐状にする他、棒で平らにした練り粉を小刀で細く切って作ることもある。2番目は、「テプチャット（親指・千切る）」と呼ばれ、練り粉を平たく伸ばしたものを、親指で少しずつ千切り作る。3番目は、「ブルトゥク（落ちる・トゥクパ）」と呼ばれ、両手で練り粉を捏ねて太い棒状にし、これを手で小さく千切って作る。水を熱して沸騰する直前に、野菜、肉、干しチーズ、塩を入れて煮る。その後、形を作った練り粉を入れて煮る。最後に、炒めた香辛野菜であるスコツェ、あるいはたまねぎを加える。細かい形状や仕立ては異なるが、日本のほうとう（うどん）や水団（すいとん）である。

さらに、練り粉で形を作った後、煮るが汁物にしない料理が2種類ある。1番目はスキューである。伝統的にスキューは冬期に作られる。水に肉と塩を入れ、タマリンド、にんにく、干し生姜などの香辛料を加えて煮る。肉はゾー、ゾモ、ヤク、山羊、羊の生肉、冷凍肉、乾燥肉を用いる。その後、別に練り粉を伸ばしたものを折り曲げて形を作ったものを入れて煮る。

2番目の料理はチュータギ（水の・タキ）である。小さな円形に伸ばした練り粉の両端を真ん中で折り合わせ、それと直角の方向に指でつまんで引っ付けると、両側に耳状の形ができる。これを肉と塩を入れて煮た湯の中に加えて煮る。チュータギはスキューよりも薄いため、舌触りが良い。また、その形は「ブンビナムチョク（ロバの・耳）」とも呼ばれる。

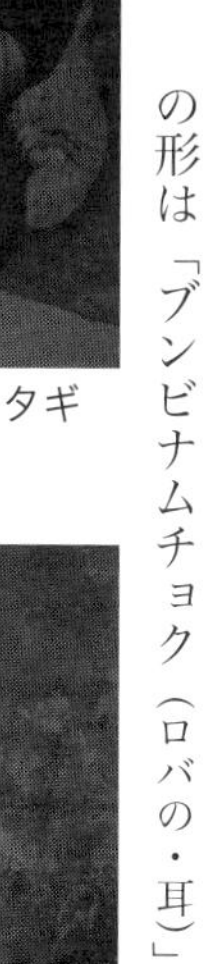

写真 44-3　小麦練り粉でチュータギの具を作り肉とともに煮る

写真 44-4　小麦練り粉と肉からなるチュータギ

ラダックの人びとはスキューやチュータギは、良い食事だと考えている。人びとに好きな料理は何かと問うと、彼らはスキューやチュータギを上げる。これらの料理には肉が含まれるからである。このように、本来スキューに肉は必須であったが、今日ではからし油でたまねぎを炒めて水を入れ、肉の代わりにじゃがいもを煮ることも多くなった。

さらに、練り粉で小さな円形の薄い皮を作り、このなかに細切りにした肉、脂、たまねぎ、塩、タマリンド、にんにく、生姜などの香辛料を加えて混ぜた具を包み込み、蒸して作った餃子がある。これは「モモ」と呼ばれ、ラダックには元来ないチベット由来の料理である。蒸すためには、「モト」と呼ばれる蒸し器が用いられる。蒸し餃子はラダックの一般家庭では見られず、レーにある食堂で出される料理である。また、餃子を油で揚げた揚げ餃子は「コテ」と呼ばれる。これはレーの食堂で見られるだけの料理で、一般の村人は知らない。

小麦の料理方法の特徴は、いずれも小麦粒を碾いた後、小麦粉の練り粉をさまざまな形に作ることである。なお、練り粉で形を作ることができるのは、小麦粉に含まれる種子貯蔵たんぱく質が粘性のあるグルテンだからである。

全体の体系としては、第一に、焼く(含揚げる)、第二に、汁物として煮る、第三に、汁なしで煮る、第四に、蒸す(含揚げる)に大分類できる4方法がある。揚げる方法を独立した分類としないのは、これがすでにあった分類に後で加わったものと考えられるからである。

第一の焼く料理法は、練り粉を薄い円盤状にする、棒状にする、発酵させた後厚い円盤状にするという3方法の中分類ができる。さらに、最初の薄い円盤状にした練り粉は、焼くと揚げるとの2方法に小分類でき、それぞれタキとマルクルという料理が作られる。また、棒状にした練り粉からはカプツェという揚げ菓子が作られる。さらに、発酵させて厚い円盤状にした練り粉を焼いてタキトゥクモが作られる。

第二の汁物として煮る料理は、練り粉の形状により紐状、平たく伸ばしたものを親指で千切ったもの、棒状にしたものを手で千切ったものという3方法に中分類できる。これらは、すべてトゥクパ(汁物）であるが、練り粉の形状によりそれぞれ名前が付けられている。

第三の汁なしで煮る料理は、練り粉の皮を折り曲げる形により2方法に中分類され、それぞれスキューとチュータギと区別される。

最後に、第四の蒸す料理方法は、練り粉の皮のなかに具を入れて蒸した蒸し餃子と揚げた揚げ餃子の2方法に中分類される。

これらの内で最も日常的に食される料理はタキとトゥクパであり、これらに加えて特別な料理としてのスキューとチュータギがある。これらはラダックの伝統食とされている。

また、大分類、第一番目のタキは副食としての野菜煮が添えられる。また、第二番目のトゥクパは野菜と肉、第三番目のスキューとチュータギは肉と一緒に料理される。そして、第四番目のモモは肉、野菜が練り粉の皮のなかに包み込まれて料理される。

すなわち、小麦の料理では常に主食と副食が組み合わされ、変異に富んだ献立が作られているのである。

（煎本　孝）

45

そば、粟、米の食事

★多様な料理方法の展開★

そばは、主に下手ラダックで栽培されている。カラツェ村でも栽培されるが、大麦との二毛作として大麦の収穫後に播種される。そばには、そばと韃靼そばの2種類がある。韃靼そばは、そばよりも成熟が10～15日早く、そばは2か月、韃靼そばは1か月半で成熟する。このため、二毛作の後半で植えられる際は韃靼そばが用いられる。韃靼そばは短期間で収穫できる反面、苦みがある。

写真 45-1　白い花を付けたそば（手前 / 左手後）と黄色い花のあぶらな（右手後）（カラツェ村）

そばの料理には、「ブラペー（そば・粉）」と呼ばれる碾いたそば粉を煮て混ぜて作るパパがある。そばのパパという意味の「ブラザン」と呼ばれるが、日本のそばがきに相当する料理である。また、韃靼そばの場合は、それだけだと苦いため、大麦、小麦、えんどう豆などを混合して碾いた混合そば粉を使用する。これ

食材	そば料理活動の時系列	活動と料理のラダック語名称	
		日本語仮名表記	ラダック語表記
そば	そば粒	ダオ / ブロ	bro
そば		ギャンダス	rgya bras
	碾く	タクパ	'thag pa
	そば粉	ブラペー	bra phye
	煮る / 混ぜる	シュクパ	dkrug pa
		ブラザン	bra zan
韃靼そば		ブロキャン	bro rkyang/bro sug
	碾く		
	混合そば粉		
	↑ 煮る / 混ぜる	シュクパ	dkrug pa
	混合	ブラザン	bra zan
	大麦粉 / 小麦粒 / えんどう豆		
そば			
	碾く		
	そば粉	ブラペー	bra phye
	練る		
	棒状にしたものを手で千切る		
	煮る	スコルワ	bskol ba
	落とす汁物	トゥクパ /	thug pa/
		ブルトゥク	'brul thug
	両手で擦り合わせて紐状にする		
	煮る	スコルワ	bskol ba
	両手で擦る汁物	トゥクパ /	thug pa/
	↑	ティミストゥク	grims thug
	混合		
	水 / 肉 / 野菜 / 干しチーズ		
	伸ばした厚い皮を折り曲げる		
	煮る	スコルワ	bskol ba
	↑ 汁なし煮物	スキュー	skyu
	混合		
	水 / 肉 / 塩 / 香辛料（タマリンド / にんにく / 生姜）		
	指で 4 個の穴を作る		
	煮る	スコルワ	bskol ba
	水切り		
		タプ / プラプ	pra pu
	↑		
	混ぜる		
	仁粉（あんず / くるみ）/ 水 / 塩 / タマネギ / 香辛料		
そば			
	碾く		
	そば粉	ブラペー	bra phye
	水溶き		
	水溶きそば粉		
	焼く（鉄板）		
	↑ 水溶きそば粉焼き	テンテン	ten ten
	混合		
	塩 / クミン / 香辛料		

図 45-1　そばの料理活動の時系列と名称

らは大麦から作ったものと同様にパパではあるが、そば粉で作ったものは品質が劣るため「ミシャリパパ（劣る・パパ）」と呼ばれる。なお、韃靼そばはパパを作るためのみに用いられる（図45―1）。

そばはトゥクパにも料理される。形を作るために、小麦練り粉の時と同じように、捏ねて棒状にしたものを手で千切るという方法が取られる。また、両手を擦り合わせて紐状にするという方法も用いられる。前者は落とす汁物と呼ばれ、そばの水団のような料理となり、後者は両手で擦る汁物と呼ばれ、そば切りに相当する。もっとも、小麦で見られたような平たく伸ばし親指で千切るという方法は、粘性が弱いそばを薄く広げることができないため、用いられない。これらの汁物は、水、肉、野菜、干しチーズと一緒に煮て作られる。

また、そばでスキューも作られる。小麦のスキューと同様、そば粉を練り伸ばした厚い皮を折り曲げて形を作る。これを水、肉、塩、さらにタマリンド、にんにく、生姜などの香辛料を加えて煮る。もっとも、そばは粘性が弱いためチュータギのロバの耳とも呼ばれる複雑な形を作ることはできない。

さらに、「タプ」、あるいは「プラプ」と呼ばれるそばを用いた料理がある。そばの練り粉を小さく千切り、一方の手の3本指ともう片方の手の1本指で4個の穴を開けて形を作る。これを煮た後、いったん水切りをする。そして、あんずやくるみの仁をすり潰して粉末にしたものに水、塩、たまねぎ、香辛料を加え、ヨーグルトくらいの薄さにしたたれに、これを入れて混ぜ、食べる。

最後に、そばは「テンテン」と呼ばれる料理にもなる。これはそば粉を水のなかに入れ、塩、クミン、香辛料を加えて混ぜる。これが粘性を持つと、大きな匙ですくい取り、熱した鉄板の上に垂らす。焼けて硬くなると、裏返して反対側も焼く。厚さは1・5～2㎝程で中央部は厚くなる。

第45章
そば、粟、米の食事

そばの食材としての特徴はその粘性が大麦と小麦の中間にあることである。その結果、そばの料理方法は、大麦で見られたパパとともに小麦で見られたトゥクパを作ることもできる。しかし、粘性が小麦と比べれば弱いために、タキのように薄く広げて焼く料理を作ることはできず、トゥクパを作る場合でも広く伸ばした練り粉を親指で千切るテプチャットはできない。

同様に、そば練り粉でスキューの形はできても、チュータギの薄くて複雑な形を作ることはできない。もっとも、水溶きそば粉を鉄板の上に垂らして焼くという方法は可能で、これにより「テンテン」と呼ばれるそば独自の料理を作ることができる。さらに、一度煮た練り粉を水切りし、あんずやくるみの仁で味付けしたたれに入れて食べる「タプ」と呼ばれる独特の料理も見られる。

したがって、そばの料理方法は、大分類すれば第一にパパを作るための煮て混ぜるという方法、第二に形を作り汁物としてのトゥクパを作る方法、第三に汁なし煮物であるスキューを作る方法、第四に煮て水切りした形を作った練り粉を味付けしたたれと混ぜる方法、第五に水溶きそば粉を鉄板の上に垂らして焼く方法からなる。この内、第四と第五の料理方法はそば独自のものとなっている。

また、パパに用いられる苦みのある韃靼そばは、大麦や小麦、あるいはえんどう豆と混ぜることにより苦みを軽減させている。そばは大麦や小麦に比較すれば、ラダックでは必ずしも多く栽培されていない食材ではあるが、そばがきや水団、そば切り、スキュー、タプ、あるいはテンテンのような料理に見られるように、大麦や小麦の料理方法を含む多様な料理方法を展開している。

「チャ」と呼ばれる粟は、下手ラダックのカラツェ村下流のドムカル村やスクルブチェン村、ダーハヌ村で栽培される。カラツェ村では家畜の餌として植えられることがあるが、あまり一般的ではない。

粟は野菜と一緒に水で煮て食される。これは「チャトゥクパ（粟・汁物）」と呼ばれる粟粥になる。また、ハヌ村では粟の実を水車の石臼で碾いてチャペー（粟・粉）を作る。そして、これを煮て混ぜてパパの料理を作る。これは、粟のパパという意味の「チャペーパパ」、あるいは「チャザン」と呼ばれる。

かつては、祭礼での饗宴に粟の料理が出された。この際、粟の上に少量の炊いた米が乗せられた。米は貴重でスリナガルから輸入されており、金持ちだけが食べることができた。現在では、米はパンジャブやジャムから入ってくる。米は「ダス」と呼ばれ、圧力鍋に野菜や肉とともに入れられて料理される。この料理方法は圧力鍋を意味する英語のプレッシャークッカーのプレッシャーに由来すると思われる「ポラオ」と呼ばれる。標高３０００〜４０００ｍのラダックで米を短時間で十分に炊きあげるためには圧力鍋が必要なのである。

写真 45-2　ダストゥク（米の粥）

また、米だけを圧力鍋で炊いて皿に盛り、これとは別に料理した煮野菜を添えることもある。この料理は単に「ダス（米）」と呼ばれる。野菜、レンズ豆、じゃがいも、肉、揚げたゆで卵などに香辛料を加えて煮たものを、炊いた米に添えた料理は、結婚式などの祭礼の席やバザールの食堂で見ることができる。これは、印度料理の影響を受けた現代のラダック料理といえるかも知れない。

なお、米は水のなかで煮てトゥクパにすることもできる。この時、野菜は入れないが、肉や干しチーズを入れる。この料理は「ダストゥク（米・汁物）」と呼ばれ、日本の粥である。消化が良いため病人用の食事として作られる。

新たに導入された米という食材を、伝統的な料理方法に適合させるのみならず、圧力鍋という料理器具により今までとは異なった料理方法を取り入れ、人びとは米の料理という新たな領域をラダックの料理に加えているのである。

（煎本　孝）

46

乳製品と肉の食事

★穀物と家畜の組み合わせから成る料理★

第24章で詳述したように、家畜の乳からはヨーグルト、バター、チーズなどの乳製品が生産される。ヨーグルトはそのまま食され、バターとチーズは保存食のみならず交易品として用いられる。

バターは茶に入れてバター茶とする。また、大麦粉と練ってコラックを作って食べる。バターは日常生活に大量に消費される必要不可欠な食品であるばかりではなく、結婚式やローサルなどの祭礼時には大麦粉や大麦酒に添えられ、吉兆の印としての象徴的役割を持つ。干しチーズは、大麦、小麦、あるいはそばで汁物を作る時、野菜、肉などとともに煮て食される。

ローサル前の10月末（太陽暦では11～12月）、肉を準備するために畜殺がおこなわれる。上手ラダック、下手ラダックでは年取った山羊や羊を各家で1～3頭、年取ったヤクやディモ、ゾーやゾモを2～4家族で1頭畜殺する。これらの肉は1月末～2月中旬まで利用することができる。

なお、ザンスカールやチャンタンでは、畜殺頭数はこれよりはるかに多い。ザンスカールのツァラップ川上流のシュンーシャデ村では冬の間に、ヤクやディモを1家族当たり1～2頭畜殺する。また、チャンタン遊牧民サマン—ロクチェン集団の家族では、年間に食肉用としてヤクやディモ2頭、山羊3～4頭、羊5頭が畜殺される。

畜殺は「する」と言う意味のチョチャス（チョワ）を婉曲的に用い、「殺す」という意味のサトパは用いない。仏教において殺生が禁じられているからである。畜殺と解体は一連の過程としてチョチャスを用いる。たとえば、「ルックチック　チョチャス　ヨットパ（1頭の羊・する・持つ：私はするべき1頭の羊を持つ）」と言えば、人びとは畜殺するのだと理解する。

山羊や羊の畜殺は、家畜の脚を紐で縛り1～2人の男が地面に押さえつけ、他の1人の男が小刀で家畜の首を下から切る。また、ヤクやゾーの場合は、同様に脚を縛り、首を小刀で切るが、時に斧を使って首を切る。さらに、チャンタンでは、脚を縛った後に、口を紐で縛り横たえて窒息死させる。また、肋骨を数え心臓の位置する場所に先の尖った「スニェンデプス（心臓・小さな器具）」と呼ばれる短剣を刺して畜殺することもある。

畜殺と解体をおこなうのは男のみである。ただし、切った肉の料理は女がおこなう。また、村には畜殺をおこなう特定の男たちがいる。もっとも、彼らは印度のように特定のカーストに属してはいない。村びとは、村のなかの特定の男に畜殺を依頼する。そして、報酬として家畜の心臓が与えられる。

解体後、腸詰めが作られ、頭部、四肢、内蔵、肉が料理される（図46—1）。なお、頭部は焼いて食されるが、「ゴシャ　ザナン　タリガン　マザナン　タリガン（頭の肉・食べるのも・皿一杯・食べないのも・皿一杯）」との言い習わしがある。頭の肉は骨があるため、食べる前も食べた後も皿一杯に乗っているという意味である。

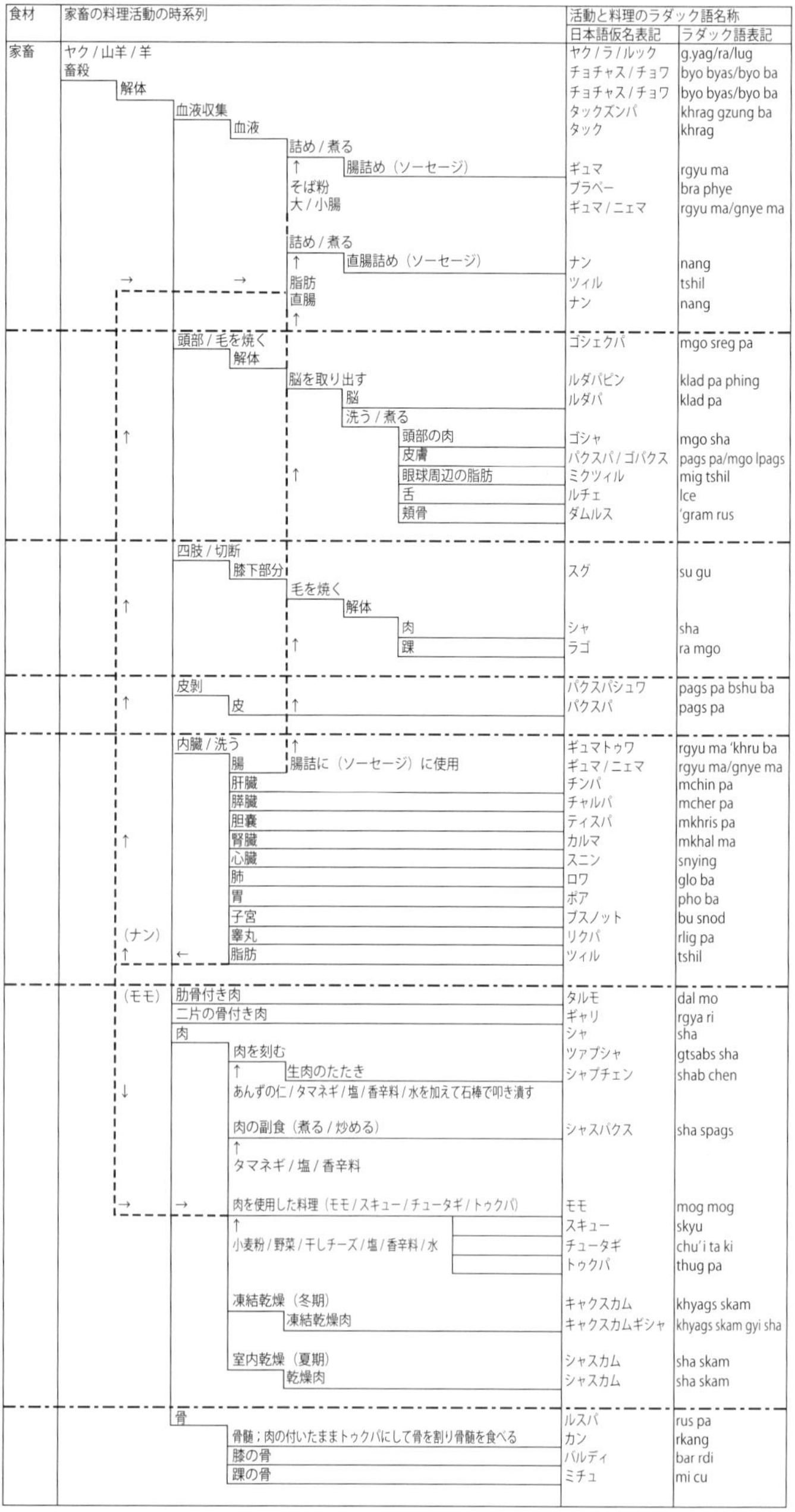

食材	家畜の料理活動の時系列	活動と料理のラダック語名称	
		日本語仮名表記	ラダック語表記
家畜	ヤク / 山羊 / 羊	ヤク / ラ / ルック	g.yag/ra/lug
	畜殺	チョチャス / チョワ	byo byas/byo ba
	解体	チョチャス / チョワ	byo byas/byo ba
	血液収集	タックズンパ	khrag gzung ba
	血液	タック	khrag
	詰め / 煮る		
	↑ 腸詰め（ソーセージ）	ギュマ	rgyu ma
	そば粉	ブラペー	bra phye
	大 / 小腸	ギュマ / ニェマ	rgyu ma/gnye ma
	詰め / 煮る		
	↑ 直腸詰め（ソーセージ）	ナン	nang
	→ → 脂肪	ツィル	tshil
	直腸	ナン	nang
	↑		
	頭部 / 毛を焼く	ゴシェクパ	mgo sreg pa
	解体		
	脳を取り出す	ルダパピン	klad pa phing
	脳	ルダパ	klad pa
	洗う / 煮る		
	↑ 頭部の肉	ゴシャ	mgo sha
	皮膚	パクスパ / ゴパクス	pags pa/mgo lpags
	↑ 眼球周辺の脂肪	ミクツィル	mig tshil
	舌	ルチェ	lce
	頬骨	ダムルス	'gram rus
	四肢 / 切断		
	膝下部分	スグ	su gu
	↑ 毛を焼く		
	解体		
	肉	シャ	sha
	↑ 踝	ラゴ	ra mgo
	皮剝	パクスパシュワ	pags pa bshu ba
	↑ 皮 ↑	パクスパ	pags pa
	内臓 / 洗う ↑	ギュマトゥワ	rgyu ma 'khru ba
	腸　腸詰に（ソーセージ）に使用	ギュマ / ニェマ	rgyu ma/gnye ma
	肝臓	チンパ	mchin pa
	脾臓	チャルパ	mcher pa
	胆嚢	ティスパ	mkhris pa
	↑ 腎臓	カルマ	mkhal ma
	心臓	スニン	snying
	肺	ロワ	glo ba
	胃	ポア	pho ba
	子宮	ブスノット	bu snod
	（ナン） 睾丸	リクパ	rlig pa
	↑ ← 脂肪	ツィル	tshil
	（モモ） 肋骨付き肉	タルモ	dal mo
	二片の骨付き肉	ギャリ	rgya ri
	肉	シャ	sha
	肉を刻む	ツァプシャ	gtsabs sha
	↑ 生肉のたたき	シャプチェン	shab chen
	↓ あんずの仁 / タマネギ / 塩 / 香辛料 / 水を加えて石棒で叩き潰す		
	肉の副食（煮る / 炒める）	シャスパクス	sha spags
	↑		
	タマネギ / 塩 / 香辛料		
	→ → 肉を使用した料理（モモ / スキュー / チュータギ / トゥクパ）	モモ	mog mog
	↑	スキュー	skyu
	小麦粉 / 野菜 / 干しチーズ / 塩 / 香辛料 / 水	チュータギ	chu'i ta ki
		トゥクパ	thug pa
	凍結乾燥（冬期）	キャクスカム	khyags skam
	凍結乾燥肉	キャクスカムギシャ	khyags skam gyi sha
	室内乾燥（夏期）	シャスカム	sha skam
	乾燥肉	シャスカム	sha skam
	骨	ルスパ	rus pa
	骨髄；肉の付いたままトゥクパにして骨を割り骨髄を食べる	カン	rkang
	膝の骨	バルディ	bar rdi
	踝の骨	ミチュ	mi cu

図 46-1　家畜の料理活動の時系列と名称

また、四肢の解体後、「バルディ」と呼ばれる膝の骨は、結婚式の時にタシスパが持つダダールに結び付けられる。また、膝の骨と「ミチュ」と呼ばれる踝の骨は子どもの遊具として用いられる。

第一の遊び方は、置いた骨に別の骨を投げて当てるものである。第二の遊び方は、骨を上に投げて落ちた骨の上面の動物名を当てるものである。広い上面と下面は馬とロバ、狭い側面はゾーと犬となっている。遊びは「ルツェワ」と呼ばれ、膝の骨を用いた遊びは「バルディルツェワ」、踝の骨を用いた遊びは「ミチュルツェワ」と呼ばれる。これは、占いや儀礼ではなく、純粋な遊びである。

写真46-1　羊の腸詰めを作る（サブ村）

内蔵は煮る、焼く、炒めるなどの料理法で食べられるが、大腸、小腸、直腸などは腸詰めを作るために利用される。肋骨付き肉は結婚式やローサルの時の祭礼用料理として煮て食される。二片の骨付き肉は「ギャリ」と呼ばれ、祭礼用料理であるサングマに欠かせない。サングマは炊いた米にこの骨付き肉を2本添えたものである。

さらに、肉を使用した料理としては、「シャチェン（肉・大きい）」と呼ばれる生肉のたたきがある。これは、パパやコラックとともに食べる。また、肉は、たまねぎ、塩、香辛料とともに煮て、シャスパックス（肉・副食）として、主食のパパ、タキ、米とともに食される。

なお、解体した肉は、冬であれば、「キャクスカムギシャ（凍結・

乾燥・の・肉)」と呼ばれる凍結乾燥肉にする。また、夏の期間であれば、小片に切られ、乾燥させられて、「シャスカン(肉・乾燥)」と呼ばれる干し肉となる。

また、骨付き肉を食べる際、骨を割りなかの骨髄が食べられる。ダーハヌ地域のダルドでは、立春におこなわれる「ママニ」と呼ばれる祖先供養の際、秋に畜殺した家畜の保存してあった皮、頭部、四肢骨内部の骨髄が食べられる。

家畜からは乳製品のみならず、解体された部位に従って独自の料理が見られる。血液はそば粉と混ぜられ腸に詰められた後、煮られて腸詰めとなる。頭部と四肢の膝から下部分は毛が焼かれ、さらに解体された後、煮て食される。また、肝臓、脾臓、腎臓、心臓、肺、胃、子宮、睾丸なども洗った後、煮て食される。

肋骨付き肉は煮て祭礼用料理とされる。また、肉を刻み、あんずの仁、たまねぎ、塩、香辛料、水を加えて石棒で叩き潰し生肉のたたきが作られる。副食として用いる場合には、たまねぎ、塩、香辛料を加え、煮る、あるいは炒めて料理が作られる。

肉を使用した主食としての料理には、モモ、スキュー、チュータギ、トゥクパなどがあり、小麦練り粉とともに蒸し、あるいは煮て料理が作られる。ここでは、小麦粉の他、野菜、干しチーズ、塩、香辛料、水が用いられる。なお、内臓脂肪は直腸の腸詰めやモモを作る時に用いられるのみではなく、香草であるスコツェを炒めてトゥクパの味や香を付けるために利用される。

肉料理は、多様な食材をそれぞれの特性に応じて加工し、生、煮る、焼く、炒める、蒸すというさまざまな方法により異なる料理を生み出している。さらに、腸詰め、凍結乾燥肉や乾燥肉の製造は、食材の加工による新たな料理と保存食の製造である。保存食や骨髄食を含む肉料理の多くは北方狩猟採集民と共通する。しかし、ヨーグルト、バター、チーズなど発酵乳製品の利用は牧畜経済の特徴である。

さらに、ラダックの料理に見られるような穀物と家畜という異なる食材の組み合わせによる料理は、農耕経済と牧畜経済の融合の結果である。家畜の料理の体系は、大麦、小麦、そばなどの料理方法の体系と相互に結びつき、独自の組み合わせから成るより複雑な料理の体系を形成しているのである。

（煎本　孝）

IX
食文化

47

日々実践される食事

★料理のこころ★

ラダックにおける一般的な一日の活動リズムと食事の時間は、伝統的に次のようである。朝、8時に起きた後、夏であれば、畑仕事に出かける。最近では、起床後、紅茶を飲む。冬はあまり仕事がないので、家のなかの掃除や、家畜を部屋から外の囲いに出し、干し草などの餌を与える。また、乾燥させた牛の糞を集め、薪を割る。子どもたちは竈（薪ストーブ）で沸かした湯で顔と手を洗う。

夏であれば、11時頃、畑から帰ってきて、一人がバター茶を作り始める。これができる頃に全員が集まり、一人10〜15杯のバター茶を飲む。バター茶を飲み終わると、朝食として11時半頃、コラックを各自作って食べる。なお、朝食はコラックのみでなく、タキを焼き、じゃがいもを煮たものを付けることもある。

冬の間、14時〜15時頃、ゾー、ゾモ、牝牛、雄牛、馬、ロバなどの家畜を川に連れていき水を飲ませる。これらの家畜は冬期間、山に放牧されず、家畜部屋と外の囲いで一日中飼われているので、水を一日に一度与える必要があるからである。

山羊と羊は毎日、朝に干し草を与えた後、山に連れていく。これは、2〜3軒から10軒ほどの家が共同でおこない、交代で

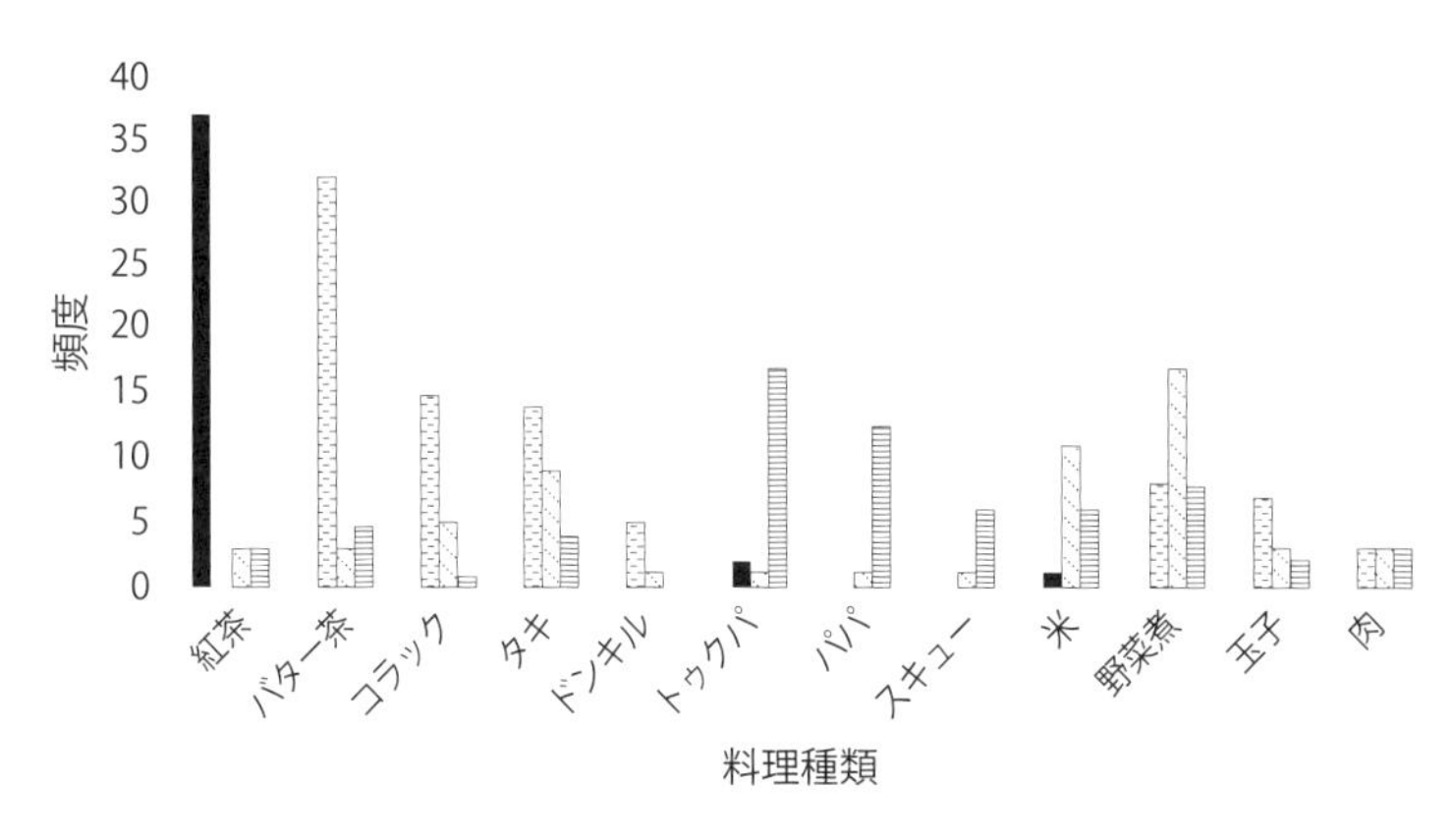

図47-1　ラダックの年間の食事の料理別、食事時間別頻度（カラツェ村GT家：1988-1989年（合計37日間））

連れていく人を決めている。彼らは、村から5〜6㎞ほど離れた山岳地に山羊と羊を連れていき、一日中草を食べさせ、夕方に戻ってくる。

村では、16時頃に昼食がとられる。季節ごとに必要な仕事がおこなわれ、夕食は20時頃となり、その後就寝する。

もっとも、8〜9月のカラツェ村での16日間の観察によれば、食事の時間は起床と茶が6〜7時、茶と朝食が8〜9時、昼食が13時、夕食が22時、就寝が23時となっている。これは、小学校が10〜13時、および14〜16時にあるため、朝の登校前の9時に朝食の時間、帰宅後、午後の登校前の13時に昼食の時間が設定されたことによる。したがって、現代の一日の活動リズムは小学校の登校時間によっても調整されていることになる。

夏期、秋期、冬期の合計37日間における年間全体の傾向を見ると、早朝には紅茶を飲み、朝食にはバター茶とコラック（練った炒り大麦粉）、タキ（小麦の無発酵平焼きパン）が食され、その他としてドンキル（小麦の発酵厚焼きパン）、野菜煮、玉子なども取られる。昼食は米と野菜煮が主であり、その他としてタキ、コラックも見られる。夕食はトゥクパ（汁物）とパパ（大麦粉を湯のなかで煮た料理）が主であるが、その他としてスキュー（伸ばした厚い皮を折り曲げた形にした小麦練り粉を水／肉／塩／香辛料と煮た汁なし煮物）、米、野菜煮なども取られる（図47―1）。

さらに、食事の季節変化ついて時期ごとに比較した結果、夏期においては、朝食はバター茶にコラック、あるいはタキ、昼食はタキ、米、野菜煮、夕食はトゥクパ、パパ、スキューと明確に区別されている。この時期、早朝の草取りのため、朝食はコラックで済まし、昼食、および夕食に手間のかかるタキ、野菜煮、パパ、スキューなどが作られるからである。

秋期においては、朝食にバター茶、コラック、タキ以外に、野菜煮、玉子が見られ、昼食に野菜煮以外にバター茶、コラック、タキも見られる。さらに、夕食にはトゥクパ、パパ、スキュー以外に米、野菜煮が見られる。この時期は、脱穀、あんずの果樹の収穫と加工に従事する繁忙期であり、昼食に時間と手間のかかる米と野菜煮の料理をせずに、これらを夕食とし、昼食は朝食と同様のバター茶、コラック、タキとしているためである。

冬期においては、朝食、昼食、夕食ともに肉料理が見られる。また、この時期には、結婚式や誕生祭がおこなわれるため、村人たちは大麦酒、コラック、タキ、ドンキル、米、野菜や肉の料理を供される。

したがって、ラダックの食事は、冬期は肉料理が増加するという季節的変化が認められ、また秋の繁忙期には昼食が米、野菜煮からバター茶、コラック、タキへと調整される傾向が見られる。もっとも、早朝の紅茶に始まり、バター茶、コラック、タキの朝食、タキ、米、野菜煮の昼食、トゥクパ、パパ、スキューの夕食という基本的形式は保持されている。

食事の料理別、食事時間別頻度の季節変化は、時期ごとの活動の種類と活動リズムの変化、夏期の生計活動と冬期の祭礼活動という季節による活動の種類の分極化に対応した献立の調整の結果である。同時に、冬期に肉料理が集中することは、厳寒期における高カロリーの食物摂取という生存戦略ともなっている。

火の使用と料理の発明は家族の形成とも係わっている。母がこころを込めて作る料理を食べることにより親子の関係が形成される。日々の料理を作り食べることこそが、家族の形成と帰属性の維持に不可欠なのである。

さらに、さまざまな祭礼や行事における料理に込められたこころは、ともによろこび、かなしみ、感謝し、願うこころである。ローサル、結婚式、誕生祝いの儀式における祭礼用料理は、吉兆とよろこびを演出する。これは家族のみならず、親族、パスプン、村の人びとと共有されるよろこびである。

写真47-1　聖なる食物のツォクス（儀軌の後、切り落とされた先端は主尊に奉納され、残りは村人たちに分配される）（カラツェ村）

さらに、ペマル（大麦粉・バター）として大麦粉に添えられたバターや、ドンキルに付けられたバター、人びとに供される大麦酒の杯の縁に付けられたバターは、吉兆の印として人びとをよろこばせる。料理のこころが人びとを繋ぐのである。

大麦粉で作られたツォクスとは、一般的に忿怒尊に捧げられる円錐形の供物を意味するが、本来は宗教的集会と犠牲の供物を意味する。供物としてのツォクスは、儀軌においてその先端が斜めに切り落とされ主尊であるパドマサムバヴァに捧げられ、残りは小片に切り分けられ、僧や村人たちに分配される。これは、「チンラックスギザス（祝福された・食物）」と呼ばれ、聖なる食物とされる。ツォクスは本来、ラー（神々）への家畜の供犠と人びとへの分配のメタファーである。さらに、遡れば、野生動物の狩猟による獲得と分配のメタファーでもある。ラーという自然の神々を仏教的諸尊に取り替え、動物の狩猟や供犠をツォクスの先端を切ることに置き換えることにより、ツォクスは聖なる食物へと転換される。

儀軌を通して主尊に捧げられ分配される聖なる食物であるツォクスは人びとに祝福を与え、集団としてひとつになるこころを生起させるのである。

（煎本　孝）

コラム9

茶と大麦酒

煎本 孝

チャ、あるいは敬語で「ソルジャ」と呼ばれる茶は、ラダックでは重要な飲み物である。朝起きるとすぐに塩茶、あるいは紅茶が飲まれ、朝食前には塩とバターを入れて作られたバター茶が作られ、一人10～15杯飲む。

その後、バター茶に大麦粉を入れてコラックが作られ朝食となる。さらに、昼食時や夕食時にもバター茶が出される。バター茶から、人は茶の成分、水分、塩分のみならず、バターを大量に摂取する。バター茶は単なる飲み物ではなく、栄養を摂取するための食事の一部となっているのである。

茶を作るには、茶葉を板状に蒸し固めた団茶を削り、これを少量の水で煮出す。団茶は茶葉を蒸して茶臼で突いて固形にしたものであり、かつては交易によりチベット経由でラダックにもたらされた。現在ではバザールで販売されている。

この時、ソーダ（重曹：炭酸水素ナトリウム）を加えると早く色が変わる。なお、伝統的にはソーダの代わりに「プル」と呼ばれる白い土が用いられた。これは、ヌブラからもたらされるものであるが、今日でもこれをヌブラから採取してきて売る人がいる。こうして、茶を煮出すと、品質の良い茶葉だと5～10分、逆に品質の劣るものだと2～3分で色が変わる。色は赤に変わるのが良いが、煮すぎると黒く変色し、味も悪くなる。

次に、茶の煮出し液を濾して、水の入ったやかんのなかに入れ、塩を加えて煮る。これを、「ドンモ」と呼ばれる筒状の攪拌機にバターを加えて入れ、攪拌棒を手で上下に動かして攪拌する

写真コラム 9-1　バター茶を作るためのドンモ

と茶が出来上がる。

「チャン」と呼ばれる大麦酒は、大麦粒を酵母でアルコール発酵させて製造される醸造酒である。また、発酵大麦粒に水を加え蒸溜して作られた蒸溜酒は「アラック（ドンラック（敬語））」と呼ばれる。前者はビールに、後者はウイスキーに相当する。

大麦酒を製造するためには、炒っていない大麦粒を煮た後、ヤク毛製の毛布の上に広げて冷ます。この上に、酵母を掛け、大きな袋か銅製容器に入れて蓋を被せ、衣服や干し草を掛けて暖かくして2〜4日寝かす。発酵したら土器の壺に入れ、干し草を掛けて2〜4日寝かす。その後、発酵大麦粒は、桶に入れられ、水が注ぎ込まれ、1番目から9番目までの大麦酒が取り出される。

蒸溜酒を製造する場合には、発酵大麦粒を水とともに銅製容器に入れて蒸溜する。銅製容器のなかに小さな銅製容器を吊り下げ、これらの上に銅製椀を被せ、それらの隙間を大麦練り粉で封じる。銅製容器を熱すると、アルコール蒸気は上に被せた冷水や氷の入った銅製椀の底に水滴となって付き、これがその下に吊り下げられた小さな銅製容器のなかに滴り落ちる。

ラダックでは、乳からヨーグルトを作るための乳酸菌による乳酸発酵、および大麦から大麦酒を醸造するための酵母菌によるアルコール発酵が食品や飲料の製造に用いられる。小麦粉を原材料とした厚いタキであるドンキルを作る時にも、これらの乳酸菌、あるいは酵母菌が加えられる。

大麦を醸造して抽出される醸造酒であるチャンと蒸溜酒であるアラックは、嗜好品、あるいは社会関係を調整するための品目として重要である。冬期におこなわれる結婚式では大量の大麦酒が消費される。誕生祝いの儀式、葬儀においても同様である。さらに、日常でも、来客のもてなし、儀軌を執り行う僧への提供、儀軌の際の村人たちへの振る舞い、年寄りの晩酌など、男女を問わず酒が消費される。

とくに結婚の過程では、「カルチョル」と呼ばれる吉兆の大麦酒、さらに結納や饗宴のための大麦酒の原料となる大麦粒のやり取りは、重要な慣習になっている。この大麦酒の重要性はラダックの人びと自身も十分に認識しており、結婚歌「大麦酒の歌」(no.17(2))では、「大麦酒は上方の者、密教、親族がはたらく時の関係に必要不可欠であるが、律、短気な者、敵をからかうのには不必要である」と大麦酒の功罪について歌われる。同様に、「匙で供する歩み」

写真コラム 9-2　大麦酒の入った吉兆のカルチョルは結婚式において新郎側のタシスパ一行に供される（ティミスガン村）

(no.12(4)) においても、大麦酒を供すべき相手について指南がなされる。また、大麦酒の製造方法については、結婚歌「大麦酒造りの歩み」(no.12(3)) において歌われる。

ラダックの村々では、金持ちの家は常に大麦酒を置いている。一つの大麦酒がなくなりそうになると、次の大麦酒が製造される。このため、10〜15日に一度は大麦酒を造ることになる。また、人びとは普通、冬にアラックを作る。さらに、ある人はアラックを作って売っている。

エネルギー摂取という観点からは、原材料である大麦の糖からアルコール発酵によりエタノールを生産し、それを大麦酒や蒸留酒として摂取することで、人びとは転換されたエネルギーを得ていると考えることもできる。

儀　礼

X 儀礼

48

葬儀と祖先供養

★悲しみから感謝のこころへの転換★

人生にはさまざまな悲しみがある。そのなかでも、最も深い悲しみは親しい者の死であろう。

葬儀は、高僧によるポワの執行と読経、パスプンによる死体の姿勢作り、弔問、喪、食事の手配、儀軌の執行、火葬、遺品の競売、葬儀最終日のツァチョック儀軌によるツァツァ作りなどの時系列に沿った諸活動から成る。

ポワは死者の魂（意識）をブッダの世界に送るための儀礼である。僧は死者の魂に向かって、「ペッ、ペッ」と声を掛ける。この時、死者の魂はこれを聞いており、頭頂にある縫合が交わった大泉門から体外に出てブッダの世界に行くと考えられている。

ポワの後、「トズドル（死者の書）」や「スモンラム」と呼ばれる経が唱えられる。もし、ポワが完全におこなわれていれば、理論的にはトズドルの朗唱やその後の葬儀における儀軌は必要ない。トズドルは死者の魂にブッダの世界に行く方法を指南する書だからである。死者の魂は死後出現する忿怒尊を含む多くの諸尊に出会う。これらを恐れて逃げると再び輪廻のなかに転生する。しかし、本来の光の方向に向かうならば、輪廻から自由になりブッダの世界に至ることができるのである。

なお、トズドルはパドマサムバヴァが記して隠したといわれるものが再発見された埋蔵経であり、偽経ともされるため、古派のニンマ派やカーギュ派はこれに準拠するが新派のゲールク派は準拠しない。したがって、葬儀に用いる儀軌も両派で異なる。

パスプンは死体を屈葬の姿勢に作る。さらに、死体を布で包み、下部と側面を糸で縫い合わせ、上部は絞って紐で括る。死体が袋で包まれたら、仏間に安置される。

台所では死者の近い親族が泣いている。彼らは死者に語りかけ、生前の業績を讃えて感謝し、死に目に会えなかった残念さを述べる。なお、ここではリズムのとれた歌のような表現をとって死を悲しんで泣き叫ぶ。これらは伝統的な哀悼の表現様式となっている。

これに対して、弔問に訪れた村人たちは、当の死者はしあわせであったことを述べ、家族の死の悲しみを和らげ、人間の死が普遍的であることを諭し、死を受け入れさせる。

家の者は僧たちに1日に2度の食事を提供する。この時、死者のための食事も同時に作られる。「サンチュン」と呼ばれる料理がヨーグルトとともに上座の僧に持って行かれる。この料理は、パパを、タキを敷いた上に盛り付け、この外側に干しあんず、ビスケット、砂糖などを付けたものである。

僧は朗唱しながらこの一部を取り灯明台の形を作り、周りにヨーグルトをかける。そして、これを死者の甥（ツァオ）に渡す。甥から見れば死者は母の兄弟、すなわち母方のおじであるアジャンとなる。ツァオとアジャンは強い親愛的感情と社会的責任で結ばれた親族関係となっている。死者の甥は、「ドンネ　アジャン　ソナムノルブ（ソナムノルブおじさん、食べて下さい）」と死者に呼びかけ、これを屋上に持って行き置く。

写真48-1　僧たちによる葬儀のための儀軌の執行（カラツェ村）

チャンブ儀軌では小さな紙片に死者の絵が描かれ、絵の上部には彼の名前が書かれる。この絵は死者の象徴である。始めに、マントラの力により死者の意識を、丁度本当の人であるかのように、この絵のなかに来させる。そして、各尊が描かれた札をこの絵の上にかざすことにより、彼に力を与える。次に、鏡に死者を映し、これを水で洗い、死者の罪業を洗い流す。

最後に、死者の絵が描かれた紙片が燃やされる。火は智慧を象徴し、これによって死者の罪業のみならず、無知、怒り、欲望という迷いの原因を燃やす。彼の意識は浄化され、ブッダに至ることができるのである。

パスプンの男たちが遺体を運び、村人たちは遺体を焼くための木材を運ぶ。火葬場には、僧たちとパスプンの男たちだけが残る。近いパスプンの男たちは死体をロンカン（死者を火葬するための石室）の上に置き、僧に祝福してもらった杜松（ねず）や白檀（びゃくだん）の木を布で包み、あんず油か菜種油を染み込ませて火を着ける。これをロンカンに入れ、さらに火が燃えるように材木をくべる。

僧はプンシェクス儀軌をおこなう。僧たちはメラー（火・神）を観想し、マントラの力により死体を良い食物に変化させ、それを火の神に供する。このことにより、死者の魂は功徳を得ると考えられている。

なお、チャンタンでは死者は多くの場合、埋葬される。火葬のための木がないからである。さらに、ある者は高い山の頂上に持って行かれ、そこに置かれる。死体は自然に鳥に食べられる。鳥葬である。

ツァチョック儀軌は、遺骨と粘土を混ぜて作られるツァツァを作るための儀軌である。ツァツァは高さ5㎝程の小さな仏塔である。ツァツァは仏塔やマニ石積みの周囲に置かれる。また、ツァツァを納めるための舎利堂もある。

「シミ（死者）」と呼ばれる祖先供養はローサルの時におこなわれる。パスプンが集まり死者に感謝の祈り言葉が述べられ、特別な食物が捧げられる。さらに、ママニと呼ばれる立春の行事の時にもシミがおこなわれる。

この時、秋に畜殺した家畜の頭部、四肢の外側の毛を焼き、皮、頭部、骨の内部の肉や骨髄を食べる。また、「テンテン」と呼ばれ

写真48-2　僧に先導されて死体は火葬場のロンカンに運ばれる（レー）

写真48-3　祖先供養において食事を死者に供する（カラツェ村）

る水溶きそば粉を焼いた特別な料理を作る。そして、パスプンの男や女が集まり、シミの場所に行き、食事を捧げ、飲食する。

葬儀は死者との別れの儀式である。この悲しみを癒やすのが彼らの死生観である。僧による儀軌は、死者が輪廻世界から自由になりブッダの世界に行くことを目的としている。

他方、死者は風のようにどこからか来てどこかに行くとも考えられている。このことは、「シミ ルンスパ ツォクシック イノック（死者・風・のよう・である）」と表現される。そこで、毎年、新年やママニの時には死者に食事と灯明が捧げられ、祖先供養がおこなわれる。そこでは、畑や家屋を作った祖先に対する感謝の祈り言葉が述べられる。死者は見えないけれども、生者とともにこの世に存在し続けていると考えられているのである。

ラダック仏教徒協会が祖先供養を禁止しても、人びとがこれはラダックの慣習だからと言って現在まで続けていることは、それが人びとにとって必要であることを意味している。祖先供養は生者が死者と再会し、敬意と感謝を表すことのできる唯一の場なのである。

人は親しい者の死による悲しみを消すことはできない。しかし、死者への追悼の言葉を発して泣き、村人たちの弔問を受け、僧による儀軌と火葬が執り行われ、喪に服すことにより、その事実を受け入れる。仏教的死生観と併存する死者との共生観により、祖先供養と死者との会合を通して、悲しみのこころは祖先への感謝のこころへと転換されるのである。

（煎本 孝）

49

誕生祭

★喜びからいきる勇気への転換★

新しいいのちの誕生は、個人にとっても社会にとっても、最も喜びに満ちた出来事の一つであろう。誕生祝いは、僧による儀軌ではなく村の伝統儀式である。

「ハルキャパ（極度の疲労・閉じる）」と呼ばれる儀式が、夫の家で出産の2日後におこなわれる。これは、親族とパスプンのみによる出産直後の新生児の誕生を祝う儀式である。

ハルキャパの直後からこの家は不浄になる。その結果、母は料理や畑仕事をすることはできない。この間、母の実家から、バター、山羊や羊の肉が提供される。夫の両親からも同様の食事が与えられる。

ハルキャパの日、すべての親族、近いパスプンは、トゥクパ（じっさいには、マルザン）、ダダール（矢）、スキン（小麦粉を焼いて作ったアイベックスの像）、ティトン（チャパティ）を持って訪れる。彼らは仏法僧の三宝、およびすべてのラーに奉納する。そして、彼らはパスラーに赤ん坊を祝福してくれるよう要請する。

赤ん坊の誕生した家は、赤ん坊の衣服を作り台所の柱に掛けたままにしている。そして、「ブリアンサル　チルペツェサル（蛇の力を与えて下さい、雀の寿命を与えて下さい）」と祈願する。蛇には人が恐れて逃げる力があり、雀には百年の寿命があると考えられているからである。この日、両親が健在なパスプンの少年はこの衣服を柱から取り、母の両手に抱きかかえられている赤ん坊に着せる。

ハルキャパの10〜15日後、「トゥクチュン（トゥクパ・小さい）」と呼ばれる儀式がおこなわれる。ここには、すべてのパスプンと親族が参加するが、村人は来ない。彼らはハルキャパの日と同様に赤ん坊の誕生した家を訪れる。また、彼らは「ポポ」と呼ばれる衣服、「ティピ」と呼ばれる帽子を赤ん坊のために持ってくる。彼らは飲み、歌い、食べて踊る。

翌日、トゥクチェン（トゥクパ・大きい）がおこなわれる。内容は、前日と同じであるが、パスプン、親族のみならず、すべての村人たちが赤ん坊の誕生した家を訪れる。

赤ん坊の誕生した家は大麦酒、茶、食事を用意する。母の実家からは、男と女のために大きな壺に入った大麦酒がそれぞれ提供される。さらに、「ペマル」と呼ばれるバターで練ったコラックと、あんず油で練ったコラックが、村のすべての女たちに与えられる。同じ2種類のコラックが父（母の夫）の家からも与えられる。なお、トゥクチェンは「ダガン（月・満たされる）」と呼ばれる誕生の1か月後におこなわれる祝いの儀式に相当する。

下手ラダックのスクルブチェン村ではバンリがおこなわれる。この誕生を祝う儀式は普通長男の時だけおこなうが、もし家が裕福ならば長男と長女の2回おこなう。儀式は2〜3日の饗宴から成り、人びとは飲み食いして踊る。また、結婚式の時のように、大きな吉兆の食物であるダンギャスや絨毯の座列が用意され、ニャオパが特別な衣装を着け金色の飾りを付けた帽子を被って登場する。

第49章
誕生祭

ダガンが新生児誕生の1か月後に誕生を祝うためにおこなわれるのに対し、バンリは通常冬期間におこなわれる。つまり、スクルブチェン村では、新生児誕生の1か月後にサンスチャン（浄化・大麦酒）がおこなわれ、その後、冬期には盛大な饗宴であるバンリがおこなわれることになる。

これに対して、カラツェ村では、誕生2日後のハルキャパ、その10〜15日後のトゥクチュンとトゥクチェン（誕生1か月後のダガンに相当）、そしてかつてはバンリがおこなわれた。なお、上手ラダックのレーでは、誕生の1か月後にダガンがおこなわれるが、バンリはおこなわれない。ここでは、ダガンはバンリ程盛大ではないが、その代わりになっている。

いずれの場合でも、出産後の不浄が明ける1か月後に、人びとを招待し誕生を祝う宴会が催されることになる。このため、出産後1か月目の浄化儀礼（サンス）が忌明けとしての重要な節目となるのである。

カラツェ村のダガンにおける招待者48名（内男11名、女37名）の親族関係と贈物の一覧によると、贈物は赤ん坊衣服一式、あるいは衣服用布地、赤ん坊用毛布、ビロード布地、柔布地、シャツ用布地、衣服、椀、靴下、セーター、帽子、シャツなどの衣類、布地、5〜210ルピーの現金である。

また、親族関係の分析に基づけば、母方の親族（姻族）は第1世代の甥のみならず、甥の子ども、さらにその子どもの誕生祝いに招待され、贈物を持参して参加する。当初の結婚世代を0世代とすると、その後3世代に渡り親族関係が継続していることになる。

さらに、招待者は母の父の家（母の実家）のみならず、母の母の家（母方の祖母の家）、さらには母の母の母の家（曾祖母の家）にまで関係は及び、新生児に対する母方親族の強い関与が明らかになる。

ラダックではパスプンによる父系出自集団が見られるが、女を通した系譜も存在する。これは帰属性を伴うような明確な母系制をとってはいないが、頭飾りであるペラックの贈与を通した母と娘の関係、赤ん坊の装身具であるカウと赤ん坊衣服一式が母方の祖母から贈られる祖母と孫娘の関係として継承される。

じっさい、「ルスギュット（骨・系統）」、あるいは「パギュット（父・系統）」と呼ばれる父の系統、「シャルギュット（肉・系統）」、あるいは「マギュット（母・系統）」と呼ばれる母の系統を示す言葉があることは、父と母の系統が併存することを示す。

写真49-1　羊毛に包まれ背負い籠に入る赤ん坊

結婚により女の帰属性は夫の家のパスプンに代わるが、親族関係は実家と繋がったままなのである。パスプンがパスラーによって理念的に結ばれた相互扶助のための集団であることとは対照的に、親族はその成員の生死に係わる根源的、かつ不変的な集団となっている。

ラダックの人びとが常にパスプンとスニェン（親族）を強調するように、これらは結婚、葬儀、誕生祝いという人生儀礼において、必要不可欠な二つの社会組織としてはたらいているのである。

赤ん坊への祈り言葉は、赤ん坊が強く立派に育つようにと託した希望であり、彼（彼女）の一生を見守り、責任を担う親族にいきる意味と勇気を与える。彼らはそのために、赤ん坊にこれから必要な衣服一式と装身具を贈る。

さらに、赤ん坊の父母だけではなく、母の兄弟であるアジャン、父の姉妹であるアネは、将来の結婚においても重要な役割を務めねばならない。父方の親族、母方の親族、パスプン、そして村人たちは、今後、この新たないのちの成長に係わり続けねばならない。彼らにその責任があるからこそ、それが彼らにとってのいきる意味となる。したがって、ここでは、喜びが誕生祝いを通していきる勇気へと転換されているのである。

（煎本　孝）

50

新　年

★悪霊の追放としあわせを願うこころ★

ラダックでは、チベット暦11月1日から「ローサル（年・新しい）」と呼ばれる新年となる。本来、1月1日に始まる新年が2か月間前倒しされているのは、16世紀、ラダック王ジャムヤンナムギャルがバルティを攻めた際、新年前に行くのは良くないとの占星術師の忠告を聞き、ローサルを2か月間早めたことによるからといわれており、現在でもこの伝統が継承されている。

下手ラダックのカラツェ村では、10月15日の準備開始から、焚き火と悪霊追放であるヘポロ、小麦練り粉で焼いて作るスキン（アイベックス）の像、パスプンの集会と祖先供養、バガタム（ダルド由来のかつてのリーダー）の掛け言葉、大晦日のヘポロと悪霊追放、新年の挨拶、競馬、ツォクスとスキンの分配、ババによる病気の除去、「ベレ」と呼ばれる悪霊像を用

写真50-1　ローサルにおける悪霊追放のためのベレ（カラツェ村）

いた悪霊の追放儀礼が11月7日まで、時系列に沿っておこなわれる。

なお、スキンの像は、雄山羊、雄羊、鹿、六星、太陽と月、ヤク、ディモ、ゾー、ゾモ、スキン、スニェマ（大麦や小麦の穂）など5種類、あるいは7種類や9種類の動物などの像の総称である。また、吉兆の印であるツォクスとスキンの像は隣人たちと分配される。

スクルブチェン村では、ババは登場しない代わりに、ババとは異なる役割を持った「アポルック（年寄りの男・やり方）」と呼ばれる年寄りの男の木製の仮面を被った10〜15人の少年が登場する。彼らは家々を訪れ、食物と裕福を持ってくると言葉を掛ける。

写真50-2　ローサルにおける吉兆の印である小麦を焼いて作ったスキン（アイベックス）の像（カラツェ村）

ローサルに登場する年寄りの仮面はザンスカールにおいても見られる。また、仮面を着けない登場人物として、スクルブチェン村ではアピとカロックがある。アピは年寄りの女の意味であるが、ここでは男が女装し顔を布で隠す。また、カロックは白い集まりという意味にもなるが、語源はヘミシュッパチェン村に見られるようにカルロル（踊り・楽しむ）と考えられる。スクルブチェン村では、カロックは女が若い男の衣装を着け、顔を布で被う。

これと類似するものとして、他の村々では少年が女装して登場するアポアピ（年寄りの男・年寄りの女）が見られる。アポルック、アピ（祖母）、アポ（祖父）等は年寄りの男女であり、カロッ

写真 50-3　ローサルにおける吉兆の印として登場する模型のスキン（ヘミシュッパチェン村）

クは若い男である。彼らは長寿と若さの象徴であり、ローサルに登場する吉兆の印となっている。

ヘミシュッパチェン村のローサルでは、10月25日のガルダンガムチョット（ゲールク派創始者ジェ・ツォンカパの生誕、入滅日を縁とする法要日）に始まり、ズドンメ（焚き火）と悪霊追放、バガタムの掛け言葉、特別料理であるグトゥク（さまざまな食材の入った汁物）、スキン作り、大晦日のメトー（悪霊追放のための火）、ラトーの杜松の取替え、祖先供養、新年の挨拶、競馬、リゾン僧院での新年の挨拶と踊り、カロック、カチェ（カシミール人のことで、ラーとルーの象徴）、メメ、楽士の訪問、ラーへの奉納、ラマズギ（悪霊追放の役者）の訪問、パティモ（女王）のための踊り、競馬（棒による模擬競馬）、スキンの登場、ラマズギの悪霊追放が11月9日まで続けられる。

なお、スキンは、絨毯などの布と本当のスキンの頭部を使った模型が用いられる。さらに、狩人がスキンを狩猟して肉を得ることが、スキンが「スキンシャ（スキン・肉）」と呼ばれる布を取ることで象徴的に演出される。

上手ラダックのレーにおいては、10月15日のガルダンガムチョットに始まり、グトゥク、大晦日の祖先供養、スキン作り、ガルメ（悪霊追放のための火）、氷を持って家に戻る、新年の挨拶、ラトーの杜松の取替え、スキンの分配がおこなわれる。

第50章
新　年

また、ラダック王国時代には10月30日〜11月1日に、僧院による仮面舞踊、トルマの投捨とドスモチェの破壊がおこなわれ、王はこれを見た後、王宮で新年を祝い、バザール大通りで競馬が3回おこなわれた。

現在は、西洋暦12月28〜29日に、僧院による仮面舞踊、トルマの投捨とドスモチェの破壊がおこなわれ、王宮下のバザール大通りで出店が催される。さらに、2月9日にもトルマの投捨がおこなわれ、2月10〜11日にはポロ競技が開催される。

さらに、チャンタンにおいては、10月25日のガルダンガムチョットに始まり、グトゥク、山羊の畜殺と頭をテント内の祭壇に置く（のちに祭礼用料理）、大晦日のラーへの大麦酒の奉納儀礼、悪霊の人形の投捨儀礼、メトー（火を振りまわし投捨）、タブヤク（スキン作り）、新年の挨拶と祭礼用肉料理、ラーの浄化と奉納儀礼、タブヤクを食べることが11月7日まで続く。

ローサルはさまざまな活動から構成される伝統的祭礼である。それぞれの活動には独自の象徴的意味があり、それらは全体としての象徴体系を作る。

この体系の中核は、悪霊を追放し吉兆を願うことである。悪霊追放のためには、悪霊を集め、これを火で破壊、投捨する。この役割はババやラマズギが担う。さらに、僧院の仮面舞踊では忿怒尊がこの役割を担う。

火と氷や水は浄化、清浄の象徴である。さらに、火は太陽の象徴でもあるため、冬至祭としてのローサルにおいて、1年の循環を願い太陽を迎えるために用いられる。水は新年が清浄で安全であることを願い汲まれる。火と水は、人間の生存にとって不可欠であり、新たな年の初めに人びとは人類の根源的記憶を遡り新しい火と水を迎えるのである。

新年に吉兆を迎えるために、人びとは長寿を象徴するメメ、アビメメ、および若者を象徴するカロックを登場させる。同様に、自然、宇宙、豊穣、多産を象徴するスキンを登場させる。また、ローサルに食べられるグトゥクや祭礼用肉料理は、裕福と幸運の象徴である。

大麦酒、料理、踊り、歌、音楽、祈り言葉、掛け言葉、贈答、挨拶などから構成される祭礼は、ひとつになるこころを生起させる。ローサルの行事は、家、父系出自集団であるパスプン、親族、隣人、村、僧院、王国などの集団で重層的に進行する。人びとは新たな年の初めにこれらの集団への帰属性を再確認する。

さらに、死者への祖先供養は、感謝のこころにより、ローサルに祖先を招待しともに迎えるためのものである。ローサルには、ユルラーやパスラーのラトーの杜松が新しく取り替えられ、子山羊の供犠や奉納がおこなわれる。人びとは、ラーを満足させ加護を願う。

ローサルは、古い一年が去り新たな年を迎える儀式である。地域や時代により変異が見られるにもかかわらず、さまざまな象徴と人びとの願いが一体となった活動の体系としてのローサルは、悪霊を追放し吉兆を願う人びとのこころの超自然的戦略の操作である。

悪霊を追放し吉兆を願うこころとは、人びとのしあわせを願うこころと言い換えてよいかも知れない。ローサルはこのしあわせを願うこころにより動作しているのである。

（煎本　孝）

51

ラーへの奉納儀礼

★超自然的力の認識と守護の祈願★

ラーとは、仏教以前の地域固有の神々である。これらは仏教体系に統合されると、六道輪廻図の最上部にラー（天）として位置づけられ、世界の中心にあるメルー山（須弥山）の上域に居住する実在とされた。

ラダック資料を『マハーヴュットパッティ（翻訳名義大集）』、『阿毘達磨倶舎論（西蔵訳）』、『阿毘達磨倶舎論（漢訳）』と対照すると、仏教体系におけるラーは27種に分類される。また、彼らの住む世界は、欲界、色界、無色界の3種類に分類される。

欲望の世界である欲界には四天王や33のヴェーダ神など6種類のラーが含まれる。はじめの2種類のラーはメルー山の上域に住み、その下の阿修羅と不死の果実を巡って不断の戦争をおこなうが、3種類目以降のラーは闘争から自由になり地上を離れ空中に住むとされる。また、虹のように形態のみある世界である色界には17種類のラーが属する。さらに、形態さえなく意識のみある世界である無色界には、最高位に位置づけられる4種類のラーが含まれる。これらは、形態も所属する場所もなく、いかなる場所にも生成するという名称が付けられている。

これに対し、「サンス」と呼ばれる浄化儀礼に用いられる儀軌には60種類のラーの名称が記載される。ここに登場するラーは、①世界のラー、峡谷にいる白いラーなど峡谷と関連するもの、②世界の形成の敵神などの敵神（戦神）、③家屋のラー、交易のラーなど日常生活の場所や生計活動の具体的、物質的側面と関連するもの、④川に橋を架けるラー、軍隊の力の光景を撃退するラーなど生活、もしくは戦争における活動的側面と関連し、人間を手助けし守護、監督するもの、⑤永遠の父（父系）のラー、村の敵神など集団に関連し、より統括的、社会的性格をもつものに大別され得る。

さらに、村人のある者は毎朝、簡略化した儀軌であるサンスチュン（浄化・小さい）を独唱し、諸神に香を捧げて浄化儀礼をおこなう。ここに登場するラーは、⑴敵神（戦神）、⑵男のラー、⑶女のラー、⑷高位のラー5種類、⑸助力するラー9種類、⑹王宮の頂のラー、⑺ザングザングのラー、岩、⑻馬のラー、⑼牛のラー、⑽羊のラー、⑾・ヤクのラー、⑿山羊のラー、⒀村のラー、の13種類である。前者のラーをまとめて分類しているため、その数は少ないが、逆に村人にとって最も身近なラーが要約されている。

事実、ラダックの村人が挙げる重要なラーは、各種類の家畜のラーの他、ユルラー（村・ラー）、パラー／パスラー（パスプン（父系出自集団）・ラー）（カンラー、またはナンラー（家屋・ラー）と同一）、ダンラー（絨毯・ラー）、タブラー（竈・ラー）、バンラー（竈の前の母の座席・ラー）である。

ラダックの村人は六道輪廻図におけるラーを、ラーユル（ラー・国）という現実とは対極の理想郷における住人のようなものとして位置づける。その上で、ラーは浄化儀礼や奉納により、人間を加護し、また敵や悪霊を撃退する人間にとって望ましいもの、あるいは幸運をもたらすものとして認識する。

人びとが奉納するのは浄化儀礼の対象となるラー、とりわけ村のラーであるユルラーと父系出自集団のラーであるパラー／パスラーである。ローサルではこれらのラーの居所であるラトーに差し込まれている杜松が新しいものと取り替えられる。この際、ラーへの奉納がおこなわれる。ダー－ハヌ地域のダルドは、ユルラーに子山羊を供犠する。ダルドは子山羊を畜殺した後、バターのついたタキと子山羊の血をラトーに奉納し、さまざまなユルラーの名前を挙げて、「私たちの問題をご存じですね」と呼びかけ、「村人たちすべてを守護して下さい、子どものない者には子どもを与えて下さい、幸運と功績を与えて下さい」と祈願する。

写真51-1　ラトーの柳の取替え（シェー村）（ラトーに差し込まれる枝は一般に杜松であるが、シェーのドルジェ・チェンモは特別に柳が用いられる

ヘミシュッパチェン村では、パスラーのラトーの前に山羊を連れてきて赤い水をラトーと山羊に掛け、畜殺することなく象徴的な供犠がおこなわれる。また、ローサルの奉納では、9神のヘミシュッパチェン村のユルラーをはじめ、あらゆるラーやルー（水神）に対して、「この小さな村が吉兆になるように、良い原因となるように、日毎に増すように、年毎に増すように、息子の家系が外周に広がる（繁栄する）ように」と祈られる。

カラツェ村では、かつてはユルラーやパスラーに子山羊を供犠していたが、現在ではタキと大麦酒を奉納するのみである。祈り言葉は、「吉兆あれ、良き裕福あれ、今日の日にしあわせが一緒にやって来ますように」と述べられる。

チャンタンでは、定期的に山頂にあるラトーに行き、新しい祈りの旗を取り付け、大麦酒を奉納して、「ご存じですね」とユルラーの名前を呼び、「どうか村に病気を与えないように、雨が良い時宜に降るように、年間を通して家畜が常に良いように、キキソソラーギャロー（ラーに勝利あれ！）」と祈り言葉が述べられる。

レーでも昔は供犠がおこなわれたが、現在はおこなわれない。このように、かつてはラーへの供犠はラダックで一般的に見られたが、仏教の不殺生戒により数世代前から減少するに至っている。もっとも、ラーへの大麦酒の奉納と祈願は継続している。

写真51-2　ユルラー（村のラー）への定期的な浄化、奉納儀礼（カラツェ村）

人びとの望みは、吉兆、幸運、功績、裕福、しあわせ、繁栄、無病息災であり、このためにラーに加護を請う。ラーは適切に奉納していれば人びとを守護するが、それを怠れば危害や災難をもたらす恐ろしい存在だと考えられている。

じっさい、ユルラーのいくつかはチベット由来の本来は悪霊のツァンであり、人びとはこれらのラーに強い恐れを抱いている。これらのラーはシャマンであるラバやラモに憑依し、村人たちの病気治療にも係わる。さらに、チベット仏教では、これらの悪霊を調伏して忿怒尊である護法尊や守護尊として採用するに至っている。力の強い悪霊を味方に付けることにより、他の悪霊を撃退し人間を守ってもらうのである。

第51章

ラーへの奉納儀礼

人びとはラーに奉納することにより、彼らとラーとの関係を良好に保ち、守護を祈願する。自然的事象の背後にある超自然的力の認識と奉納を通したラーとの関係の形成は、人びとのしあわせへの願いを叶えるための超自然的戦略である。

（煎本　孝）

XI

仏教とシャマニズム

52

ラダック仏教の歴史的背景と現在

★来世のしあわせを願うこころ★

紀元前5世紀、ガンジス河中央部マガダ国に始まる仏教は、紀元前3世紀にはアショカ王の保護を受けてその帝国下にあったインド各地に広まる。その後、インド西北部において仏教はクシャン朝（紀元前100～紀元後500年）の保護のもとにガンダーラを中心に繁栄し、ここから中央アジア、東アジアへと伝播する。

写真 52-1　ムルベックにおける弥勒の彫刻（7～8世紀）

ラダックに仏教が伝播したのは、おそらくクシャン朝の時代からと推測されるが、カシミールの影響が明瞭に現れるのは8世紀になってからである。この初期仏教の特徴はチベットを経由した仏教、すなわちチベット仏教ではなく、インドからの直接の影響によるインド仏教という点にある。

チベットにおいては、ソンツェンガムポ（600～

649年）の時代に仏教の国教化が図られたとされる。さらに、ティソンデツェン（755〜797年）の時代には、インドから招聘されたパドマサムバヴァのもとで、チベットにおける仏教振興が図られる。仏教はチベット国教となるが、在来のボン教との間には教義的、政治的抗争が続いた。インドからの仏教は在来の神々、儀礼を取り入れ、ボン教との融合を図る。しかし、チベットにおける仏教確立の試みはランダルマによる破仏で中断し、チベットにおける仏教の第一次伝播は終りを告げる。

仏教の第二次伝播は西チベットに興った。10世紀当時、西北ネパールにおいてカシア族に属するマラ王朝が力を持ち、首都をセムジャに置き、ここからプランを支配していた。この王朝のコルレ王は弟ゾンゲに位を譲り、イェシェウの名のもとに出家する。彼は僧院の規律と仏法の再興のために若者をカシミールに送り、仏教を学ばせた。当時、カシミールは仏教の理論と実践に関する伝統を保持していたからである。リンチェンザンポ（958〜1055年）はこれら留学僧の中の一人であった。

写真52-2　アルチ寺院（11世紀後半）（リンチェンザンポの建立したティクセのニャルマ寺院の様式を学びガルダンシェラブが建立）

彼はグゲ王の支配地を中心に多くの寺院を建立し、また大蔵経を含む多くの仏典の翻訳をおこなった。ラダックのティクセにあるニャルマ寺院（現在廃墟）はリンチェンザンポが建てたものとされ、また観音、弥勒、文殊の3菩薩像を有するアルチ寺院もこの様式を受け継いだものとされる。

さらに、グゲの王イェシェウの甥、また

は甥の子チャンチュブウによって、インドのナーランダ大学から招かれたアティーシャは1042年から1054年に至るまでチベットに滞在し、カダム派を創始する。マルパ（1012〜1096年）もインドで学び弟子のミラレパ（1040〜1123年）とともにカーギュ派の始祖とされる。

カーギュ派は後にディグン派、ドゥック派、カルマ派、シャン派などに分派する。また、カダム派は後年、ツォンカパ（1357〜1419年）の改革により始まるゲールク派に移行する。ラダックには15世紀以後、中央チベットから王朝の保護のもとに繁栄することになるドゥック・カーギュ派をはじめ、改革派ゲールク派、ディグン・カーギュ派、サキャ派、ニンマ派が導入される。

先に述べたインド西北部ガンダーラ、さらにカシミールからのインド仏教の影響を第一次伝播とし、11世紀に西チベットを中心に興ったリンチェンザンポ、アティーシャによるインド仏教の影響の強いカダム派を第二次伝播とすると、15世紀以後の中央チベットからの仏教諸学派の導入は、ラダックにおける仏教の第三次伝播と考えることができる。

チベット仏教では儀礼は衆生への奉仕を目的として実践される。その内容は、第一に輪廻（りんね）から自由になるための罪業の浄化と功徳の蓄積であり、第二は富や幸運を招き、悪霊を追放するという現実的利益を村人たちにもたらすことである。これらに関する儀軌は村の家々で定期的に僧を招いて執り行われ、あるいは僧院の祭礼において仮面舞踊と悪霊追放として開催される。現実的利益は村人たちの日々の生活に直接かかわるため、チベット仏教の儀礼は人びとの生活に密着したものとなっている。

「セパコロ（実在・輪：輪廻図）」と呼ばれる「六道輪廻図」は、民衆教化のための仏教的理論の描写である。ラダックの人びとは生と死に関して、生前における、また時にはそれ以前の人生における行為の善悪により再生する場所が決定されると考えている。輪廻図は六種類の「場所」に分類されており、それぞれの場所には、(1)ラー（天）、(2)ラマイン（ラー・ではない：阿修羅）、(3)ミ（人）、(4)トゥンド（畜生）、(5)イダックス（餓鬼）、(6)ミャルワ（地獄）という実在の状態が配置される。配置は上方がより良い実在の状態であり、下方がより苦痛を伴う状態である。

僧たちは「デバチェン（幸福・（たくさん）所有している：サンスクリットでスカーワティ）」と呼ばれるブッダの世界があると人びとに教える。人びとは、デバチェンは幸福な状態であり、食物であろうと衣服であろうと、望むものすべてが意のままに得られる世界と考えている。そして、彼らは次の人生においては、この世界に生まれたいと願っている。

このデバチェンは、輪廻の外側にある悟りの世界を意味している。しかし、村人にとって、それは限りなく幸福な世界として認識されているのである。さらに、僧は人びとに、もし罪となる行為をおこなえば地獄に生まれかわるかも知れないと教える。その結果、村人たちは来世に関して、①健康的に良い状態で「人」に生まれたい、②不死なる幸福の世界としてのデバチェンに生まれたいという肯定的な願いと、③畜生や地獄には生まれたくないという否定的な願いを併せ持っている。

じっさい、マニコルを回しながら唱えるマントラは「オム　マニ　パドメ　フム」という観音菩薩のマントラである。輪廻図の6つの場所にはそれぞれ、小さく観音菩薩（もしくは仏）が描かれている。これは六趣救済を旨とする六字観音を表す。そして、マントラの6文字は、身、口、意と6つの過失を浄化し、さらに輪廻の6つの場所への再生を閉ざす。こうして、人びとは6字マントラを唱え、仏塔のまわりをまわり、マントラの入ったマニコルを回し続けるのである。

しかし、最近では、ダライ・ラマ14世のラダックでの法話に触発され、レーの人びとは解脱のためのより哲学的な教示を求めるようになった。彼らの要請に応え、学問僧はジェ・ツォンカパの『ラムリム（菩提道次第）』各論などを用い、インド、ナーランダ大学の仏教理論に基づく空の理解と慈悲のこころによる修行道についての法話会を始めている。ラダックの人びとと僧は本来の仏教の原点にまで戻ったのかも知れない。

（煎本　孝）

53

仏教僧院の祭礼

★仮面舞踊と悪霊追放★

仏教は人びとが恐れていた自然の神々を仏法のもとに調伏させ、護法尊や守護尊として取り込み、その忿怒尊としての力で悪霊を追放するという論理体系と次第を作り上げてきた。さらに、かつてはシャマンがそれらの神々を憑依し、代弁していたのを、僧が儀礼の過程で諸尊を観想し、諸尊そのものとなって、儀礼を遂行することになった。

ラダックでは、仮面舞踊と悪霊追放からなる祭礼が、悪霊の力の弱くなる一年の終わりの新月を中心に各僧院でおこなわれる。全体の儀礼は仏、法、僧への帰依に始まり、儀軌の一環として仮面舞踊とトルマの投捨がおこなわれる。最後に、この儀礼による功徳が衆生のためになるよう廻向される。したがって、儀礼全体は、ブッダ（仏陀）やボディサットヴァ（菩薩）が人びとをあわれみ、楽を与え、苦を取り除くという慈悲の実践そのものとなっている。

仮面舞踊は、ディグン・カーギュ派ではカプギャット儀軌の一環として、チベットの聖人リンチェンプンツォクにより15～16世紀に始められ、また、15世紀に改革派として新しく創設されたゲールク派では16～17世紀に始められたとされる。リン

写真53-1　ラマユル僧院カプギャット祭礼における仮面舞踊に登場する主尊チェチョクヘールカ

チェンプンツォクは、「ザンドクパリ」と呼ばれる天上の世界に行き、そこでパドマサムバヴァと多くの諸尊たちが舞踊しているのを見て、これを再現したのがカプギャット儀軌の仮面舞踊であるという。

仮面舞踊は通常の舞踊ではなく、諸尊の舞踊である。したがって、人びとは信仰と信頼をもってこれを観るべきだとされる。そうすれば、バルド（中有：死から輪廻転生による再生までの中間の状態）にある時、人は輪廻から解放される。人が死ぬと、「タンパリッゲラー（神聖な・系統・100の・ラー）」と呼ばれる平和な諸尊と忿怒尊からなる100尊が49日間、毎日、次々と私たちの所に来て、解脱の地に連れて行くため私たちを歓迎する。この時、もし、私たちが生前悪いおこないをしていれば、タンパリッゲラーを怖れる原因となり、彼らと一緒に行こうと思わないことになる。その結果、私たちは畜生や地獄や餓鬼という悪い場所に再生することになる。

しかし、もし私たちがこれらの仮面を何度も見ていれば、彼らを怖れる必要がなくなり、彼らが諸尊であると認識し、彼らに対して祈りを捧げることができる。タンパリッゲラーのなかには仮面舞踊に見られるように、狼、狐、鳥、虎などの頭を持つ者たちがいるからである。

もっともニンマ派やカーギュ派は中有について述べられる『死者の書』に信頼を置くが、ゲールク派では信頼を置いていない。したがって、仮面舞踊の意味についてもゲールク派では異なる説明がされる。チョスギャル・ヤブ（ヤマーンタカ）は「ゲディクシャンチェット（善い行為・悪い行為・分離する（判断する））」と呼ばれ、人の行為の善悪を判断し死後に行くべき場所を決めるとされるため、仮面舞踊におけるヤマーンタカの登場により村人たちは実際に震えるという。さらに、トゥルダック（墓場の主）が人びとの悪業の象徴である赤い人形を紐に結びつけ振り回して地面に打ちつける演技は、人びとに対して悪業に対する制裁を示すことにある。すなわち、ここでは死後の世界ではなく、現在の人びとの行為の善悪が問題になっているのである。

また、仮面舞踊で演じられる悪霊の象徴である練り粉で作られた人の形をしたダオをさまざまな武器で殺し、体を切り刻むことは、悪霊を殺すことと同時に、僧にとっては自分の心の内にあるエゴ（我欲）をダオのなかに移し入れ、それを破壊することを意味する。これは瞑想の一環としておこなわれ、仏教哲学の枠組みにおいて、エゴは単にその儀礼をおこなう1人のエゴではなく、一般化された人びとのエゴであり、これをダオに集めて切って殺すという点が重要なのである。

さらに、仮面舞踊における足の運びはエゴを踏みつける動作であり、両手の動きは縄でエゴを縛る動作であるというように、その一挙手、一挙動に意味がある。仮面舞踊は、舞踊をおこなう僧にとっても、またそれを観る人びとにとっても瞑想であり、本来、秘密であるべきであり、決して娯楽のためのものではない。

仮面舞踊において僧たちは、自分自身がそれぞれの諸尊であると考えねばならない。これは、身体による舞踊行為、口（話すこと）によるマントラの朗唱、意による思考の集中からなるブッダへの帰依であり、ブッダとなるための実践そのものでもある。

同時に、僧院を訪れる村人たちは、仮面舞踊を通して、目の前に実際に現われる諸尊を見ることができ、自分たちを浄化してくれるように祈願する。浄化するというのは悪いものを取り除くということである。すなわち、仮面舞踊は他の儀礼がそうであるように、邪悪なものと良いものとを分離し、その上で、人びとが悪い側のものを捨て、より多く良い側のものを得ることができるようにするための過程である。仮面舞踊は恐ろしい姿と形相をした忿怒尊を登場させることにより、人びとをより良い仏教的社会規範へと導くための演出である。

写真 53-2　リキール僧院ストルモチェ祭礼におけるトルマの投捨

仮面舞踊に続きトルマの投捨がおこなわれる。トルマの投捨（トルゾック：トルマ・破壊する、トルギャック：トルマ・送る）やドスの破壊は、悪霊を追放するための儀礼である。これは、仏教以前から村々でおこなわれていた悪霊祓いの儀式に由来するものである。

ディグン・カーギュ派のラマユル・カプギャット祭礼におけるトルマの投捨は、主尊の象徴であるトルマに殺した悪霊を食べさせ、それを火の中に投捨し、悪霊をもとの世界に追放するという意味がある。また、ゲールク派のグストルにおいてはトルマの投捨は武器としての機能が重視され、より積極的に悪霊の世界への攻撃という意味を持たせている。しかし、いずれの場合も、トルマの投捨が悪霊の追放を目的としていることに変わりはない。

さらに、トルマを燃やすことについて、次のようにも説明される。すなわち、トルマと共に主尊カプギャットに食べられた悪霊のたくさんの死骸がある。これら悪霊の魂をブッダの世界に送るために、トルマを悪霊の死骸と共に燃やさねばならない。ここでは、悪霊の魂がブッダの世界に送られるということが重要なのである。同様に、悪霊の象徴であるダオを切り刻むことは、単に敵を殺すことではなく、悪霊の魂をブッダの世界に送ることを意味する。こうして、仏教教義的に悪霊を殺すことが正当化される。

したがって、儀軌の内容を人びとに分かり易く演出したのが、仮面舞踊とトルマの投捨の組み合わせから構成された仏教僧院の祭礼になる。こうして、村人たちは悪霊が追放され、降雨があり作物の実りが多いこと、そして戦争や疫病のない幸福な生活と繁栄とを祈願するのである。

（煎本　孝）

54

ダルドのボノナ祭礼とラーの招請

★人間と神々の自然な関係★

ラダックのインダス河下流、ダーハヌ地方には、「ダルド」と呼ばれる人びとが9村、305世帯、2135名居住している。彼らの言語や文化はチベット由来のものとは異質であるが、ラダックのものと共通する点が多く見られる。シュブラ祭礼もその1つである。

ダルド語で「ナ（初穂）」と呼ばれるシュブラ祭礼は毎年、チベット暦5月の末におこなわれる。これは、ラダックのシュブラ祭礼と同様、収穫前の大麦の初穂を台所の柱の上部に結びつけ、新しい食物の実りをラー、家の父や母に感謝し、祝うための祭りである。この後、本格的な大麦の収穫がおこなわれる。

また、ダルド語で「ボノナ（大・初穂）」と呼ばれるチョポ・シュブラ祭礼は、チベット暦の8月12日にその準備が始まり、8月17日から21日までの5日間にわたり本祭礼がおこなわれる。

ボノナ祭礼は、彼らのかつてのリーダーであり英雄であったギルシン（ギルギット・獅子（サンスクリット））とダルド族の歴史を歌と踊りにより語ることに最大の重点が置かれる。同時に、これは1年間に食物が得られたことを村のラーに感謝する収穫祭である。

第54章
ダルドのボノナ祭礼とラーの招請

ボノナ祭礼はダルドの住む3つの村で1年毎の順番制でおこなわれる。1年目にダ村、2年目はギルギット、3年目はガルコノ村となっている。もっとも、ダルドが故地とするギルギットは、現在パキスタン領となっており、祭りはおこなわれていないという。このため、2年目には祭りはおこなわれず、じっさいには、ダ村で祭りのおこなわれた翌年には祭りはなく、翌々年にガルコノ村で祭りがおこなわれる。そして、その翌年には再びダ村で祭りがおこなわれることがくり返される。

ボノナ祭礼の本祭1日目の早朝、ラルダクパ（ラー・所有者（家））は村の背後の山の中腹の崖下にあるラトーを訪れる。彼の後にはすべての村人たちが続く。ラトーは野生の山羊（スキン）の角が積み重ねられた上に、杜松の枝の束が白い布に巻かれて立てられたものである。これは村のラーの1つであるシリモラモの居所である。

ここで、ラルダクパは1頭の子山羊の喉を小刀で切り畜殺し、バターを付けたタキと子山羊の血をラトーに奉納する。そして、村の神々（ラー、ラモ）であるシリモラモ、ガンセラモ、タルランスク、バンジュラーチェン、ガンニンラーチェン、ザンメンデギャポに対し、「私たちの抱えている問題をご存知ですね」と呼びかけ、「村人たちすべてを守護して下さい、子どものない者には子どもを与えて下さい、幸運と功績を与えて下さい」と祈願する。

午後、ラルダクパは再びラトーに行き、香を焚く。ニャオパたちが近づくと、ラルダクパは立ち上がる。ニャオパたちは「キキソソラー　ギャロー（ラーに勝利あれ！）」と両手を上げて3回叫ぶ。そして、ラルダクパはゆっくりとユルタックに向かって下りて来る。この一連の儀礼はラーを村へと招請することを意味する。しかし、ラルダクパはラーを憑依してはいない。本当のラーは彼とともにあり、人

写真 54-1　招請されたラーとともに村の広場に下るラルダクパとニャオパたち（ガルコノ村）

びとには見えないとされているのである。

村の広場であるチャンラに到着すると、彼らは香を大石の上に置く。ラーが招請され、じっさいに来ていることを、老人たちは、「チャンラの前に大きなクルミの木がある。人びとが香を大石の上に置いた時、この木の枝がたわむ。それで、人びとは、シリモラモがこのクルミの木の上に座っているのだと考えている」と語る。さらに、チャンラの横には小さな池がある。この池は現在なくなっているが、「以前、人びとがこの池を見るとクルミの木の上に座っているシリモラモが水の上に映っているのを見ることができた」といわれる。

歌手たちは2つの集団に分かれる。この時、質問と返答からなる特別な歌の掛け合いがおこなわれる。この問答歌は、彼らがギルギットからラダックに逃れて来た後、どこを移動しながらどのように生活を営んできたかというダルドの歴史から構成されている。ダルドは12種類、もしくは18種類の歌を、ボノナ祭礼の4日間（祭礼1日目のラーを招請する日を除く）の間に歌い終わらなければならない。

なお、下手ラダック、ヘミシュッパチェン村のローサルにおける掛け言葉に登場する26地点の内、ボノナ祭礼の問答歌とは12地点が一致する。ローサルにおける掛け言葉はカラツェ村やスクルブチェン村でも見られ、下手ラダックにおけるダルドとの混成が明示される。

ボノナ祭礼2日目、午後4時頃にチャンラでの歌が終わると、2つの集団は男と女に分かれる。そして、「ブスコル（息子・円）」と呼ばれる特別な踊りが始まる。最初に歌手たちとニャオパたちからなる男たちが1列になり、この後に女たちも1列になって続き、チャンラのなかを左右に大きくくねるようにして進み、最後に再びもとの場所に戻るように踊りが続けられる。この時、逆の方向に進んで行く男たちと女たちの列が平行になって近づくと、彼らは互いにキスをし、抱き合う。相手に規制はない。ただし、この踊りは結婚している者たちだけが参加できる。

写真54-2　ボノナ祭でラーとともに踊るダルドの人びと（男女の列が渦巻き状に進むブスコルと呼ばれる特別な踊り）（ガルコノ村）

ボノナ祭礼の最終日、最後の歌の途中、彼らは帽子を取り、肩掛けを頭の上につけ、頭を垂れて地面につける。彼らは肩掛けを頭にかぶり、相互にひそひそ話をする素振りを見せる。そして、互いに指をからませて、チャンラから外へと出て行く。これらは、ギルシンの死への哀悼と敬意、ギルギットからの逃亡の相談と実行の演出である。

彼らはチャンラから少し離れた場所まで来て石を3回蹴り、悪霊を追放する時のかけ声を叫ぶ。ここでは、ギルシンとともに悪霊が追放されるのである。また、人びとがチャンラを出る際、チャンラに迎えられていたラーも同時に居所であるラトーに送られるという。

ダルドのボノナ祭礼の特徴は、王権や僧院の介入しないラーと人びとの直接的関係である。さらに、専門の仲介者としてのシャマンがラーを憑依することなく、招請された目に見えないラーはすべての人びとともに踊り、人間とラーとが直接交流する初原的同一性の場が形成される。

人びとのラーへの供犠を通した祈願の実現という超自然的戦略はあっても、そこにはラーへの願いとラーの登場のよろこびという自然な感情レベルのこころの表出が見られるのみである。

人びとは日常生活においても、竈の横にある「サダック（地霊）」と呼ばれる石をすべてのラーの居所と考え、毎日食事の一片を供する。ラーは人びとの生活のなかで、人びととともに生きている。ダルドのボノナ祭礼は人間と神々の自然な関係を表現し、祝う場なのである。

（煎本　孝）

55

僧院の祭礼とシャマニズム

★人びとの期待に応えるシャマンの登場★

ラダック仏教僧院においては、仮面舞踊などの途中でラーを憑依した「ラバ」と呼ばれるシャマンが登場する祭礼が見られる。人びとが最も楽しみにしているのは、マトー・ナグラン祭礼であり、次にストック・グル・ツェチュー祭礼、ティクセ・グストル、さらにはシェー・シュブラ祭礼である。ラダックでは、仏教とシャマニズムが併存しているのである。

しかし、近年、ラーの登場拒否という問題が起き、これに対処するため、村人、シャマン、僧院の間での政治的交渉とラーの再登場という解決が図られている。背景にあるのは、ラダックの現代化と伝統との葛藤である。

マトー・ナグラン祭礼に登場するナグラン（黒い・自身）と呼ばれるラーは、13世紀にサキャ派の高僧トゥンパ・ドルジェ・スパルザンがチベットから連れて来た「スプンドゥン」と呼ばれる7兄弟のラーに由来する。師はこのうち、2神をチャンタンのギャー、2神を上手ラダックのマトー、2神をストック、そして残りの1神を下手ラダックのスキルブチェンに守護尊として任命した。

伝統的には、チベット暦1月14～15日におこなわれる祭礼2

写真55-1　マトー僧院ナグラン祭礼の仮面舞踊の最中に登場し、歓迎のカタックを首に結んでもらうラバ（2神のラー、ナグランは帽子を被り手には刀と槍を持っている）

日目に、2人のラバがマトー僧院を出て丘を巡る際、途中で村人たちが待ち受け、カタックを捧げ、商売や運勢に関する質問をし、ラバから託宣を授けられる。しかし、2005年と2006年の2日目にラーは登場せず、また2007年以後もラーは登場するものの僧院外の巡行はおこなわれなくなった。

マトー・ナグラン祭礼におけるラーの登場拒否は、ラーの登場に必要な楽士（モン）の職場放棄と絵師の不在に起因する。さらに、ラバとなる僧自身の負担も要因と考えられる。

この問題に対して、村人たちは楽士に圧力をかけるが、ダライ・ラマ14世による職業の選択の自由という裁定により職場復帰は強制できなかった。結局、村人たちの要請に応じて、サキャ派の法主であるサキャ・テンジンは新たな楽士と絵師を準備し、ラーに再登場を要請する。その結果、ラーは2日目の巡行はおこなわないという修正を加えて再登場することとなった。

ストック・グル・ツェチュー祭礼は、グル（パドマサムバヴァ）の誕生日である10日を祝い、チベット暦の新年1月9〜10日にストック村（グルプック）僧院でおこなわれる祭礼である。ストック村におけるラーの由来は、7兄弟のラーのうちストック村に配置された「セルラン（金・自身）」と呼ばれる2神のラーである。

祭礼において特徴的なのは、オンポとラーが深く結びついていることである。オンポはラバの選抜からラーの招請、そしてツォクスの奉納の儀礼に深く係わっている。なお、オンポとは僧ではない村人出身の悪霊祓いの儀礼の専門家である。

この祭礼に登場するラーは「ラバ」と呼ばれる村人のシャマンに憑依する。ラバは、かつては特定の4家のみから選抜されていた。しかし、現在、ラバが選抜されるための特定の家はない。この背景には、ラバとなる伝統的な家々はラバを輩出することを止め、他の村人たちもラバとなることを望まないという状況がある。村人がラバの役割を担うことをためらうのは、ラダックの経済的向上と職業の選択の自由という現代化が主要な要因である。

このため、オンポは誰がラバに適しているかを見つけなくてはならない。彼は村の若者を常に見ながら、ラバに適しているか否かの印（メワ）を探す。今までラバになっていた者が、もうラバを続けたくないと言い出せば、村人たちはオンポの所に相談にやって来る。オンポは若者の生年月日に基づいて占星術をおこない、また彼にラバとなる印が見られれば、この若者がラバになることができると村人に教示する。

従来、ラーの選抜はオンポと村人によってのみおこなわれていた。しかし、2009年には、僧院で候補者の名前を入れた大麦粉の小さな球を選ぶ「タグリル」と呼ばれる方法によりラバが選ばれ、その後、適性が試験されることになった。したがって、ラバの選抜にあたっては、オンポと僧院とがともに関与している。

さらに、最近の変化として、ラーの儀礼と僧院との結びつきが、憑依と脱魂が僧院内でおこなわれるというように強化される方向にある。これは、マトー・ナグラン祭礼におけるラーの再登場の過程と同様、僧院と村との間の互恵的関係を強化しようとする過程であると見ることができる。本来、僧院と村とは収穫物と霊的守護の交換による共生関係を形成しているのである。

ラダック王国の古都シェー村のシェー僧院ラカン（神堂）で毎年チベット暦7月9～10日におこなわれるシェー・シュブラ祭礼は、ラダック王の強い主導権のもとで、ラーの登場と村人による大麦の初穂儀礼であるシュブラ祭礼とが組み合わされた祭礼である。

ここに登場するラーはリンチェンザンポにより10～11世紀に建てられたニャルマ寺院の守護尊であったドルジェ・チェンモ（大金剛女）であり、ラダック国王ジャムヤンナムギャルによって、16世紀頃シェーに連れて来られた女神である。

写真 54-2　シェー・シュブラ祭礼に再登場したラバ（女神ドルジェ・チェンモが憑依している）

しかし、２００９年の祭礼でラーはラバに憑依することなく、またその翌年の２０１０年の祭礼においても、ラーはラバに憑依したものの、寺院内に留まり、巡行することはなかった。したがって、２０１１年のシェー・シュブラ祭礼にラーは登場しないと考えられていた。

そこで、村人はラバがラーを憑依することを要請し、ラバは村人の宗教心と村の統合がその条件であることをくり返し表明した。じっさい、１９７１年から１９７２年頃にもラーが来なくなった時期があったが、その理由は村内における相互の疎通がなくなったためであるという。最終的に、ラーは再登場し、村人たちによる踊りの儀式により村の再統合は達成され、人びとの信仰は取り戻された。ラバは現代化による問題を敏感に察知し、それを的確に村人に警告し続けていた。村人たちの期待に応えたラーの再登場は、このようなラバの率直なこころを伝えるためであったかも知れない。

村人が伝統を維持しようとする理由は、彼らの生活が祭礼なしには成り立たないと考えられているからである。村人にとって生活を成り立たせるためには、農耕やそれに必要な降雨、さらには疫病や災害から生活を守るラーの力が必要である。また、祭礼の実行にはそれを支える伝統社会の維持が必要なのである。

王権、僧院、オンポ、村人はラーを巡る政治的駆け引きを歴史的のみならず現在に至るまでおこなっている。ラーの登場拒否と再登場は、現代化と伝統との対立のなかで、僧院と村との間の互恵的関係、さらには村の統合が調整を経ながら維持される過程として捉えることができるのである。（煎本　孝）

56

仏教儀軌による悪霊の調伏

★超自然的戦略によるこころの操作★

チベット仏教は、人びとが畏怖する怒れる神々を仏法のもとにおき、逆に彼らの力を人びとのために使うという新たな関係を形成した。さらに、仏教においては、輪廻から自由になるという究極の目的のもとに、罪業の浄化、善業の蓄積のための儀軌が実践される。シャマニズムが現実的利益の享受を目的としているのに対し、チベット仏教がそれと同時に、覚者への道という人びとが生きるための目標を示す点で、チベット仏教とシャマニズムは一線を画す。

それにもかかわらず、人びとが生来持っている性質により生起するさまざまなこころの問題のすべてに、仏教哲学だけで対処することは困難である。このため、個別の問題の解決のための方法がそれぞれの専門家により実施される。

ゴンポとゴンモは一般的にゴンスキャルと語られることもある男と女の生霊である。これは人の悪霊であるデのうち、死者の悪霊であるシンデ(死霊)ではなく、生きている人の悪霊であるソンデ(生霊)と同じものとされている。女の生霊であるゴンモは他人の体に入り、入られた女はゴンモの希望することをしゃべる。ときに、「私(ゴンモ)はおまえ(入られた女)を殺す」「私はおまえの体を食べる」などと言わせる。さらに、あることをせよ、さもなければ高い所に連れて行ってそこから落とすと脅迫することもある。

これが起こる状況は、一方の女が成功を収め、他の女が強い嫉妬心を持っている時、この嫉妬心を持つ女がゴンモになる。あるいは、一方の女が彼女の娘を他方の女の息子と結婚させたいが、他方の女がこれを拒絶する時、また、一方の女の夫が他方の女と関係を持った時、さらに2人の女が1人の男をめぐって一方の女のみが結婚した時などである。

ゴンモはゴンモとなる女がそうしたいと思ってなるのではなく、知らない間に起こる。当人がゴンモになっていることを1年間も知らないこともある。また、ゴンモに取りつかれた女がしゃべっている時に、ゴンモと考えられている女は普通にはたらいているともいわれる。

ゴンモに取りつかれた女は頭に混乱をきたし、ただ泣いている。そこで、人びとが彼女に、おまえは誰か、好きなものをやる、なぜ来たのかを言えと問い詰める。こうして話すと、人びとはあの女がゴンモだと分かる。しかし、人びとはゴンモと考えられる女にはこのことを言わない。言うと良くないとされているからである。

しかし、数か月も数年間もこのようなことが続くと、噂が広まり当人にも知られることになる。そうすると、このゴンモとされた女は、「そんなことを言っているのか。もし、私がそうすることができたとして、どうして本当に殺せるのか」と怒る。

また、夜にある場所でゴンモを見たという話もある。ときには1人、または10～15人の女たちの理解しにくい声が聞こえるので行くと誰もいない。さらに、ゴンモに石を投げたら当たり逃げたが、翌日、ゴンモと考えられている女に傷があったと人とびは噂をすることもある。

人びとは、ゴンモになる女は遺伝すると考えている。そして、結婚対象からこの女の系統をはずす。これは祖母から母、そして娘へと女だけを通して伝わる。したがって、たとえ他の家の者と結婚しても、その女の娘はゴンモの素質があると考えられているのである。

悪い霊が人に憑いて障害を起こしていると考えられる場合、最初におこなわれるのはカブゴ儀礼である。僧により、仏、法、僧への帰依が唱えられた後、典籍、短剣、金剛杵、数珠などのいずれかが依頼者の頭の上に置かれ、足元で悪霊がきらうという強い香を放つググルが燃やされ、カブゴ儀軌が暗唱される。そして頭に置かれたものを取り去った後、僧は依頼者に息を吹きかける。これだけで、弱い生霊なら去るといわれる。

この時、暗唱される儀軌では、「仏、法、僧、そしてダキーニ（荼吉尼天）、守護尊などの力により、すべての種類の悪霊は邪悪な考えを捨て、おまえの住む場所に立ち去れ。もし、おまえが去らないのであれば、私は忿怒尊となってマントラを唱え、おまえたちを殺し、数千の破片にしてしまうぞ」と述べられる。僧はここで、マントラを唱え、「それ故におまえは去るのだ。再度、祖師、ブッダなどの力により、病気になった人の命が金剛のように不死となるように、そして、繁栄がさらに増大するように」と述べられる。

数日、あるいは数か月しても悪霊が去らない時、生霊を焼き殺すためのジンシャック儀軌がおこなわれる。ジンシャック儀軌は3～4人から、ときには9～10人の僧によっておこなわれる。祭壇の前に火が焚かれ、その前に僧たちが並んで座る。横に置かれた机の上の大麦粒、小麦粒、米、あんず、

写真56-1　火葬のためのプンシェスク儀軌や悪霊追放のためのジンシャック儀軌に用いられるメラー（火の神）への供物

アブラナの種、油、食物など15～16種類の供物が次々と火の中に投げ込まれる。

儀軌にはゴンモの髪の毛など身体の一部を使用すると記される。しかし、普通、ゴンモの写真や名前を記した紙が用いられる。ゴンモの霊を呼び出し、この写真の中に強制的に招請した後、メラー（火のラー）にこれを食べるよう要請し、火の中に投じて燃やすのである。

また、病気になった依頼者の女はこの場にいなければならない。ときに、ゴンモがその場で女に入り、「もう決して来ないから、燃やさないでくれ」とこの女の口を借りて語り、手を合わせて頼むこともあるという。

ジンシャック儀軌をおこなった結果、依頼者は全快することもある。しかし、数か月、数年後に再びゴンモが来ることもある。この時には、再度、ジンシャック儀軌をくり返す。これより強い儀軌はないからである。

心理的疾患には、他者に対する妬みや敵意、あるいは他者からそのように思われているのではないかという被害者意識など、文化や社会の制度と関連しているものがある。女の生霊であるゴンモが男の生霊にくらべて多いのは、婚姻制度と関係している可能性がある。

ラダックでは、かつては長男と長女しか結婚することはできず、一妻多夫婚は認められているが、一夫多妻婚は原則として認められていないからである。すなわち、結婚することのできる女は限られる。逆に、結婚の幸運に恵まれ裕福な女は他者の嫉みの対象となる。

彼女たちはこのことを認識しており、何気ない他者の言動に妬みや敵意を感じるのであろう。その結果、自身を妬みの被害者と位置づけ、疾患を発症する。同時に、自分が病気になることで、加害者意識を代償することができるかも知れない。ラダックにおける人びとは、婚姻制度により、厳しい環境での生存を可能としたが、そこでの複雑な人間関係により、こころに疾患を抱えることにもなったのである。

しかし、これらを治癒させる方法も文化的に作り出されてきた。妬みを悪霊とすることにより、これを追放する方法を執行する。儀軌は超自然的戦略によるこころの操作なのである。（煎本　孝）

57

シャマニズムによるこころの治癒

★神々に憑依されるシャマン★

ラダック文化において、病いや身体的あるいは精神的変調の原因はさまざまな観点から多元的に説明づけられてきており、病気に対して多様な社会的職能者が関わってきた。病いの治療を担う社会的職能者の一つとして「ラモ（女性）／ラバ（男性）」と呼ばれるシャマンが存在する。ラダックのラモ／ラバは、人びとの信仰するさまざまな霊的存在のうちの「ラー」と呼ばれる神の憑依によってラーそのものとなって人びとの病いを治療する人たちであり、彼らの治療実践は一般にシャマニズムと呼ばれる。

ラダック調査に着手した1980年代の初めは観光化がある程度進みだした時期であった。1980年代の終わりには、地域開発と観光化の影響はレー近郊と周縁の村々との経済的格差をもたらし始めており、1990年にはレー近郊ではテレビの一般家庭への普及さえ見られた。しかし、1980年代をとおして村での生活には大きな変化がなく、シャマニズムは神や霊の憑依についての紛れもない信仰とともに、村の生活において生きた実践として機能していた。もちろん、1980年代末には、レー在住の教育を受けた人のなかには、シャマンの治療を

写真 57-1　汚れの吸い出しによって目の治療をするカラツェ・ラバ、1989 年

非科学的であると疑いの念を抱くこともあったが、村人のなかには病いに対し生物医学やチベット医学で対処する一方、超自然的な病因を疑い、「汚れ」の除去をシャマンに頼っていた。村の生活ではシャマンによる治療は社会的役割を果していたのである。

21世紀に入った2003年の調査においても、先輩シャマンのもとには憑霊の病いを煩う人がシャマンへの道を望んで、修業のために訪れる現状があった。また、シャマンの存在は他の観光情報とともに州政府観光局発行の観光案内書（*Tourist Directory of Ladakh*）にも取り上げられ、「シャマンの心霊的な癒しの効力はラダックの人びとが固く信じているものである」と記されるほどであった。ラダックの現代化は、観光化、軍隊の駐留などをとおして、人びとが欧米文化やヒンドゥー文化などさまざまな文化と密な接触を持つなかで進んできた。この過程において、シャマンの力への信仰が強く維持され、ラダック地方は「シャマンの里」と喩えられ、シャマンの実践が観光資源化されるほどであった。

憑霊の病いの原因はたいてい死霊や生霊による憑依とされるが、2003年当時においても「霊の憑依」という伝統的観念体系は人びとのこころのなかに生き続け、この病いの患者はなくならず、シャマン予備軍が補充され、シャマニズムの実践が維持されていた。しかし、最初の調査からの約20年間に、その実践には連続性と明らかな変化が認められた。

たとえば、下手ラダック地方では、かつてシャマンの衣装には特別なものはなく、日常的な衣装でシャマンの治療儀礼がおこなわれていたというが、1980年代にはすでに下手ラダックにおいても、上手ラダック地方においてもシャマンは特別な衣装、道具を使って、儀礼的行為をおこなっていた。ニンマ派の僧侶の間では通常の仏教儀礼においても身につけられる、五仏を描いた頭冠、胸当て、前掛けをまとい、手にはでんでん太鼓、金剛鈴、ときには金剛杵を持つようになっていた。衣装・道具という点でチベット仏教的規範化が始まっていた。

写真57-2 レー・ラモによる居間での病いの治療、患者たちが熱心に説明を聞く、2009年

2000年代には、さらにシャマンに憑依する神々（ラー）は村のラーといったラダック在来の神々のみではなく、チベット仏教上の護法尊が登場し、憑依する神格という点からも変化が見られる。しかもラダック出身ではないインド人のヒンドゥー教徒やヨーロッパ人が患者として訪れ、シャマンの治療儀礼は台所ではなく居間となり、吉日に限らず、患者がいればいつでも毎日でもおこなっていた。依頼人、場所ばかりではなく、時間さえも限定されなく、シャマンの実践は日常化、職業化していた。さらに、ラダック地域内ばかりではなく、チベット系の人びとが暮らす隣接するヒマチャル・プラデシュ州の村、さらにはインドヒマラヤ東部のアルナチャル・プラデシュ州の村々まで出かけるシャマンも現われていた。

ラダック文化固有のシャマンによる治療は、文化や民族の境界を越えて展開するという脱文化・脱文脈化、いいかえればより超文化的に理解可能な普遍的語りを使い分ける実践への道に踏み出している。同時に、ラダックのシャマン儀礼はコラム1でも述べたチベット仏教的規範化を鍵に、広範囲にまたがるチベット社会に受け入れられてきたということもできる。ラダックのシャマニズムは、チベット諸社会とも共有できる治療実践への道を歩んできたことが読み取れる。

「憑霊」という現象は今日でも根強く信じられ、発現する。たとえば、2014年のレーで開催されたダライ・ラマによる「第33回カーラチャクラ灌頂」の最終日において、「憑霊」という現象が現出された。

写真57-3　ティクセ僧院の祭礼（ティクセ・グストル）におけるラーの顕現、2009年

2014年7月13日のカーラチャクラの最終日には、ガンデン・ティ・リンポチェ、リゾン・リンポチェなど高位の僧侶によって白ターラの儀軌に沿って、聴衆の長寿の灌頂とダライ・ラマの長寿を願う儀式がおこなわれたが、その儀式のなかでツェリン・チェドガ（「長寿五姉妹」）とネチュンが呼び出され、それぞれに憑依された神託僧が登場して、ダライ・ラマに対する敬意を力強く、圧巻的振る舞いで表明し、託宣を授けたのである。この二神の登場に呼応して、チベット人、ラダック人の聴衆のなかに数名の憑霊状態に陥った女性（ラモ）が発現した。彼らは、観音菩薩の化身であるダライ・ラマのもとに連れてこられ、カ

タックを授けられた後、諭され、なだめられたのである。

ラダックにおいて、ラーとなったシャマンによる治療儀礼、また僧院の祭りにおけるラーに憑依された僧侶やシャマンの現出は、その場に居合わせる人びとに霊の世界を実感させるものとなっている。このような文化伝統は、「憑依」という身体的発現を人びとの間に十分にパターン化させてきたといえる。しかも、シャマンによる治療における彼らの発話をよみとくと、シャマンが単なる身体の不調そのものの症状を和らげるためだけでなく、その背後にある超自然的病因の除去のための指示をおこなうことが常に期待されていることが分かる。ラダックの人びとには、病因を二つの異なる次元、つまり生理学的作用と超自然的作用で捉えるという伝統的病因論があり、超自然的作用を常に想定するこころがある。このため、人びとは霊の関与を恐れてシャマンのもとを訪れ、ラーとなる霊の世界を現出させるシャマンの超自然的力を信じ、開示された超自然的病因に納得し、病気に対する不安を最終的に解消することになる。シャマンが患者の心に抱く不安を現出させて解消し、安心させるという「こころの治癒」の構造が、現在もシャマニズムが生き続ける源泉になっている。

（山田孝子）

ラダック僧院の祭礼日程

煎本　孝

コラム10

　ラダックにおいて現在見られるチベット仏教諸学派は、ゲールク派、カーギュ派、サキャ派、およびニンマ派である。カーギュ派にはディグン派とドゥック派がある。これらはいずれも15世紀以後、中央チベットから入ったものであり、それ以前は、各僧院はリンチェンザンポ、アティーシャなどインド仏教の影響の強いカダム派に属していたものと考えられる。

　ラダックの主要な僧院では、毎年チベット暦の決まった日に祭礼がおこなわれる。その内容は、仮面舞踊、トルマ（大麦粉で作った諸尊の象徴）の投捨であり、その際にラー（神）が憑依した村人もしくは僧が登場するものがある。さらに、儀礼の一環としてキルコル（諸尊の宮殿であるマンダラ）を色粉で描き、儀礼の終了後、これを壊して泉や川に流し、村人たちと祝宴を催す祭礼がある。僧院の祭礼とは、僧たちによる儀礼と村人たちの祝祭とが複合し、時空間を共有する活動である（表コラム10―1）。

　仮面舞踊は諸尊による宗教的舞踊であり、悪霊や我欲の象徴であるダオを殺す儀式が含まれる。用いられる儀軌と諸尊は学派によって異なるが、ゴンボ（マハーカーラ）、カプギャット（チェチョクヘールカ）、ケードルジュ（ヘーヴァジュラ）など無上瑜伽タントラ系の儀軌と忿怒尊である。

　トルマの投捨はトルマに集められた悪霊を僧が村人とともに焚き火のなかに投げ込む悪霊追放のための儀軌の一環である。とくに、ゲールク派ではトルマの投捨と仮面舞踊からなる祭礼を「グストル（9・トルマ）」と呼ぶ。

　グストルのグとは「9」を意味し、19日、29日を指す。月の満ち欠けの度合を示す月齢で

表コラム10-1　ラダックのチベット仏教学派主要僧院における祭礼日程と行事内容

学派	僧院名(1)	祭礼名	祭礼日（チベット暦）	行事内容(3)		
				仮面舞踊	トルマ	ラー登場
ゲールク派	スピトゥック	グストル	11月17-19日	＋	＋	
	リキール	ストルモチェ	12月27-29日	＋	＋	
	ティクセ	グストル	9月17-19日	＋	＋	＋
	ストック	グルツェチュー	1月9-10日	＋	＋	＋
	ディスキット（N）	グストル	12月28-29日	＋	＋	
	カルシャ（Z）	グストル	6月28-29日	＋	＋	
	ストンデ（Z）	グストル	11月28-29日	＋	＋	
	プクタル（Z）	グストル	12月18-19日	＋	＋	
	コルゾック（C）	グストル	6月3-4日	＋	＋	
ディグン・カーギュ派	ラマユル	ユリ・カプギャット	2月28-29日(2)	＋	＋	
		ユリ・カンギュル	5月3-20日			
	ピャン	トルドック（L）	2月9日	＋	＋	
		ガンスゴン・ツェドゥプ	6月2-3日	＋	＋	
	シャチュクル	ゴマン	6月3-4日	＋	＋	＋
ドゥック・カーギュ派	シェー	シェー・シュプラ	7月10日			＋
	ヘミス	ヘミ・ツェチュー	5月9-11日	＋		
	チムデ	チムデ・ワンチョック	9月28-29日	＋		
	サニ（Z）	ナロ・ナスジャル	6月15-20日	＋		
サキャ派	マトー	マトー・ナグラン	1月14-15日	＋		＋
ニンマ派	タクタック	ドスモチェ	9月28-29日	＋	＋	
仏教徒協会	ゴンパソマ（L）	ドスモチェ	12月28-29日	＋	＋	

注(1)僧院名、祭礼名の後の記号は、(N)：ヌブラ、(Z)：ザンスカール、(C)：チャンタン、(L)：レー、
その他は各僧院の所属する上・下手ラダックの村での祭礼。(2)ユリ・カプギャットの祭礼は現在、
月に変更；ユリ・カンギュルは大蔵経朗唱とキルコル（マンダラ）を用いたデチョック（チャクラサ
ンヴァラ）儀軌。(3)行事内容は、仮面舞踊：チャムス（宗教的舞踊）；トルマ：トルマ、またはドス
の投捨；ラーの登場はラーを憑依したラバの登場。

は、新月を零と起算し15日が満月、30日が再び新月となる。ここでは、前半の15日間（ヤルンゴ）は悪霊の側が強くなり、満月では最も強力となる。そして、後半の15日間（マルンゴ）は悪霊の側が弱くなり、新月の時が最も弱くなると考えられている。また、冬期には、太陽の出ている昼の時間が短くなり、悪霊の側は弱くなる。

　したがって、悪霊側が弱くなり、逆に守護尊側が強くなるチベッ

写真コラム 10-1　ザンスカール、サニ僧院における仮面舞踊

ト暦の1年の終わりの新月にグストルがおこなわれる。さらに、1年を半年ずつの2回に分けるという考え方に基づけば、6月が1年の終わりの月となる。ラダックのゲールク派における僧院の祭礼の日取りは、おおよそこの原則に基づき決められている。

さらに、ラーが登場する祭礼は、仮面舞踊、もしくは仮面舞踊とトルマの投捨に、ラーの登場が加わる。ただし、シェー・シュブラ祭礼ではラーの登場と村人たちの舞踊がおこなわれる。なお、ドゥック・カーギュ派では、トルマの投捨は一般的ではなく、ヘミ・ツェチューに見られるように、パドマサムバヴァに関する舞踊や綴織の大タンカの開帳がおこなわれる。

祭礼の名称は、ゲールク派ではスピトゥック・グストルやリキール・グストル（本来はリキールのストルモチェ（トルマ・大））のように、僧院の名前の後にグストルをつけて呼ばれる。ディグン・カーギュ派では、仮面舞踊とトルマの投捨からなる祭礼の形式は同じであるが、ユリ・カプギャット（ラマユル僧院のカプギャット尊）のように、個別名で呼ばれる。

サキャ派では仮面舞踊とともにラーが登場し、マトー・ナグランのように僧院名とラーの名称によって呼ばれる。また、ニンマ派では仮面舞踊とトルマの投捨をグストルとは呼ばずに、悪霊を捕えるのにトルマに代り網状に糸を張ったドスを用いるため、ドスモチェ（ドス・大）と呼ぶ。なお、レーのバザールにあるゴンパソマ（新寺）では祭礼に際してニンマ派のタクタック僧院から来た僧たちによりドスモチェがおこなわれる。

また、キルコルを用いる祭礼は儀軌の主尊は学派により異なるが、デチョク（チャクラサンヴァラ）など無上瑜伽タントラ系の儀軌が用いられ、ゲールク派のスピトゥック僧院、ディグン・カーギュ派のラマユル僧院、サキャ派のマトー僧院など大きな僧院でおこなわれる。これは、忿怒尊による悪霊の追放とは異なり、入門儀礼、平安、輪廻から自由になることを目的とするものである。

なお、キルコルを用いる祭礼には、一般的に僧院のある村人が参加する。しかし、トルマを投捨する祭礼は、僧院の配下にある村々からはもちろん、時にはザンスカールを含むラダック各地から人びとが観客、あるいは招待客としてやって来る。さらに、ラーの登場するマトー・ナグラン祭礼、ストック・グルツェチュー祭礼、シェー・シュブラ祭礼などは人びとの大きな関心を集め、いわばラダック全体としての祭礼となっている。

各僧院は仮面舞踊、トルマの投捨、キルコル、ラーの登場などを組み合わせて独自の祭礼を構成しているのである。

XII

政治と帰属性

58

ラダック王国の政治

★現代に至る歴史的連続性★

ラダック王国の王朝は世襲制であり、王国の統治権を持つ。この意味でラダック王国は専制国家的形態をとるが、実質的な統治機構においては必ずしも王権が絶対ではなかった。

ラダック王朝の政治権力を牽制する要因として、第一に地方領主の存在がある。たとえばヌブラ、ギャ、ピティ、ザンカル、パスキュム、ソス、スル、ヘンバブ（ドラス）においては、かつての独立領主がおり、彼らはラダック王と同様ギャルポの称で呼ばれる。第二にラダック王国の官僚、とくに宰相の政治権力の強さである。第三に僧院勢力の存在がある。

ラダック王国における実質的な政治権力は「カロン」と呼ばれる貴族の家系から出た宰相にあった。宰相は、吐蕃王国における論官（大論）に相当する権力を持つものと思われ、常に王朝の財務担当の任を持ち、王国衰退期にあっては長老、僧院、官僚の決定をもって王を軟禁し、あるいは王朝の存続を左右するだけの権力を持っていた。

ラダック王国の国家歳入の大部分は王の利益となり、これに続いて宰相の利益となる。とくに、官僚に対する関税免除の特権により、彼らは交易活動による多大な利益を付加することが可能である。もっとも、ラダック王国第二次王朝前半期のセンゲナムギャル（c．1569～94年）は国王と宰相とを例外的に兼ねていた。この時期は領土拡大期にあたるラダック王国発展期であり、国王の統治権は強大であった。

しかし、ラダック王国衰退期において、王統史には内政に関する政府官僚の発議に関する記載が見られる。たとえば、デスキョンナムギャル（1720～39年）の治世に起こる王位継承問題に関し、第二王妃の息子であったタシナムギャルが王位継承権を要求したのに対し、官僚、長老評議会は、彼は僧侶となるか、さもなければティンスガン王宮に住まうよう要求している。

また、ワムレの調停委員会が王位継承規則を制定したように、ラダック王国の統治権は王朝よりも官僚や僧院の合議に依存している。ツェワンナムギャル2世（1752～82年）の治世には、王の婚姻の破棄、再婚、軟禁に至る決定が長老、僧院、閣僚によりおこなわれ、兵士の動員をも伴っている。

さらに、ラダック王国最後の王であるツェワンラブタンナムギャル（1830～35年）に関しては、官僚、長老評議会、領主、僧院などの請願により、宰相ツェワンドンドップの娘カルザンドルマとの婚姻がなされる。これは宰相と王朝との外戚関係による宰相の政治権力の拡大を目的としたものである。

チベット仏教各学派はその出発点において王朝の保護の下にラダックに招聘され、布教の拠点を築いてきた。そこでは、ラダック王国諸王は仏典カンギュル、タンギュルの写本に努め、僧院に厖大な宝物、物資を奉納し、さらに領地を寄進した。

ラダック王国末期には、僧院はその維持のため国王より譲渡された4000戸からの収入源をすでに確保するに至っている。また、ラダック王統史に記されるタシナムギャル（c. 1500〜32年）によって制定された各村から僧侶になるべき者の数に関する規則により、僧院は安定した人材の供給を確保した。したがって、王朝によるチベット仏教各学派に対する擁護策は、宗教的繁栄のみならず僧院の経済的発展の基盤となった。

しかし、モンゴル戦争以後、僧院はラダック王国の内政、外交への直接の関与をおこなう。僧院は抗争の調停、あるいは国王の処遇に関し明確な政治権力を行使する。そして、最終的には仏教各学派は弱体化したラダック王朝との融合政策による新らたな形の統合機構の形成へと向かう。

たとえば、ラダック王統史第八部には、後にラダック王国最後の王となるツェワンラプタンナムギャル（1830〜35年）は、木―牛年（1817年）、僧ヤンズィンガパによりヘミ僧院のビルバドルジェの転生であるとされ、居所もヘミ僧院末寺のテチョク僧院とされたとの記載が見られる。これはドゥック・カーギュ派による王朝との融合政策の試みと捉えることができる。

ラダック王国の統合機構は、経済的には交易経済を基盤とし、宗教的には仏教国としての帰属性を持ち、政治的には王権国家としての独立と存続を中軸とする。しかし、その内部は王朝と官僚、王朝と僧院それぞれの間における拮抗関係、さらにはその背後における地方貴族領主間、仏教諸学派間の対抗関係が作動している。

ラダック王国の成立、発展、衰退という歴史的過程は、ラダック王国の統合機構の動態的変化である。ラダック王国の成立とは、王朝による地方諸領主の支配と交易経済基盤の確立であった。また、ラダック王国の発展とは、王朝の覇権拡大と交易経済の発展であり、これは王朝、官僚、僧院からなる政治

第58章
ラダック王国の政治

機構を確立させた。ラダック王国の衰退とは、僧院および宰相の経済力の増大による政治権力の分化であり、モンゴル戦争以降の長距離交易におけるカシミールの独占権による王国の経済基盤の喪失である。

その結果、王権は相対的に弱体化し、宰相および僧院がそれぞれ王朝との融合政策を試み、王権を形骸化したのである。

僧院による王朝との融合政策は、ラダック王国がドグラ戦争（1834年）によりその独立を失った後も、ディグン・カーギュ派により試みられる。すなわち、ツェワンラプタンナムギャルの王子であるジクメドクンガナムギャルの息子はヤンリガルに学び、学者となってラダックに帰還すると、第八代転生トクダン・リンポチェ・ナワントギャルツェンとなり、ラマユル僧院、ガンゴン僧院の修復をおこなう。すなわち、王族がラダックのディグン・カーギュ派のチョルジェ（法主）となったのである。

さらに、クショー・バクラ・リンポチェはゲールク派のリンポチェであるが、マトー村の旧王家の出身である。彼はラダックにおける仏教界の頂点に立ち、インド政府の駐モンゴル国大使にもなり、人びとの信頼はきわめて篤い。政治的リーダーとして、インド独立後からラダックをジャム―カシミール州から分離独立させUT（連邦直轄領）とすることを目標とし、実現させたのである。彼の功績はレーのKBR（クショー・バクラ・リンポチェ）国際空港の名称として留められている。

また、現在、王族は実質的な政治的権限は持たないが、人びとは伝統的に敬意を表する。ラダック仏教徒協会の会長は王族であり、ストック・グル・ツェチュー祭礼やシェー・シュブラ祭礼において、ラーは王宮を表敬訪問する。

王族と僧院の融合による卓越した政治的リーダーの輩出は、彼らの政治的能力のみならず、人びとの王族への敬意と高僧である聖者への崇敬に支えられている。ラダックの政治は、現在の民主主義的形態においても、ラダック王国以来の歴史的連続体の流れのなかで機能しているのである。（煎本　孝）

59

ラダック王国の遺産

★座列を巡る伝統と帰属性★

座列（ダル）や座席（スキョクス）は、ラダックにおける社会的序列と階層性の表象となっている。

「結婚式の歌（父ストンパ）」（no.9）においてナンニョーは、「王、金の玉座の上に立ってください／若い18人のパスプン（父の兄弟）、右側の座列にお座りください／45人のマスプン（母の姉妹）、左側の座列にお座りください／スタックツォ（機織り機の筬）が重なる公衆、中間の座列にお座りください／バルトゥントゥン（人びとに幸運を与える想像上の小人）、ホラ貝の玉座にお座りください」と、父が主催する饗宴であるバクストン（結婚式）に招待された王、パスプン、マスプンなどの親族、公衆、バルトゥントゥンが序列に従って玉座や座列に配置される様子を歌う。

ティミスガン村における結婚式の踊り場における座列は、上座のカズダール、軍隊長であるドンスポン、村長であるゴバ、護衛であるチャクシ、宰相、大臣、行政長官であるロンポやワジール、カズダールに酒を注ぐ役を担う従者であるカガジャプシ、チベット医学医師のアムチ、楽士であるモンなど、王国時代の職種別の家々が伝統に則り配置される（図59―1）。

また、その他の村人も水の配分を管理する家など数軒の重要

図 59-1　ティミスガン村の結婚式の踊り場における座列

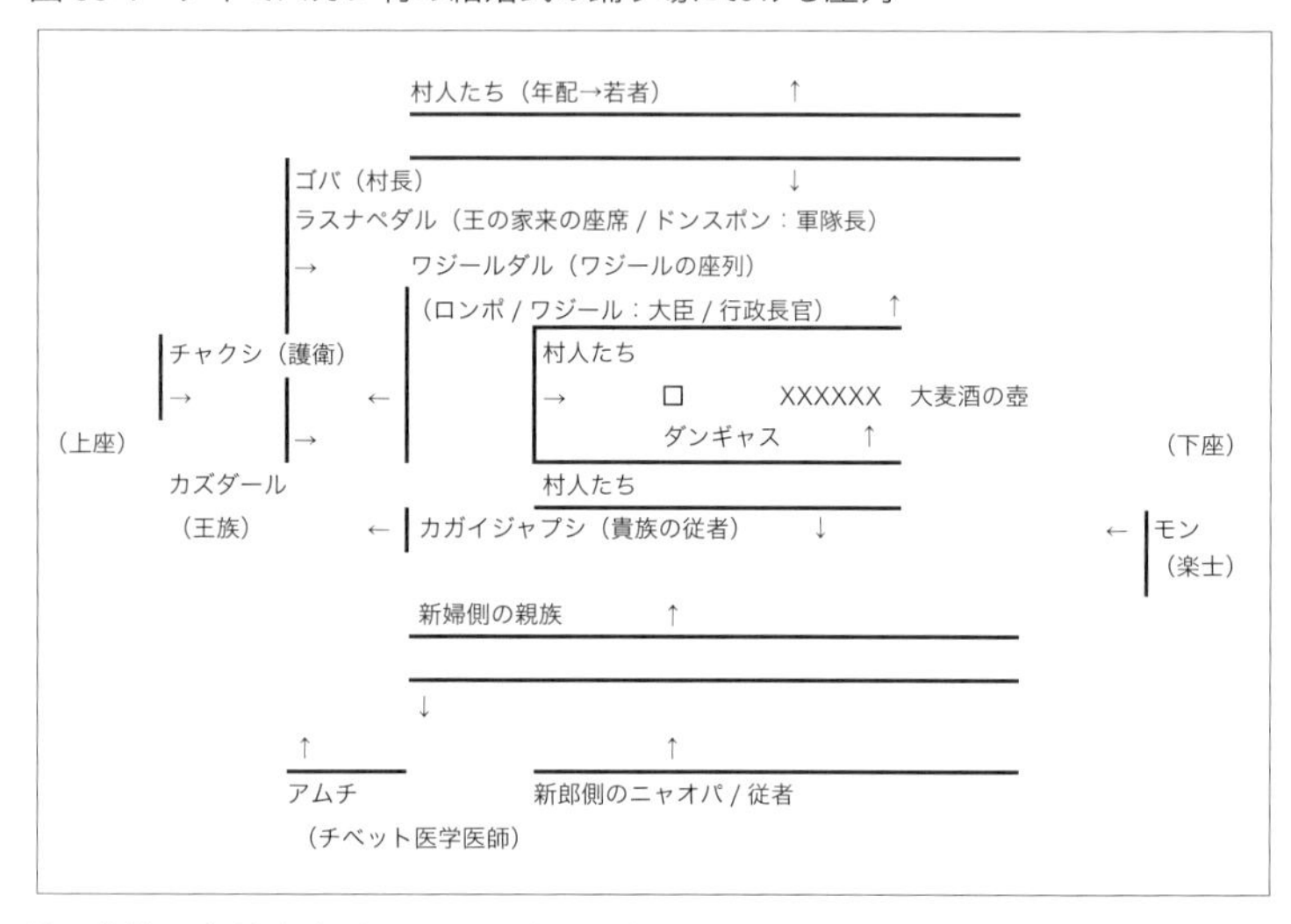

注：棒線は座列（ダル）を示す。矢印は座っている人の向きを示す。踊り場の中央にはダンギャス（吉兆の大麦の料理）と大麦酒の壺が置かれている。左が上座、右が下座である。

な役割を持つ家が上座に着き、それ以下は自由に、あるいは年齢順に配置される。さらに、それぞれの座列によって絨毯や机の種類が決まっている。座列の配置は王族、貴族、村人、楽士という階層性の表象である。

もちろん、現在ではこれらの家々の政治的役割や権限はないにもかかわらず、人びとは意識のなかではあたかもそこに厳然とした階層性があるかのように振る舞う。

カラツェ村での結婚式の踊り場で、座列をめぐるもめ事があった。王族の家系の家の席である上座に向かい合って作られた内側の3席は上座から向かって右側がより高い席順とされ、それぞれの家が決められている。しかし、最下席の家の当主はすでに着座している最上席の家の隣で中間席に位置する座席に着席した。遅れてきた中間席の当主の弟は、自分の席がなかったため空

写真59-1　ティミスガン村の結婚式における座列と踊り

いていた最下席に着いた。

ところが、これを見ていた最下席に着いた家の妻が、赤ん坊を抱えたまま崖の上から降りてきて、観衆の面前で当主の弟にちゃんと自分の席に着くように大声で指示し、中間席に座っている家の当主に横に移れと手で指図した。しかし、この当主は、「私は最下席に座っている当主の弟より年長なのだから問題はない」と言って席を立とうとはしなかった。そこで、突然、中間席に座っている家の当主の息子が踊り場に出てきて父の両脇を抱え、驚いて嫌がる父を一気に場外に連れ出し、そのまま退場させてしまったのである。人びとの見解では、席次を守らねば村人はこれを守るよう要求するだろうという。したがって、中間席に座った家の当主に非があり、彼は退場する他なかったのである。

たしかに、ティミスガン村のように厳格に座列の伝統が守られているところもある。しかし、カラツェ村では、これほどまでの階層性は見られず、最上層の王族の家系である家と最下層の楽士であるモンを除いては、村の家々の間に階層的格差はない。中間席の家の下座に最下席の家が配置されているのも、明確な根拠はなく、おそらくかつて中間席の家はカンチェンであり最下席の家はそのカウンだったからではないかと言われる程度である。

「スキョクス」と呼ばれる座席は、最下席の家の当主によれば、彼が子どもの頃、ある老人が席次のことで喧嘩になり、相手の家はどこに座ってよいか分からなかったため、彼の母方の祖父が横に座らせたのが伝統になったという。さらに、1970年頃、この家は確定した座席がなく心配であったため、この伝統を壊そうとレーの官吏とともに、上座に年長者、下座に年少者、また途中に来賓席となるように新たな席次を作り、村人からの合意も得て、ある結婚式の時に実行しようとした。

しかし、結婚式当日になると、人びとは以前のように座った。さらに、その時ある家の男は来賓席にいる客人に対して、そこは本来自分の席なので立ち退くように言った。これは、恥ずべき行為であった。そこで、現在の最下席の家の当主は自分の長男の結婚式の際、事前に村人たちに大麦酒を配り、問題を起こして結婚式を壊してしまわないように席次を定めておくように依頼した。その結果、村人は席次を以前の伝統のままにすることに決めたのである。

この経緯から見ると、最下席の家の当主が席次を入れ替え、年長者だからこれで問題はないと主張したのは、座席の伝統をかつて試みられたように年長順へと改革しようとしたのかも知れない。しかし、村人や息子までもが伝統を変えることに強く抵抗し、この試みは失敗したのである。

階層性の伝統は、それ自体に現実的な機能がないにもかかわらず、人びとは座列の伝統を守ろうとする。酒を注ぐ役割の家でさえ自身の役割を現在に至るまで忠実に遂行してきた。カラツェ村の結婚式における座列をめぐるもめ事に見られるように、ときに伝統を守ろうとする意思は年配者よりも若い人の方が強いこともある。人びとは階層性の伝統のなかで自分を位置づけ演技することにより、社会における人間関係を維持しようとする。伝統を守ることは社会への帰属性の表明であり、人が本来的に持つに至った自己と集団の存続のためのこころのはたらきなのである。

もっとも、最下席に配置され、最下層の職業集団と見なされてきた楽士は、ラダックの現代化とともに新たな職業を選択することが可能となった。当初は村人たちの強い反対があったものの、ダライ・ラマ14世による仏教では職業の選択が認められているとの裁定により、伝統に縛られない活動が可能となった。

さらに、カーストに基づく社会的不平等を根絶すべきであるという表明が、ディグン・カーギュ派法主のみならず、ラダック僧院協会、ラダック仏教徒協会から出された。ラダック芸術文化言語アカデミーは、アーティスト（芸術家）としての楽士がラダックの文化と伝統の保存に重要な役割を果たしており、若い世代の人びとがこのことを理解することに期待している。

じっさい、楽士の演奏は伝統社会の結婚式や祭礼においてのみならず、現代の観光産業にとっても不可欠である。その存続のためには、カーストに基づく偏見を捨て、彼らをアーティストとして新たに位置づける必要がある。伝統は修正を加えられながら、人びとの帰属性の拠り所として継承されているのである。

（煎本　孝）

60

ラダック人の帰属性

★現在に継承される言語と文化★

ラダック語はチベット語の西部古方言に属する一方言である。チベット語には多くの方言区分があり、チベット社会が地域的・文化的変異に基づく地域性を内在する社会であることを表象している。広義のチベット社会の一員であるラダックは、特定の地域社会に根ざす一体感が強固に維持された地域性と、チベット仏教を軸にした汎チベット的共通性のなかで成り立ってきた。しかし、ラダック人は、10世紀から19世紀までラダック王国として繁栄してきたという歴史をもち、チベット人とは異なるラダック人という独自の帰属意識をもってきたことを伝統文化から垣間見ることができる。

たとえば、ラダック人には、独自の伝統として2か月早く正月を祝ってきた伝統的慣習がある。これについては、ラダック人の間に民族的・文化的に高揚させる言説が語られる。「センゲ・ナムギャル王の時代に、バルティスタンのイスラム君主国との戦争に出かける前に、ローサル（正月）を祝って出かけたが、勝利して帰国することができた。それ以来、そのときに正月を祝った旧（チベット）暦11月1日をラダックの正月にした」というものである。ただし、旧暦の11月1日というのは、すでに初冬に入った時期であり、ラダックの周囲を取り囲む峠は雪で閉ざされる季節であり、旧暦11月1日に正月を祝ってから、バルティスタンに出かけることは、現実にはあり得ないと、これは史実として信憑性がないと語る人もいる。いずれにしても、旧暦11月1日に祝うローサルは彼ら独自の文化として帰属意識の源泉となっている。

ローサルでは、前々夜に「グトゥック」と呼ばれる特別なトゥクパを食べ、アイベックスを模ったパンを焼き、前日の早朝には先祖の霊を慰めるシミの儀礼やすべての厄を祓うためのガルメの儀式など、ローカルな神々や祖先霊に対する伝統的信仰が表出する。輪廻転生というチベット仏教の教義との矛盾をはらみながらも祖霊供養がラダック人の慣習として維持される。伝統的儀礼の維持をとおして、ラダック人としての民族的・文化的帰属性が表出されている。

また、ラダック人の民族としての危機意識のもとに、1988年に設立されたNGO「ラダック学生教育・文化運動」(SECMOL, Student Educational Cultural Movements of Ladakh) は、ラダック人としての自負心を取り戻すために、政府の学校教育システムの改革に取り組み、1999年にサスポールに開校した学校では、ラダック文化の教育とラダック語による教育に取り組んできた。しかもここでは、僧院で使用されるのではなく、人びとによって話されている、口語体のラダック語による教育がめざされ、彼らはラダック語の口語体にそった正書法を普及させる目的で、雑誌*Ladags Melong*の発行もおこなってきた。

ラダック人としての帰属意識を高め、ラダック語の民族語としての維持・存続を図るうえで、ラダック語としての正書法の確立も課題となってきたことが分かる。ただし、SECMOLによるラダック語

写真60-1　サスポールにあるSECMOLが運営する学校、2003年

独自のリテラシー、発音に忠実な口語体ラダック語の正書法普及の取り組みは、チベット語正書法を堅持させようとするラダック仏教徒協会との間で対立が起き、1995年から発刊してきた雑誌*Ladags Melong*（図60—1）は2007年の夏以降の休刊に追い込まれたのである。

ラダック語の民族言語としての復権という意味での、SECMOLが進めた言語における地域性の表出は、チベット仏教の伝統を維持するために不可欠なチベット語正書法の教育との狭間で、一旦挫折を見ることになったのである。しかし、SECMOLの運動は完全に消滅したわけではなかった。インド国憲法の別表にある12指定事項（Schedules）の第8指定事項においては、22の言語が公式に認定されており、連邦直轄領となったことを受けて、ラダック人のなかにはラダック語を第8指定事項の公式言語の一つとして、また公立学校教育での母語として認めてもらう運動を始めた人たちもいる。

たとえば、学校教育に携わり、SECMOLの運動にも関わってきたデラドュン市にあるディグン・カーギュ研究所の学長も務めたディグン・カーギュ派の高僧カンポ・コンチョク・パンデイ氏は、本の出版やFacebook上での発信をとおして、「ラダック人のためのラダック語正書法の必要性」を訴えている。そこでは、「同じアルファベットを使うからといって、英語、ドイツ語、フランス語が同じことばであるとは誰も思わない。ブータンでは、ゾンカ語をチベット文字で書いているが、それはチベット語ではない。言語と文字は異なるものである」と、反対派を批判する。

また、ラダック語とチベット語の文法上の違いを、「ラダック語には、数えきれないほどのチベット語の辞書や文法にはない特有の語彙と語尾がある。チベット文法で正しい文であったとしても、ラダック人は決してそのようには話さないし、その文を誰も理解できないことが起きる。一方、ラダック語の特別な語彙と語尾のついた文をチベット語文法に合わせて書いたとしても、その文はチベット語では全く見つけることができない」と、明快に指摘する。さらに、「ラダック語は1834年までの小さい独立国家では民族語であった。母語で話し、書くことは決して悪いことではない。むしろチベット人に対してはチベット語を、英国人に対しては英語をというように、ラダック人に対してはラダック語でなければ、お互いに意思疎通ができなくなる」と、チベット文字を使ったラダック語独自の正書法の必要性と学校教育における普及を訴える。

図 60-1　廃刊前年、2006 年出版の雑誌 *Ladags Melong*

連邦直轄領としての地位の獲得によって、「ラダック人」という民族としての帰属意識が強化されるなかで、自分たちの伝統文化と言語の維持は重要な課題となる。なかでも、ラダック人の母語であるラダック語の民族語としての公式認定にはラダック語の正書法の確立が求められる。チベット仏教側との対立なく、正書法を確立することはラダック人の喫緊の課題となっている。

（山田孝子）

コラム11

ラダック語の正書法とアルファベット転写方式

山田孝子

ラダック語はチベット語の西部古方言に属する一方言である。チベット語はチベット・ビルマ語族に属すが、西はパキスタン北部のバルティスタン地域からラダック、大ヒマラヤ山脈沿いの地域、東は中国のチベット自治区を中心とし、青海省、甘粛省、四川省、雲南省に及ぶ広大な地域で話されている言語である。このため、チベット語は主要方言区分だけをみても、西部古方言、西部改新的方言、中央方言、南部方言、カム方言、アムド方言の6方言に区別される。

西部古方言はバルティスタン地方からラダック地方にかけての地域で話される方言であるが、さらにバルティスタン地方のバルティ方言（スカルド方言、カプル方言）、ラダック地方のプーリック方言、ラダック方言（ザンスカル方言、ヌブラ方言、上手ラダック方言、下手ラダック方言、中央ラダック方言）に区別される。一方、ヒマチャル・プラデーシュ州のラフール・スピティ地方のラフール方言やスピティ方言、キナウル地方で話されるニャム方言は、ラダック語とは異なる西部改新的方言に分類される。ヒマラヤからカラコルムにかけての山麓地帯に居住するチベット語系諸民族の言語をみてみても、方言レベルでの言語分化が進んでいることが分かる。

広大な分布域を持つチベット語においては、実際にはそれぞれの地域のチベット語方言の間には顕著な違いがある。チベット人の間でもアムド方言話者とカム方言話者とでは通常の会話での意思疎通が難しいほど方言の分化は進んでいる。ただし、チベット文字を正書法としているため、アムド方言話者とカム方言話者との間でチベット文字を介しての意思の疎通は幾分可能となる。チベット難民社会では、今日、ラサ方言をもとにしたチベット語難民共通方言をリンガ・フランカ（共通語）とする学校教育がおこなわれており、アムド、カムという出身地を問わずお互いのコミュニケーションが可能となっている。

これに対し、西部古語方言に属するラダック語話者であるラダック人は、中央方言、カム方言、アムド方言などのチベット語話者であるチベット人との間では通常の会話はほとんど成り立たない。ラダック語においても、チベット語と同じようにチベット文字を正書法とするが、

表コラム 11-1　チベット文字（基字）転写

ཀ	ka	ཁ	kha	ག	ga	ང	nga
ཅ	ca	ཆ	cha	ཇ	ja	ཉ	nya
ཏ	ta	ཐ	tha	ད	da	ན	na
པ	pa	ཕ	pha	བ	ba	མ	ma
ཙ	tsa	ཚ	tsha	ཛ	dza	ཝ	wa
ཞ	zha	ཟ	za	འ	'a	ཡ	ya
ར	ra	ལ	la	ཤ	sha	ས	sa
ཧ	ha	ཨ	a				

表コラム 11-2　下接辞・上接辞付加の転写例

下接辞	ཀྲ　kra	ཀྱ　kya	ཀླ　kla
上接辞	རྐ　rka	སྐ　ska	ལྐ　lka

第60章で述べているように、ラダック語には数えきれないほどのチベット語の辞書や文法にはない特有の語彙と語尾があり、ラダック人とチベット人との間では、通常の意思の疎通は難しい現状にある。

　ラダックにおいて今日、ラダック語の民族語としての認知・存続はラダック人としての民族意識の確立という意味からも重要な問題として意識されるようになっている。そのためにも、第60章で述べているようにチベット語の正書法ではなく、ラダック語口語体にそった正書法の確立と口語体ラダック語による学校教育の普及をめざす人びとが現われている。

　本書では、ラダック語をワイリー方式にもとづいてチベット文字を転写し、アルファベット表記している。転写方式は表コラム11―1、表コラム11―2に示したとおりである。

ラダックを知るための参考文献

第Ⅰ部　ラダックの概観

Beigh, M.H., 2022, People of Khalamarpoo, Chumikchan built artificial glacier. *Reach Ladakh Bulletin*, Jan 04, 2022, https://www.reachladakh.com/news/social-news/people-of-khalamarpoo-chumikchan-built-artificial-glacier.〔1〕

Bhat, Bashir Ahmad, 2016, *Trend and patterns of child sex ratio and sex ratio at birth in Jammu and Kashmir*, Population Research Centre, Department of Economics, University of Kashmir, Srinagar.〔3〕

Bray, John, 2005, Early Protestant Missionary Engagement with the Himalayan Region and Tibet. In: John Bray (ed.), *Ladakhi Histories*, Leiden: Brill, pp. 248-270.〔4〕

デシデリ、I.　１９９１『チベットの報告Ⅰ』F・デ・フィリッピ（編）、薬師義美（訳）、東洋文庫５４２、平凡社。[Desideri, I., 1937, *An Account of Tibet*. George Routledge & Sons]〔4〕

Francke, A.H., 1972 (orig. 1926), *Antiquities of Indian Tibet. Part II*. Archaeological Survey of India, New Imperial Series, Vol.L., S. Chand & Co.〔2〕

Government of India, Ministry of Science and Technology, 2021, Increasing temperature and low winter precipitation are causing retreat of glacier in Zanskar Valley, Ladakh, https://dst.gov.in/increasing-temperature-and-low...〔1〕

Gergan, S. S. and F. Hassnain, 1977, Critical Introduction. In: A. H. Francke (ed.), *A History of Ladakh*, Sterling Publishers, pp. 1-46.〔2〕

Heyde, Christian, 2005, The Early History of the Moravian Mission in the Western Himalayas. In: John Bray (ed.), *Ladakhi Histories*, Leiden: Brill, pp. 271-280.〔4〕

煎本　孝　１９８６ａ「ラダック王国史の人類学的考察」『国立民族学博物館研究報告』11巻2号、４０３～４５５頁。〔1〕〔2〕

煎本　孝　１９８６ｂ「ラダック王国史覚書」『ヒマラヤ

仏教王国1― 人間曼陀羅界』田村仁（撮影）、梅棹忠夫（序文）、石井溥・今枝由郎・煎本孝・鹿野勝彦・真鍋俊照（解説）、東京、三省堂、２１４～２２２頁。〔1〕〔2〕

煎本　孝　２０１４『ラダック仏教僧院と祭礼』法藏館。〔2〕〔3〕

Jammu & Kashmir Development Report, Ch. II Demography 2001. http://planningcommission.nic.in/plans/stateplan/sdr_jandk/sgr_jkch2.pdf〔3〕

Jina, Prem Singh, 1994, *Tourism in Ladakh Himalayas*. New Delhi: Indus Publishing Co.〔4〕

Mehta, M. et al., 2021, Little Ice Age glacier extent and temporal change in annual mass balance (2016-2019) of Pensilungpa Glacier, Zanskar Himalaya. *Reg Environ Change* 21, 38 (2021), https://doi.org/10.1007/s10113-021-01766-2.〔1〕

Samphel, Tsering, 2000, Why Union Territory Status for Ladakh: Memorandum to Members of Parliament by Ladakh Buddhist Association. In: Ladakh Buddhist Association (ed.), *Why Union Territory Status for Ladakh*, Leh: Ladakh Buddhist Association, pp. 1-8.〔5〕

佐藤　長　１９５９『古代チベット史研究』上・下巻、同朋社。〔2〕

Shafiq, M.U. et al., 2016, Variability of precipitation regime in Ladakh region of India from 1901-2000. *J. Climate Weather Forecasting* 4: 165, DOI: 10.4172/2332-2594.1000165.〔1〕

Shaheen, F.A. et al., 2013, Climate change impact in cold arid desert of North-western Himalaya: Community based adaptation and mitigations. In: S. Nautiyal et al. (eds), *Knowledge systems of societies for adaptation and mitigation of impacts of climatic change*. Environmental Science and Engineering, DOI: 10.1007/978-3-642-36143-2_15, © Springer-Verlag Berlin Heidelberg 2013.〔1〕

Srinivas, Smriti, 1998, *The Mouths of People, the Voice of God*, Delhi: Oxford University Press.〔5〕

State/UT wise Aadhaar Saturation-All Age Groups, 31st December, 2020, *Unique Identification Authority of India, Government of India*.〔3〕

Tenzin Daion, 2021, Water crisis turns alarming in Kumik, Zanskar. *Reach Ladakh Bulletin*, Jun 22, 2021, https://www.reachladakh.com/news/social-news/water-crisis-turns-alarming-in-kumik-zanskar.〔1〕

van Beek, Martijn, 1996, *Identity Fetishism and the Art of*

Representation, Ph.D. dissertation, Cornell University.〔5〕

山田孝子２００９「2．西チベットの歴史と宗教的背景」『ラダック―西チベットにおける病いと治療の民族誌』京都大学学術出版会、20～40頁。〔4〕

Zubdabi, Sheikh Mohammad Jawad, 2009, History of Balti Settlement in the Indus Valley. In: Monisha Ahmed & John Bray (eds.), *Recent Research on Ladakh 2009*, Kargil & Leh, Ladakh: International Association for Ladakh Studies, pp. 30-32.〔4〕

"Department Home, CTA, Sonamling, Ladakh", https://centraltibetanreliefcommittee.net/settlements/tibetan-settlements-in-india/north-india/sonamling-ladakh/#intro, last accessed 2022/07/06〔コラム1〕

"SOS Children's Village", http://www.sos-childrensvillages.org/cgi-bin/sos/jsp/retrieveinformation, last accessed 2006/02/09.〔コラム1〕

"TCV Ladakh-Tibetan Children Villages", https://tcv.org.in/school/tcv-ladakh/, last accessed 2022/07/06.〔コラム1〕

"The Ladakh Autonomous Hill Development Councils Act, 1995 (President's Act No. 1 of 1995)" (LAHDC), https://leh.nic.in/lahdcleh/, last accessed 2022/07/01.〔5〕

"Vision 2050 for Ladakh Union Territory", https://ladakh.nic.in/document-category/plan-documents/ , last accessed 2022/07/22.〔5〕

第Ⅱ部　歴　史

Bray, John, 1983, The Moravian Church in Ladakh. In: D. Kantowsky & R. Sander (eds.), *Recent Research on Ladakh*, München: Weltforum Verlag, pp. 81-92.〔11〕〔12〕

Cunningham, Alexander, 1854, *Ladak, Physical, Statistical, and Historical with Notices of the Surrounding Countries*. London: Wm. H. Allen & Co. [HRAF AJ4 W. Tibetans,1].〔11〕

Datta, C. L., 1973, *Ladakh and Western Himalaya Politics: 1819-1848*. New Delhi: Munshiram Manoharlal Publishers.〔10〕〔11〕

Erdmann, Ferry, 1983, Social Stratification in Ladakh. In: D. Kantowsky & R. Sander (eds.), *Recent Research on Ladakh*, München: Weltforum Verlag, pp. 139-165.〔12〕

Francke, A.H., 1972 (*orig*. 1926), *Antiquities of Indian Tibet. Part II*. Archaeological Survey of India, New Imperial

Series, Vol.L., S. Chand & Co.〔6〕〔7〕〔8〕〔9〕
Francke, A.H., 1977 (*org*. 1907), A History of Western Tibet. In: A. H. Francke (ed.), *A History of Ladakh*, Sterling Publishers, pp. 47-182.〔6〕〔7〕
Francke, A.H., 1998 (*orig*. 1907), *A History of Western Tibet*. Delhi: Motilal Banarsidass.〔10〕
Gergan, S. S. and F. Hassnain, 1977, Critical Introduction. In: A. H. Francke (ed.), *A History of Ladakh*, Sterling Publishers, pp. 1-46.〔7〕〔8〕
Government of Jammu and Kashmir, Ladakh Autonomous Hill Development Council, Leh, 2018, *Statistical Handbook 2016-2017* (by District Statistics & Eval. Office Leh, Directorate of Economics & Statistics, Planning Dev. & Monitoring Department, J&K.).〔12〕
煎本　孝　１９８６ｂ「ラダック王国史覚書」『ヒマラヤ仏教王国１―人間曼陀羅界』田村仁（撮影）、梅棹忠夫（序文）、石井溥・今枝由郎・煎本孝・鹿野勝彦・真鍋俊照（解説）、東京、三省堂、２１４～２２２頁。〔7〕〔8〕〔9〕
Klein, Ira, 1971, The Anglo-Russian Convention and the Problem of Central Asia, 1907-1914, *Journal of British Studies*, 11(1): 126-147.〔コラム２〕
Lamb, Alastair, 1973, *The Sino-Indian Border in Ladakh*, Columbia, California: University of South Carolina Press.〔コラム２〕
Rizvi, Janet, 1996, *Ladakh: Crossroads of High Asia*, 2nd revised edition. New Delhi: Oxford University Press.〔10〕〔コラム２〕
Sheikh, Abdul Ghani, 2010, *Reflections on Ladakh, Tibet and Central Asia*. New Delhi: Skyline Publications Pvt. Ltd.〔10〕〔11〕
スタン、R．A．１９７１『チベットの文化』山口瑞鳳、定方晟訳、岩波書店（原書 Stein, R. A. , 1962, *La civilisation Tibétaine*, Paris: Dunod の翻訳）。〔8〕
Warikoo, K., 2005, Political Linkages between Kashmir, Ladakh and Eastern Turkestan during the 19th century. In: John Bray (ed.), *Ladakhi Histories*, Leiden: Brill, pp. 235-248.〔10〕
山口瑞鳳　１９８３『吐蕃王国成立史研究』岩波書店。〔6〕
山田孝子　２００９ａ「３．交易に支えられたラダック王国」『ラダック』京都大学学術出版会、40～47頁。〔11〕
山田孝子　２００９ｂ「１．インド独立後の社会制度改革」『ラダック』京都大学学術出版会、１６７～１７１

頁。〔12〕

"Dardic Peoples", https://en.wikipedia.org/wiki/Dardic_peoples, last accessed. 2021/11/29.〔6〕

"Dardistan", https://en.wikipedia.org/wiki/Dardistan, last accessed. 2021/11/21.〔6〕

〝柔然〟、www.y- history.net/appendix/wh0401-026_1.html last accessed 2022/07/01.〔6〕

〝女国〟、https://ja.wikipedia.org/wiki/ 女国〝 last accessed 2022/07/01.〔6〕

〝鮮卑〟、https://www.y-history.net/appendix/wh0301-003.html, last accessed 2022/07/01.〔6〕

"The Official Website of Jammu and Kashmir Government, India", http://jammukashmir.nic.in/profile/jkhist.htm, last accessed 2008/07/13.〔11〕

〝吐蕃〟、https://ja.wikipedia.org/wiki/ 吐蕃 , last accessed 2022/07/01.〔6〕

"University of Ladakh", https://www.universityofladakh.org.in/about-us, last accessed 2022/07/10.〔12〕

第Ⅲ部　農耕と生態

煎本　孝　２０１４『ラダック仏教僧院と祭礼』法蔵館。〔コラム３〕

第Ⅳ部　果樹栽培

〝あんず〟ウィキペディア２０２０　https://ja.wikipedia.org/wiki/%E3%82%A2%E3%83%B3%E3%82%BA.〔18〕

第Ⅴ部　上手／下手ラダック、ザンスカールにおける移牧

煎本　孝　１９８１「西チベット、ザンスカール地区における人口と性比の村落間変異―予報」『民族学研究』46巻3号、３４４～３４８頁。〔22〕

"Zanskar Tehsil Population, Caste, Religion Data-Kargil District, Jammu and Kashmir, Census India, 2011", https://www.censusindia.co.in/subdistrict/zanskar-tehsil-kargil-jammu-and-kashmir-15, last accessed 2022/03/16.〔22〕

第Ⅵ部　チャンタン高原における遊牧

Allie, Catherine, 2019, When nomads come to town: Sustaining weaving traditions on the Ladakhi Changthang Plateau. *Garland Magazine*: 1-15. https://garlandmag.com/article/tsug-dul/〔31〕

Directorate of Census Operations, Jammu & Kashmir, 2011, *Census of India 2011*, Jammu & Kashmir, Series-02, Part XII-B, District Census Handbook, Leh (Ladakh), Village and Town wise Primary Census abstract (PCA).〔25〕〔31〕

煎本　孝２００７『トナカイ遊牧民、循環のフィロソフィー』明石書店。〔コラム６〕

Reach Ladakh, Aug 31, 2021, "Two days Ladakh Nomadic Festival kick starts at Korzok Phu". https://www.reachladakh.com/news/social-news/art-culture-and-languages, last accessed 2021/08/31.〔31〕

Reach Ladakh, Oct 08, 2021, "Two days folk musical event held in Changthang". https://www.reachladakh.com/news/social-news/art-culture-and-languages, last accessed 2021/10/08.〔31〕

第Ⅶ部　交易経済

Bamzai, P.N.K., 1962, *A History of Kashmir*. Metropolitan Book.〔33〕〔34〕

Bamzai, P.N.K., 1980, *Kashmir and Central Asia*. Light & Life Pub.〔33〕

Cunningham, Alexander, 1854, *Ladak, Physical, Statistical, and Historical with Notices of the Surrounding Countries*. London: Wm. H. Allen & Co. [HRAF AJ4 W. Tibetans,1].〔33〕〔34〕

Desideri, I.,1937, *An Account of Tibet*. George Routledge & Sons.〔33〕〔34〕

Francke, A.H., 1972 (orig. 1926), *Antiquities of Indian Tibet. Part II*. Archaeological Survey of India, New Imperial Series, Vol.L., S. Chand & Co.〔34〕

Government of India, 1974 (1890), *Gazetteer of Kashmir and Ladakh*.〔34〕

Hedin, S., 1909, *Trans-Himalaya: Discoveries and Adventures in Tibet*, Vol. I, London: MacMillan and Co.〔34〕

煎本　孝１９８６「ラダック王国史の人類学的考察」『国立民族学博物館研究報告』11巻2号、４０３～４５５頁。〔33〕〔34〕〔35〕

Rizvi, J., 1983, *Ladakh: Crossroad of High Asia*. Oxford University Press.〔33〕〔34〕

Sheikh, Abdul Ghani, 2010, *Reflections on Ladakh, Tibet and Central Asia*. New Delhi: Skyline Publications Pvt. Ltd〔34〕

山田孝子 2009「2．政府による地域開発、観光化、そして経済格差の拡大」『ラダック』京都大学学術出版会、171〜175頁。〔35〕

Reach Ladakh, https://www.reachladakh.com/about-us, last accessed 2022/07/10.〔35〕

"Vision 2050 for Ladakh Union Territory", https://ladakh.nic.in/document-category/plan-documents/ , last accessed 2022/07/22.〔35〕

第Ⅷ部　社会と協力

煎本　孝 1984「チベット系住民（ラダック地区）の親族名称」『日本民族学会第23回研究大会研究発表抄録』国立民族学博物館（1984年5月24〜25日）、A―18頁。〔コラム8〕

第Ⅸ部　食文化

煎本　孝 2002『カナダ・インディアンの世界から』（文庫版）福音館書店。〔46〕

煎本　孝 2014『ラダック仏教僧院と祭礼』法藏館。〔47〕

第Ⅹ部　儀　礼

煎本　孝 1989「ラダックにおけるラーの概念」『印度哲学仏教学』4号、305〜324頁。〔51〕

煎本　孝 2002「モンゴル・シャマニズムの文化人類学的分析」煎本孝（編）『東北アジア諸民族の文化動態』、北海道大学図書刊行会、357〜440頁。〔51〕

煎本　孝 2014『ラダック仏教僧院と祭礼』法藏館。〔51〕

第Ⅺ部　仏教とシャマニズム

煎本　孝 2014『ラダック仏教僧院と祭礼』法藏館。〔52〕〔53〕〔55〕〔56〕〔コラム10〕

煎本　孝 2019『こころの人類学』ちくま新書。〔55〕

煎本　孝 2020「霊性と治癒―多文化フィールドワークからの考察」『臨床心理学』増刊第12号、97〜102頁。〔56〕

Paldan, Thupstan, 1976, *The Guide of the Buddhist Monasteries and Royal Castles of Ladakh* (1st edition). Delhi: printed by Dorjee Tsering.〔52〕

スタン、R．A． 1971『チベットの文化』山口瑞鳳、定方晟訳、岩波書店（原書 Stein, R. A. ,1962, *La*

civilisation Tibétaine, Paris: Dunod の翻訳)。〔52〕
Tourist Office Leh, 2003, *Tourist Directory of Ladakh*. Leh: Tourist Office.〔57〕
Tucci, G and W. Heissig, 1970, *Die Religionen Tibets und der Mongolei*. Verlag W. Kohlhammer.〔52〕
山田孝子　２００９「第11章 現代化のなかで生きるシャマン」『ラダック』京都大学学術出版会、３７７～３９５頁。〔57〕
山田孝子　２００９『ラダック』京都大学学術出版会。〔56〕
山田孝子　２０１０「『移動』が生み出す地域主義―今日のチベット社会にみるミクロ・リージョナリズムと汎チベット主義」『地域研究』10巻1号、33～51頁。〔57〕
Yamada, Takako, 2017, Shamanic Power as an Agent of Reconciling Communal Conflicts. *Shaman*, 25(1&2): 159-180.〔55〕〔57〕
頼富本宏　１９８２「ラマ教の美術」『チベット密教の研究』種智院大学密教学会、インド・チベット研究会(編)、永田文昌堂、93～２３８頁。〔52〕

第XII部　政治と帰属性

Cunningham, Alexander, 1854, *Ladak, Physical, Statistical, and Historical with Notices of the Surrounding Countries*. London: Wm. H. Allen & Co. [HRAF AJ4 W. Tibetans,1].〔58〕
煎本　孝　２０１４『ラダック仏教僧院と祭礼』法藏館。〔59〕
煎本　孝　２０１９『こころの人類学』ちくま新書。〔59〕
西　義郎　１９８７「チベット語の方言」長野康彦・立川武蔵（編）『チベットの言語と文化』冬樹社、１７０～２０３頁。〔60〕〔コラム11〕
Petech, L., 1977, *The Kingdom of Ladakh: C. 950-1842 A.D. Serie Orientale Roma Vol. LI*, Roma: Instituto Italiano per il Medio ed Estremo Oriente.〔58〕
Petech, L., 1978, The ‘Bri-gun`-pa Sect in Western Tibet and Ladakh. In: L. Ligeti (ed.), *Bibliotheca Orientalis Hungarica*, Vol. XXIII: Proceedings of the Csoma de Körös Memorial Symposium, Akadémiai Kiadó, pp. 313-325.〔58〕
Phanday, Khanpo Konchok, 2017, *Comment on Thon-mi's Grammer and Classification of Language*. Leh, Ladakh: Phanday House, pp. 218-226.〔60〕

Rinchen Angmo Chumikchan, 2016, Chetsang Rinpoche interacts with Ladakh youth, speaks on social inequality and rising suicide cases. *Reach Ladakh Bulletin*, Jun 30, 2016, https://www.reachladakh.com/tourism-home.〔59〕

Tenzin Dajon, 2021, Cast-based inequality still a social reality. *Reach Ladakh Bulletin*, May 05, 2021, https://www.reachladakh.com/tourism-home.〔59〕

Wylie, Turrell, 1959, A Standard System of Tibetan Transcription, *Harvard Journal of Asiatic Studies*, Vol. 22, pp. 261-267, Harvard-Yenching Institute.〔コラム11〕

"Schedules of Indian constitution, 12 Schedules of India", https://byjus.com/free-ias-prep/schedules-indian-constitution/, last accessed 2022/07/14.〔60〕

おわりに

ラダック調査のため、ジャム・カシミール州のスリナガルを1979年に訪れてからすでに半世紀近くが経過した。この間、ヒマラヤ山脈中の秘境であったラダックが急激な現代化を遂げ、観光経済への転換を図る過程を観察してきた。

写真　ザンスカール（左端は山田、左から３人目は煎本、1983年）

厳しい自然をいきるラダックの人びとは、生態と世界観が交叉する活動を通して生存戦略を行使する。知性により構築された生存戦略は利己心であるいきるこころのみならず、おもいやりのこころという利他心が社会的条件により展開したわかちあいのこころ、たすけあいのこころ、ともにいきるこころなどの発動により操作される。

また、集団における互恵性と帰属性の根源であるひとつになるこころは、儀式やラーへの信仰を通した初原的同一性の感覚により生起する。さらに、人生儀礼を通して人びとはこころの転換を図り、僧やシャマンによる儀礼を通してこころの治癒をおこなう。

ラダックをこころから見ると、困難に挑戦し、それを切り開く勇気とおもいやりのこころがはたらいていることが明らかになる。これらは人類に普遍的に見られるこころのはたらきである。こころから見るラダックは、私たちと何ら変わるところはないのである。もし、こころに文化による違いがあるとすれば、それは活動とこころの体系における利己心と利他心のバランスの違いに起因するものであろう。ラダックの厳しい環境条件は社会におけるたすけあいを必要とし、このために利他心が要求される。じっさい、婚姻制度や僧院制度、あるいは相互扶助のための慣習という集団の生存のための社会生態的戦略は制度化された利他心に支えられている。さらに、ラダックの文化は仏教の影響により常に利他のこころを育て、利己のこころを抑制する環境にあるため、人びとはより容易に利他心を発動する。

その結果、彼らは厳しい自然環境で生存することができるのみならず、よりしあわせを感じることができるかも知れない。利他的こころは自己にとっても他者にとってもしあわせな感情を生み出すからである。私たちがラダックの人びとに親しみと敬意を感じるとすれば、それは彼らの利他心により生み出される人間性に由来しているからであろう。

１９４７年の英領インド帝国からのインド独立により、ラダックは民主主義体制を享受することになった。さらに、２０１９年には、対外的、内政的問題をより効果的に管理するために、インド連邦政府が直接統治する連邦直轄領ラダックが設立される。この新たな枠組みをラダック独自のものとするのは、伝統の継承とラダック人としての帰属性である。かつて、インド領チベット、あるいは西チベットとも呼ばれたラダックは、固有の歴史、文化、言語、そして人びとの帰属性により成立する領域である。現在のラダックはラダック王国の伝統という歴史の連続体の流れのなかに位置づけられるのである。

数十年という短い時間で、まるで平安時代のような中世から現代のＩＴ社会に移行したラダックは、時代の激しい流れのなかでも伝統の継承を図ろうとしている。ここでの伝統とは芸術や文化だけではなく、その背後にあるこころに他ならない。近代の個人主義による過度な利己心と伝統の否定は、結局のところ、私たちに不幸をもたらす結果になってきたのではないだろうか。現代社会における伝統の継承と利他的こころの発動というラダックの挑戦は、私たちにとっても解決すべき喫緊の課題でもあるのだ。

ところで、ラダックの研究においては、多くの人びとにお世話になった。ラダックの人びととの協力と援助は言うまでもなく、最初の出会いとなったカシミール研究所所長のＦ・ハスナイン博士、レーのモラビア派教会信徒で教師のエリゼー・ジョルダン氏、デラドュンのディグン・カーギュ研究所学長でディグン・カーギュ派ラマユル僧院の高僧カンポ・コンチョク・パンデイ氏、ラダック文化研究所所長でゲールク派スピトゥック僧院の高僧ゲロン・トゥプスタン・パルダン氏は、ラダックの宗教、文化、言語の教師として、惜しみなく彼らの知識と智慧を授けてくれた。

また、調査研究を遂行する上で、昭和58年度文部省在外研究員派遣、昭和63年度庭野平和財団研究助成、平成元～2年度日本学術振興会国際共同研究、平成15年度から平成29年度にわたる文部科学省（日本学術振興会）科学研究費（ＪＰ１５４０１０３３、ＪＰ１８４０１０３６、ＪＰ２０５２０７０５、ＪＰ２３３２０１８８、ＪＰ１５ＫＴ０１２４、ＪＰ１５ＫＯ１８７４、ＭＥＸＴＰ１４０８３２０５）、平成14～18年度文部科学省（日本学術振興会）北海道大学21世紀プログラム、平成19～23年度同グローバルＣＯＥプログラム等事業の支援を得た。

さらに、明石書店編集部佐藤和久氏には本書の出版の労をとっていただいた。上記関係機関と関係各位に深く謝意を表するものである。最後に、本書が広く人びとの役に立つことができるよう願う次第である。

山田孝子
煎本　孝

【著者紹介】

煎本　孝（いりもと　たかし）
北海道大学名誉教授。東京大学大学院理学系研究科博士課程単位取得退学。Ph.D.（サイモン・フレーザー大学）。専門は人類学、自然誌、地域研究。

【主な著書】

『文化の自然誌』（東京大学出版会、1996）、『カナダ・インディアンの世界から』（文庫版、福音館書店、2002）、『東北アジア諸民族の文化動態』（編著、北海道大学図書刊行会、2002）、『トナカイ遊牧民、循環のフィロソフィー』（明石書店、2006）、『集団生活の論理と実践』（共編著、北海道大学出版会、2007）、『現代文化人類学の課題』（共編著、世界思想社、2007）、『アイヌの熊祭り』（雄山閣、2010）、『ラダック仏教僧院と祭礼』（法藏館、2014）、『こころの人類学』（ちくま新書、2019）。

Chipewyan Ecology. SES, no.8, National Museum of Ethnology, 1981, *Circumpolar Religion and Ecology*. (co.-ed.) University of Tokyo Press, 1994, *Circumpolar Ethnicity and Identity*. (co.-ed.) SES, no.66, National Museum of Ethnology, 2004, *The Ainu Bear Festival*. Hokkaido University Press, 2014.

［担当：1 － 3、6 － 9、13 － 34、36 － 56、58、59、コラム 3、5、6 － 10］

山田孝子（やまだ　たかこ）
京都大学名誉教授。京都大学大学院理学研究科博士課程単位取得退学。理学博士（京都大学）。専門は人類学、宗教人類学的・民族誌的研究、シャマニズム研究、比較文化学、地域研究。

【主な著書】

『北の民の人類学』（共編著、京都大学学術出版会、2007）、『ラダック』（京都大学学術出版会、2009）、『南島の自然誌』（昭和堂、2012）、『アイヌの世界観』（講談社学術文庫、2019）、『人のつながりと世界の行方』（編著、英明企画編集、2020）。

Circumpolar Animism and Shamanism. (co.-ed.) Hokkaido University Press, 1997, *An Anthropology of Animism and Shamanism*. Budapest: Akadémiai Kiadó, 1999, *The World View of the Ainu*. London: Kegan Paul, 2001, *Continuity, Symbiosis, and the Mind in Traditional Cultures of Modern Societies*. (co.-ed.) Hokkaido University Press, 2011, *Migration and the Remaking of Ethnic/Micro-Regional Connectedness*. (co.-ed.) SES, no. 93, National Museum of Ethnology, 2016.

［担当：4、5、10 － 12，35、57、60、コラム 1、2、4、11］

エリア・スタディーズ　200

ラダックを知るための60章

2023年9月30日　初　版 第1刷発行

著　者　煎本　孝
　　　　山田孝子
発行者　大江道雅
発行所　株式会社 明石書店
〒101-0021 東京都千代田区外神田 6-9-5
電話　03（5818）1171
FAX　03（5818）1174
振替　00100-7-24505
http://www.akashi.co.jp
組版　明石書店デザイン室
印刷・製本　日経印刷株式会社

（定価はカバーに表示してあります）　ISBN978-4-7503-5621-1

エリア・スタディーズ

1 **現代アメリカ社会を知るための60章**
明石紀雄、川島浩平 編著

2 **イタリアを知るための62章【第2版】**
村上義和 編著

3 **イギリスを旅する35章**
辻野功 編著

4 **モンゴルを知るための65章【第2版】**
金岡秀郎 著

5 **パリ・フランスを知るための44章**
梅本洋一、大里俊晴、木下長宏 編著

6 **現代韓国を知るための60章【第2版】**
石坂浩一、福島みのり 編著

7 **オーストラリアを知るための58章【第3版】**
越智道雄 著

8 **現代中国を知るための52章【第6版】**
藤野彰 編著

9 **ネパールを知るための60章**
日本ネパール協会 編

10 **アメリカの歴史を知るための65章【第4版】**
富田虎男、鵜月裕典、佐藤円 編著

11 **現代フィリピンを知るための61章【第2版】**
大野拓司、寺田勇文 編著

12 **ポルトガルを知るための55章【第2版】**
村上義和、池俊介 編著

13 **北欧を知るための43章**
武田龍夫 著

14 **ブラジルを知るための56章【第2版】**
アンジェロ・イシ 著

15 **ドイツを知るための60章**
早川東三、工藤幹巳 編著

16 **ポーランドを知るための60章**
渡辺克義 編著

17 **シンガポールを知るための65章【第5版】**
田村慶子 編著

18 **現代ドイツを知るための67章【第3版】**
浜本隆志、髙橋憲 編著

19 **ウィーン・オーストリアを知るための57章【第2版】**
広瀬佳一、今井顕 編著

20 **ハンガリーを知るための60章【第2版】** ドナウの宝石
羽場久美子 編著

21 **現代ロシアを知るための60章【第2版】**
下斗米伸夫、島田博 編著

22 **21世紀アメリカ社会を知るための67章**
明石紀雄 監修　赤尾千波、大類久恵、小塩和人、落合明子、川島浩平、高野泰 編

23 **スペインを知るための60章**
野々山真輝帆 著

24 **キューバを知るための52章**
後藤政子、樋口聡 編著

25 **カナダを知るための60章**
綾部恒雄、飯野正子 編著

26 **中央アジアを知るための60章【第2版】**
宇山智彦 編著

27 **チェコとスロヴァキアを知るための56章【第2版】**
薩摩秀登 編著

28 **現代ドイツの社会・文化を知るための48章**
田村光彰、村上和光、岩淵正明 編著

29 **インドを知るための50章**
重松伸司、三田昌彦 編著

30 **タイを知るための72章【第2版】**
綾部真雄 編著

31 **パキスタンを知るための60章**
広瀬崇子、山根聡、小田尚也 編著

32 **バングラデシュを知るための66章【第3版】**
大橋正明、村山真弓、日下部尚徳、安達淳哉 編著

33 **イギリスを知るための65章【第2版】**
近藤久雄、細川祐子、阿部美春 編著

34 **現代台湾を知るための60章【第2版】**
亜洲奈みづほ 著

35 **ペルーを知るための66章【第2版】**
細谷広美 編著

36 **マラウィを知るための45章【第2版】**
栗田和明 著

37 **コスタリカを知るための60章【第2版】**
国本伊代 編著

38 **チベットを知るための50章**
石濱裕美子 編著

39 **現代ベトナムを知るための63章【第3版】**
岩井美佐紀 編著

40 **インドネシアを知るための50章**
村井吉敬、佐伯奈津子 編著

41 **エルサルバドル、ホンジュラス、ニカラグアを知るための45章**
田中高 編著

エリア・スタディーズ

42 **パナマを知るための70章【第2版】** 国本伊代 編著

43 **イランを知るための65章** 岡田恵美子、北原圭一、鈴木珠里 編著

44 **アイルランドを知るための70章【第3版】** 海老島均、山下理恵子 編著

45 **メキシコを知るための60章** 吉田栄人 編著

46 **中国の暮らしと文化を知るための40章** 東洋文化研究会 編

47 **現代ブータンを知るための60章【第2版】** 平山修一 著

48 **バルカンを知るための66章【第2版】** 柴宜弘 編著

49 **現代イタリアを知るための44章** 村上義和 編著

50 **アルゼンチンを知るための54章** アルベルト松本 著

51 **ミクロネシアを知るための60章【第2版】** 印東道子 編著

52 **アメリカのヒスパニック＝ラティーノ社会を知るための55章** 大泉光一、牛島万 編著

53 **北朝鮮を知るための55章【第2版】** 石坂浩一 編著

54 **ボリビアを知るための73章【第2版】** 真鍋周三 編著

55 **コーカサスを知るための60章** 北川誠一、前田弘毅、廣瀬陽子、吉村貴之 編著

56 **カンボジアを知るための60章【第3版】** 上田広美、岡田知子、福富友子 編著

57 **エクアドルを知るための60章【第2版】** 新木秀和 編著

58 **タンザニアを知るための60章【第2版】** 栗田和明、根本利通 編著

59 **リビアを知るための60章【第2版】** 塩尻和子 編著

60 **東ティモールを知るための50章** 山田満 編著

61 **グアテマラを知るための67章【第2版】** 桜井三枝子 編著

62 **オランダを知るための60章** 長坂寿久 著

63 **モロッコを知るための65章** 私市正年、佐藤健太郎 編著

64 **サウジアラビアを知るための63章【第2版】** 中村覚 編著

65 **韓国の歴史を知るための66章** 金両基 編著

66 **ルーマニアを知るための60章** 六鹿茂夫 編著

67 **現代インドを知るための60章** 広瀬崇子、近藤正規、井上恭子、南埜猛 編著

68 **エチオピアを知るための50章** 岡倉登志 編著

69 **フィンランドを知るための44章** 百瀬宏、石野裕子 編著

70 **ニュージーランドを知るための63章** 青柳まちこ 編著

71 **ベルギーを知るための52章** 小川秀樹 編著

72 **ケベックを知るための54章** 小畑精和、竹中豊 編著

73 **アルジェリアを知るための62章** 私市正年 編著

74 **アルメニアを知るための65章** 中島偉晴、メラニア・バグダサリヤン 編著

75 **スウェーデンを知るための60章** 村井誠人 編著

76 **デンマークを知るための68章** 村井誠人 編著

77 **最新ドイツ事情を知るための50章** 浜本隆志、柳原初樹 著

78 **セネガルとカーボベルデを知るための60章** 小川了 編著

79 **南アフリカを知るための60章** 峯陽一 編著

80 **エルサルバドルを知るための55章** 細野昭雄、田中高 編著

81 **チュニジアを知るための60章** 鷹木恵子 編著

82 **南太平洋を知るための58章** メラネシア ポリネシア 吉岡政德、石森大知 編著

83 **現代カナダを知るための60章【第2版】** 日本カナダ学会 編 飯野正子、竹中豊 総監修

エリア・スタディーズ

84 **現代フランス社会を知るための62章**
三浦信孝、西山教行 編著

85 **ラオスを知るための60章**
菊池陽子、鈴木玲子、阿部健一 編著

86 **パラグアイを知るための50章**
田島久歳、武田和久 編著

87 **中国の歴史を知るための60章**
並木頼壽、杉山文彦 編著

88 **スペインのガリシアを知るための50章**
坂東省次、桑原真夫、浅香武和 編著

89 **アラブ首長国連邦（UAE）を知るための60章**
細井長 編著

90 **コロンビアを知るための60章**
二村久則 編著

91 **現代メキシコを知るための70章【第2版】**
国本伊代 編著

92 **ガーナを知るための47章**
高根務、山田肖子 編著

93 **ウガンダを知るための53章**
吉田昌夫、白石壮一郎 編著

94 **ケルトを旅する52章** イギリス・アイルランド
永田喜文 著

95 **トルコを知るための53章**
大村幸弘、永田雄三、内藤正典 編著

96 **イタリアを旅する24章**
内田俊秀 編著

97 **大統領選からアメリカを知るための57章**
越智道雄 著

98 **現代バスクを知るための60章【第2版】**
萩尾生、吉田浩美 編著

99 **ボツワナを知るための52章**
池谷和信 編著

100 **ロンドンを旅する60章**
川成洋、石原孝哉 編著

101 **ケニアを知るための55章**
松田素二、津田みわ 編著

102 **ニューヨークからアメリカを知るための76章**
越智道雄 著

103 **カリフォルニアからアメリカを知るための54章**
越智道雄 著

104 **イスラエルを知るための62章【第2版】**
立山良司 編著

105 **グアム・サイパン・マリアナ諸島を知るための54章**
中山京子 編著

106 **中国のムスリムを知るための60章**
中国ムスリム研究会 編

107 **現代エジプトを知るための60章**
鈴木恵美 編著

108 **カーストから現代インドを知るための30章**
金基淑 編著

109 **カナダを旅する37章**
飯野正子、竹中豊 編著

110 **アンダルシアを知るための53章**
立石博高、塩見千加子 編著

111 **エストニアを知るための59章**
小森宏美 編著

112 **韓国の暮らしと文化を知るための70章**
舘野晳 編著

113 **現代インドネシアを知るための60章**
村井吉敬、佐伯奈津子、間瀬朋子 編著

114 **ハワイを知るための60章**
山本真鳥、山田亨 編著

115 **現代イラクを知るための60章**
酒井啓子、吉岡明子、山尾大 編著

116 **現代スペインを知るための60章**
坂東省次 編著

117 **スリランカを知るための58章**
杉本良男、高桑史子、鈴木晋介 編著

118 **マダガスカルを知るための62章**
飯田卓、深澤秀夫、森山工 編著

119 **新時代アメリカ社会を知るための60章**
明石紀雄 監修　大類久恵、落合明子、赤尾千波 編著

120 **現代アラブを知るための56章**
松本弘 編著

121 **クロアチアを知るための60章**
柴宜弘、石田信一 編著

122 **ドミニカ共和国を知るための60章**
国本伊代 編著

123 **シリア・レバノンを知るための64章**
黒木英充 編著

124 **EU（欧州連合）を知るための63章**
羽場久美子 編著

125 **ミャンマーを知るための60章**
田村克己、松田正彦 編著

エリア・スタディーズ

- 126 **カタルーニャを知るための50章** 立石博高、奥野良知 編著
- 127 **ホンジュラスを知るための60章** 桜井三枝子、中原篤史 編著
- 128 **スイスを知るための60章** スイス文学研究会 編
- 129 **東南アジアを知るための50章** 今井昭夫 編集代表 東京外国語大学東南アジア課程 編
- 130 **メソアメリカを知るための58章** 井上幸孝 編著
- 131 **マドリードとカスティーリャを知るための60章** 川成洋、下山静香 編著
- 132 **ノルウェーを知るための60章** 大島美穂、岡本健志 編著
- 133 **現代モンゴルを知るための50章** 小長谷有紀、前川愛 編著
- 134 **カザフスタンを知るための60章** 宇山智彦、藤本透子 編著
- 135 **内モンゴルを知るための60章** ボルジギン・ブレンサイン 編著 赤坂恒明 編集協力
- 136 **スコットランドを知るための65章** 木村正俊 編著
- 137 **セルビアを知るための60章** 柴宜弘、山崎信一 編著
- 138 **マリを知るための58章** 竹沢尚一郎 編著
- 139 **ASEANを知るための50章** 黒柳米司、金子芳樹、吉野文雄 編著
- 140 **アイスランド・グリーンランド・北極を知るための65章** 小澤実、中丸禎子、高橋美野梨 編著
- 141 **ナミビアを知るための53章** 水野一晴、永原陽子 編著
- 142 **香港を知るための60章** 吉川雅之、倉田徹 編著
- 143 **タスマニアを旅する60章** 宮本忠 著
- 144 **パレスチナを知るための60章** 臼杵陽、鈴木啓之 編著
- 145 **ラトヴィアを知るための47章** 志摩園子 編著
- 146 **ニカラグアを知るための55章** 田中高 編著
- 147 **台湾を知るための72章【第2版】** 赤松美和子、若松大祐 編著
- 148 **テュルクを知るための61章** 小松久男 編著
- 149 **アメリカ先住民を知るための62章** 阿部珠理 編著
- 150 **イギリスの歴史を知るための50章** 川成洋 編著
- 151 **ドイツの歴史を知るための50章** 森井裕一 編著
- 152 **ロシアの歴史を知るための50章** 下斗米伸夫 編著
- 153 **スペインの歴史を知るための50章** 立石博高、内村俊太 編著
- 154 **フィリピンを知るための64章** 大野拓司、鈴木伸隆、日下渉 編著
- 155 **バルト海を旅する40章** 7つの島の物語 小柏葉子 著
- 156 **カナダの歴史を知るための50章** 細川道久 編著
- 157 **カリブ海世界を知るための70章** 国本伊代 編著
- 158 **ベラルーシを知るための50章** 服部倫卓、越野剛 編著
- 159 **スロヴェニアを知るための60章** 柴宜弘、アンドレイ・ベケシュ、山崎信一 編著
- 160 **北京を知るための52章** 櫻井澄夫、人見豊、森田憲司 編著
- 161 **イタリアの歴史を知るための50章** 高橋進、村上義和 編著
- 162 **ケルトを知るための65章** 木村正俊 編著
- 163 **オマーンを知るための55章** 松尾昌樹 編著
- 164 **ウズベキスタンを知るための60章** 帯谷知可 編著
- 165 **アゼルバイジャンを知るための67章** 廣瀬陽子 編著
- 166 **済州島を知るための55章** 梁聖宗、金良淑、伊地知紀子 編著
- 167 **イギリス文学を旅する60章** 石原孝哉、市川仁 編著

エリア・スタディーズ

168 **フランス文学を旅する60章**
野崎歓 編著

169 **ウクライナを知るための65章**
服部倫卓、原田義也 編著

170 **クルド人を知るための55章**
山口昭彦 編著

171 **ルクセンブルクを知るための50章**
田原憲和、木戸紗織 編著

172 **地中海を旅する62章** 歴史と文化の都市探訪
松原康介 編著

173 **ボスニア・ヘルツェゴヴィナを知るための60章**
柴宜弘、山崎信一 編著

174 **チリを知るための60章**
細野昭雄、工藤章、桑山幹夫 編著

175 **ウェールズを知るための60章**
吉賀憲夫 編著

176 **太平洋諸島の歴史を知るための60章** 日本とのかかわり
石森大知、丹羽典生 編著

177 **リトアニアを知るための60章**
櫻井映子 編著

178 **現代ネパールを知るための60章**
公益社団法人 日本ネパール協会 編

179 **フランスの歴史を知るための50章**
中野隆生、加藤玄 編著

180 **ザンビアを知るための55章**
島田周平、大山修一 編著

181 **ポーランドの歴史を知るための55章**
渡辺克義 編著

182 **韓国文学を旅する60章**
波田野節子、斎藤真理子、きむ ふな 編著

183 **インドを旅する55章**
宮本久義、小西公大 編著

184 **現代アメリカ社会を知るための63章【2020年代】**
明石紀雄 監修 大類久恵、落合明子、赤尾千波 編著

185 **アフガニスタンを知るための70章**
前田耕作、山内和也 編著

186 **モルディブを知るための35章**
荒井悦代、今泉慎也 編著

187 **ブラジルの歴史を知るための50章**
伊藤秋仁、岸和田仁 編著

188 **現代ホンジュラスを知るための55章**
中原篤史 編著

189 **ウルグアイを知るための60章**
山口恵美子 編著

190 **ベルギーの歴史を知るための50章**
松尾秀哉 編著

191 **食文化からイギリスを知るための55章**
石原孝哉、市川仁、宇野毅 編著

192 **東南アジアのイスラームを知るための64章**
久志本裕子、野中葉 編著

193 **宗教からアメリカ社会を知るための48章**
上坂昇 著

194 **ベルリンを知るための52章**
浜本隆志、希代真理子 著

195 **NATO（北大西洋条約機構）を知るための71章**
広瀬佳一 編著

196 **華僑・華人を知るための52章**
山下清海 著

197 **カリブ海の旧イギリス領を知るための60章**
川分圭子、堀内真由美 編著

198 **ニュージーランドを旅する46章**
宮本忠、宮本由紀子 著

199 **マレーシアを知るための58章**
鳥居高 編著

200 **ラダックを知るための60章**
煎本孝、山田孝子 著

——以下続刊

◎各巻2000円（一部1800円）

〈価格は本体価格です〉